曾文正公家書

曾氏家書是一面鏡子，
真實折射出了他複雜的內心世界。
讀之，我們感覺是在和一顆偉大而豐富的心靈在對話，
不知不覺中，我們心中湧起了敬意，
人生境界得到了淨化和超拔。

曾國藩 著

曾文正公家書目次

卷一　稟祖父母

卷二　稟父母

卷三 禀叔父母

卷四　致諸弟

卷五　致諸弟

卷六　致諸弟

目次

卷七 致諸弟

曾文正公家書

卷一

稟祖父母（請救濟族人）

祖父大人萬福金安。四月十一日，由摺差發第六號家信，十六日摺弁又到，孫男等平安如常，孫婦亦起居維慎，曾孫數日內添吃粥一頓，因母乳日少，飯食難喂，每日兩飯一粥。

今年散館，湖南三人皆留，全單內共留五十二人，惟三人改部屬，三人改知縣，翰林衙門，現已多至百四、五十人，可謂極盛。

琦善已於十四日押解到京，奉上諭派親王三人，郡王一人，軍機大臣大學士六部尚書會同審訊，現未定案。梅霖生同年因去歲咳嗽未愈，日內頗患咯血，同鄉各京官宅皆如故。

澄侯弟三月初四日在縣城發信，已經收到，正月廿五日信，至今未接，蘭姊以何時分娩，是男是女，伏望下次示知。楚善八叔事，不知去冬是何光景？如絕無解危之處，則二伯祖母將窮迫難堪，竟希公之後人，將見笑於鄉里矣。孫國藩去冬已寫信求東陽叔祖兄弟，不知有補益否？此事全求祖父大人作主。如能救焚拯溺，何難噓枯回生。伏念祖父平日積德累仁，救難濟急，孫所知者，已難指數；如廖品一之孤，上蓮叔之妻，彭定五之子，福益叔祖之母，及小羅巷樟樹堂各庵，皆代為籌畫，曲加矜恤。凡他人所束手無策，計無復之者，得祖父善為調停，旋乾轉坤，無不立即解危。而況楚善八叔，同胞之親，萬難之時乎！

孫因念及家事，四千里外，杳無消息，不知同堂諸叔，目前光景；又念及家中此時，亦甚艱窘，輒敢冒昧饒舌，伏求祖父大人寬宥無知之罪。楚善叔事，如有設法之處，望詳細寄信來京。玆逢摺便，敬稟一、二。即跪叩祖母大人萬福金安。（道光二十一年四月十七日）

稟祖父母（告一家病況及同鄉病故事）

孫男國藩跪稟祖父大人萬福金安。六月初五日，接家信一封，係四弟初十日在省城發，得悉一切，不勝欣慰！孫國藩日內身體平安，國荃於廿三日微受暑熱，服藥一帖，次日即愈，初三日復患腹瀉，服藥二帖，即愈。曾孫甲三於廿三日腹瀉不止，比請鄭小珊診治，次日添請吳竹如，皆云係脾虛而並受暑氣，三日內服藥六帖，亦無大效，廿六日添請本京王醫，專服涼藥，漸次平復，初一、二兩日未吃藥，刻下病已全好，唯脾元尚虧，體尚未復，孫等自知細心調理，觀其行走如常，飲食如常，不吃藥即可復體，堂上不必罣念！孫婦身體亦好，婢僕如舊。

同鄉梅霖生病於五月中旬，日日加重，十八日上床，廿五日子時仙逝。胡雲閣先生亦同日同刻仙逝。梅霖生身後一切事宜，係陳岱雲、黎月喬與孫三人料理。戊戌同年，賻儀共五百兩，吳甄甫夫子（戊戌總裁）進京，賻贈百兩，將來一概共可張羅千餘金。計京中用費，及靈柩回南途費，不過用四百金，其餘尚可周恤遺孤。

自五月下旬以至六月初，諸事殷繁，孫荃亦未得讀書。六月前寄文來京，尚有三篇，孫未暇改。廣東事已成功，由軍功陞官及戴花翎、藍翎者，共二百餘人。將上諭抄回前半節，其後半載陞官人名，未及全抄。昨接家信，始知楚善八叔竹山灣田，已於去冬歸祖父大人承買，八叔之家稍安，而我更窘迫，不知祖父如何調停？去冬今年，如何設法？望於家信內詳示。

孫等在京，別無生計，大約冬初即須借賬，不能備仰事之資寄回，不勝愧悚！餘容續稟。即稟祖父母大人

萬福金安。孫跪稟。（道光二十一年六月初七日）

稟祖父母(告在京中窘狀及孫婦等病情)

孫男國藩跪稟祖父大人萬福金安。六月初七日發家信第九號，廿九日早，接丹閣十叔信，係正月廿八日發，始知祖父大人於二月間體氣違和，三月已全愈，至今康健如常，家中老幼均吉，不勝欣幸！四弟於五月初九寄信物於彭山屺處，至今尚未到，大約七月可到。

丹閣叔信內言，去年楚善叔田業賣於我家承管，其中曲折甚多。添梓坪借錢三百四十千，其實祗三百千，外四十千，係丹閣叔因我家景況艱窘，勉強代楚善叔解危，將來受累不淺，故所代出之四十千，自去冬至今，不敢向我家明言，不特不敢明告祖父，即父親叔父之前，渠亦不敢直說；蓋事前說出，則事必不成，不成則楚善叔逼迫無路，二伯祖母奉養必闕，而本房日見凋敗，終無安靜之日矣。事後說出，則我家既受其累，又受其欺，祖父大人必怒，渠更無辭可對，無地自容。故此事寫信告知孫男，託孫原其不得已之故，轉稟告祖父大人。現在家中艱難，渠所代出之四十千，想無錢可以付渠，八月心齋兄南旋，孫在京借銀數十兩，付回家中，歸楚此項，大約須臘月底可到，因心齋兄走江南回故也。

孫此刻在京，光景漸窘，然當京官者，大半皆東扯西支，從無充裕之時，亦從無凍餓之時，家中不必繫懷！孫現今管長郡會館事，公項存件，亦已無幾。

孫日內身體如恆，九弟亦好，甲三自五月廿三日起病，至今雖全愈，然十分之中尚有一、二分未盡復舊，刻下每日吃炒米粥二餐，泡凍米吃二次，乳已全無，而伊亦要吃，據醫云：「此等乳最不養人」，因其夜哭甚，不能遽斷乳。從前發熱煩躁，夜臥不安，食物不化，及一切諸患，此時皆已去盡，日日嬉笑好吃，現在尚服補脾之藥，大約再服四、五帖，本體全復，即可不藥。孫婦亦感冒三天，鄭小珊云：「服涼藥後，須略吃安胎藥」，目下亦健爽如常。

甲三病時，孫婦曾跪許裝修家中觀世音菩薩金身，伏求家中今年酬願；又言西冲有壽佛神像，祖母曾叩許裝修，亦係爲甲三而許，亦求今年酬謝了願。梅霖生身後事，辦理頗如意，其子可於七月扶櫬回南。同鄉各官如常，家中若有信來，望將王率五家光景寫明。肅此，謹稟祖父母大人萬福金安。（道光二十一年六月廿九日）

稟祖父母（告生一女）

孫男國藩跪稟祖父母大人萬福金安。十五日戌刻，孫婦產生一女，是日孫婦飲食起居如故，更初始作勢，二更即達生，極爲平安。寓中所雇僕婦，因其刁悍，已於先兩日遣去，亦未請穩婆，其斷臍洗三諸事，皆孫婦親自經手。曾孫甲三於初十日傷風，十七日全愈，現已復元，係鄭小珊醫治。孫等在京，身體如常，同鄉李碧峰在京，孫憐其窮苦無依，接在宅內居住，新年可代伊找館也，謹稟。（道光二十一年十一月十九日）

稟祖父母（請漆壽具及告英軍佔寧波）

孫男國藩跪稟祖父母大人萬福金安。三月十一日，發家信第四號，四月初十、廿三發第五號、第六號。後兩號，皆寄省城陳家，因寄有銀、參、筆、帖等物，待諸弟晋省時，當面去接。四月廿一日，接壬寅第二號家信，內祖父、父親、叔父手書各一，兩弟信並詩文具收。伏讀祖父手諭，字跡與早年相同，知精神較健，家中老幼平安，不勝欣幸！遊子在外，最重惟平安二字。承叔父代辦壽具，兄弟感恩，何以圖報。湘潭帶漆，必須多帶，此物難辦眞假，不可邀人去同買，反有奸弊。在省考試時，與朋友問看漆之法，多問則必能知一、二，若臨買時，向紙行邀人同去，則必吃虧，如不知看漆法，則今年不必買太多，待明年講究熟習，再買不遲。今年漆新壽具之時，祖父母壽具，必須加漆，以後每年加漆一次，四具同加，約計每年漆錢多少，寫信來京，孫付至省城甚易，此事萬不可從儉，子孫所為報恩之處，惟此最為切實，其餘皆虛文也。孫意總以厚漆為主，由一層以加至數十層，愈厚愈堅，不必多用瓷灰、夏布等物，恐其與漆不相膠黏，歷久而脫殼也。然此事孫未嘗經歷講究，不知如何而後盡善，家中如何辦法，望四弟寫信詳細告知，更望叔父教訓諸弟，經理家事。

心齋兄去年臨行時，言到縣即送銀廿八兩至我家，孫因十叔所代之錢，恐家中年底難辦，故向心齋通挪，因渠曾挪過孫的，今渠既未送來，則不必向渠借也。家中目下敷用不缺，此孫所第一放心者。孫在京已借銀二百兩，此地通挪甚易，故不甚窘迫，恐不能顧家耳。

曾孫姊妹二人體甚好，四月念三日，已種牛痘，萬無一失，係廣東京官，設局濟活貧家嬰兒，不取一錢。茲附回種法一張，敬呈慈覽，湘潭、長沙皆有牛痘公局，可惜鄉間無人知之。

英夷去年攻佔浙江寧波府及定海、鎮海兩縣，今年退出寧波，攻佔乍浦，極可痛恨！京城人心，安靜如無事時，想不日可殄滅也。孫謹稟。（道光二十二年四月廿七日）

稟祖父母（告九弟已歸家）

孫男國藩跪稟祖父母大人萬福金安。七月初五日，發第九號信，內言六月廿四日後，孫與岱雲意欲送家眷回南，至七月初一謀之於神，乃決計不送。初五日發信後，至初八日，九弟仍思南歸，其意甚堅，不可挽回，與孫商量，孫即不復勸阻，九弟自從去年四月，父母歸時，即有思歸之意，至九月間，則歸心似箭，孫苦苦細問，終不明言其所以然，年少無知，大抵厭常而喜新，未到京則想京，已到京則想家，在所不免。又家中僕婢，或對孫則恭敬，對弟則簡慢，亦在所不免。孫於去年決不許他歸，嚴責曲勸，千言萬語，弟亦深以為然，幾及兩月，乃決計不歸，今年正月，病中又思歸，孫即不敢復留矣。三月復元後，弟又自言不歸，四、五、六月，讀書習字，一切如常，至六月底，孫有送家眷之說，而弟之歸興又發，孫見其意，是爲遠離膝下，思歸蓋服事之勞，且逆夷滋擾，外間訛言可畏，雖明知蕞爾螳臂，不足以當車軌，而九弟既非在外服官，即宜在家承歡，非同有職位者，聞警而告假，使人笑其無膽，罵其無義也。且歸心既動，若強留在此，則心如懸旌，不能讀書，徒廢時日，兼此數層，故孫即定計打發他回，不復禁阻。恰好鄭莘田先生，將去貴州上任，迂道走湖南省城，定於十六日起程，孫即將九弟託他結伴同行，此係初八、九起議，十四始決計，即於數日內，將一切貨物辦齊，十五日雇車，時價轎車，本只要二十三千，孫見車店內有頂好官車一輛，牲口亦極好，其車較常車大二寸，深一尺，坐者最舒服，故情願多出大錢四千，恐九弟在道上受熱生病，雇底下人名向澤，其人新來，未知好歹，觀其光景，似尚有良心者。十六日未刻出京，孫送至城外廿里，見道上有積潦甚多，孫大不放心，恐有翻車、陷車等事，深爲懊悔！廿三日接到弟在途中所發信，始稍放心，玆將九弟原信附呈。

孫交九弟途費紋銀三十二兩整，先日交車行上脚大錢十三千五百文，及上車現大錢六千文，兩項在外，外買貨物及送人東西，另開一單，九弟帶回，外封銀十兩，敬奉堂上六位老人吃肉之貲。孫對九弟云：萬一少途費，即扯此銀亦可，若到家後，斷不可以他事借用此銀，然途費亦斷不至少也。向澤訂工費大錢二千文，已在京交楚，鄭家與九弟在長沙分隊，孫囑其在省換小船到縣，向澤即在縣城開銷他，向澤意欲送至家，如果至家，留住幾日打發，求祖父隨時斟酌。

九弟自到京後，去年上半年，用功甚好，六月，因甲三病，就擱半月餘，九月，弟欲歸，不肯讀書，就擱兩月，今春弟病，就擱兩月，其餘工夫，或作或輟，雖多間斷，亦有長進，計此一年半之中，惟書法進功最大，外此則看綱鑑卅六本，讀禮記四本，讀周禮一本，讀斯文精萃兩本半，因周禮讀不熟，故改換讀精萃，作文六十餘篇，讀文三十餘首。

父親出京後，孫未嘗按期改文，未嘗講書，未能按期點詩文，此孫之過，無所逃罪者也。讀文、作文，全不用心，凡事無恆，屢責不改，此九弟之過也。好與弟談倫常，講品行，使之擴見識，立遠志，目前已頗識爲學之次第，將來有路可循，此孫堪對祖父者也。待兄甚恭，待姪輩甚慈，循規蹈矩，一切匪彝慆淫之事，毫不敢近，舉止大方，性情摯厚，此九弟之好處也。弟有最壞之處在於不知艱苦，年紀本輕，又未嘗辛苦，宜其不知，再過幾年，應該知道。

九弟約計可於九月半到家，孫恐家中駭異，疑兄弟或有嫌隙，致生憂慮，故將在京出京情形，述其梗概。至瑣細之故，九弟到家詳述，使堂上大人，知孫兄弟，絕無纖介之隙也。

孫身體如常，惟常耳鳴，不解何故？孫婦及曾孫兄妹二人皆好，丫嬛因其年已長，其人太蠢，已與媒婆兌換一個，彼此不找一錢，此婢名雙喜，天津人，年十三歲，貌比春梅更陋，而略聰明，寓中男僕皆如故。孫在京一切，自知謹慎，伏望堂上大人放心！孫謹稟。（道光二十二年八月初一日）

稟祖父母（論高麗參之功用及與英國議和）

孫男國藩跪稟祖父母大人萬福金安。九月十三日，接到家信，係七月父親在省所發，內有叔父及歐陽牧雲致函，知祖母於七月初三日因感冒致恙，不藥而愈，可勝欣幸！高麗參足以補氣，然身上稍有寒熱，服之便不相宜，以後務須斟酌用之。若微覺感冒，即忌用此物，平日康強時，和入丸藥內服最好。然此時家中，想已無多，不知可供明年一單丸藥之用否？若其不足，須寫信來京，以便覓便寄回。

四弟、六弟考試，又不得志，頗難爲懷，然大器晚成，堂上不必以此置慮！聞六弟將有夢熊之喜，幸甚！近叔父爲嬸母之病，勞苦憂鬱，有懷莫宣，今六弟一索得男，則叔父含飴弄孫，瓜瓞日繁，其樂何如？唐鏡海先生德望，爲京城第一，其令嗣極孝，亦係兄子承繼者。先生今年六十五歲，得生一子，人皆以爲盛德之報。

英夷在江南，撫局已定，蓋金陵爲南北咽喉，逆夷既已扼吭而據要害，不得不權爲和戎之策，以安民而息兵。去年逆夷在廣東，曾經就撫，兵費去六百萬兩，此次之費，外間有言二千一百萬者，又有言此項皆勸紳民捐輸，不動帑藏者，皆不知的否？現在夷船已全數出海，各處防海之兵，陸續撤回，天津亦已撤退，議撫之使，係伊里布耆英及兩江總督牛鑑三人。牛鑑有失地之罪，故撫局成後，即革職拿問，伊里布去廣東，代弈山爲將軍，耆英爲兩江總督，自英夷滋擾，已歷二年，將不知兵，兵不用命，於國威不少損失，然此次議撫，出於不得已，但使夷人從此永不犯邊，四海晏然安堵，則以大事小，樂天之道，孰不以爲上策哉。

孫身體如常，孫婦及曾孫兄妹並皆平安。同縣黃麗潭薦一老嫗吳姓來，因其妻淩虐婢僕，百般慘酷，求孫代爲開脫，孫接至家住一日，轉薦至方夔卿太守處，託其帶回湖南，大約明春可到湘鄉。今年進學之人，孫見題名錄，僅認識彭惠田一人，不知廿三、四都進人否？謝寬仁、吳光照取一等，皆少年可慕，一等第一，題名錄刻黃生平，不知即黃星平否？

孫每接家信，常嫌其不詳，以後務求詳明，雖鄉間田宅婚嫁之事，不妨寫出，使遊子如仍未出里門，各族戚家，尤須一一示知，幸甚！敬請祖父母大人萬福金安，餘容後呈。孫謹稟。（道光二十二年九月十七日）

稟祖父母（告升翰林院侍講）

孫男國藩跪稟祖父母大人萬福金安。二月十九日，孫發第二號家信，三月十九日發第三號，交金竺虔，想必五月中始可到省。孫以下闔家皆平安。三月初六日，奉上諭於初十日大考翰詹，在圓明園正大光明殿考試，孫初聞之，心甚驚恐！蓋久不作賦，字亦生疎，向來大考，大約六年一次，此次自己亥歲二月大考到今，僅滿四年，萬不料有此一舉，故同人聞命之下時，無不惶悚！

孫與陳岱雲等在園同寓，初十日卯刻進場，酉正出場，題目另紙敬錄，詩賦亦另謄出，通共翰詹一百二十七人，告病不入場者三人，病愈乃須補考。在殿上搜出夾帶，比交刑部治罪者一人，其餘皆整齊完場。十一日，皇上親閱卷，二月十二日，欽派閱卷大臣七人，閱畢，擬定名次，進呈皇上欽定，一等五名，二等五十五名，三等五十六名，四等七名。孫蒙皇上天恩，拔取二等第一名，湖南六翰林，二等四人，三等二人，另有全單，十四日引見，共升官者十一人，記名侯升者五人，賞緞者十九人，升官者不賞緞。孫蒙皇上格外天恩，升授翰林院侍講，十七日謝恩，現在尚未補缺，有缺出即應孫補。其他升降賞賚，另有全單。湖南以大考升官者，從前雍正二年，惟陳文肅公，一等第一，以編修升侍講。近來道光十三年，胡雲閣先生，二等第四，以學士升少詹，並孫三人而已。孫名次不如陳文肅之高，而升官與之同，此皇上破格之恩也。孫學問膚淺，見識庸鄙，受君父之厚恩，蒙祖宗之德蔭，將來何以爲報，惟當竭力盡忠而已。

金竺虔於廿一日回省，孫託帶五品補服四付，水晶頂戴二座，阿膠一斤半，鹿膠一斤，耳環一雙，外竺虔借銀五十兩，即以付回。昨在竺虔處寄第三號信，寄面信裏，皆寫銀四十兩，發信後，渠又借去十兩，故前後二信不符。竺虔於五月半可到省，若六弟、九弟在省城，可面交，若無人在省，則家中專人去取，或諸弟有高興到省者，亦妙。

今年考差，大約在五月中旬，孫擬於四月半，下園用功。孫婦現已有喜，約七月可分娩，曾孫兄弟並如常。寓中今年添用一老媽，用度較去年略多，此次升官，約多用銀百兩，東扯西借，尚不窘迫，不知有邯鄲報來家否？若其已來，開銷不可太多。孫十四引見，渠若於廿八日以前報到，是眞邯鄲報，賞銀四、五十兩可也。若至四月始報，是省城僞報，賞數兩足矣。但家中景況不審何如？伏懇示悉爲幸，孫跪稟。（道

光二十三年三月廿三日）

稟祖父母（報告老差）

孫男國藩跪稟祖父母大人萬福金安。四月廿日孫發第五號家信，不知到否？五月廿九日接到家中第二號信，係三月初一發；六月初二日接第三號信，係四月十八日發的，具悉家中老幼平安，百事順遂，欣幸之至！六弟下省讀書，從其所願，情意既暢，志氣必奮，將來必有大成，可爲叔父預賀。祖父去歲曾賜孫手書，今年又已半年，不知目力如何？下次信來，仍求親筆書數語示孫。大考喜信，不知開銷報人錢若干？孫自今年來，身體不甚好，幸加意保養，得以無恙。大考以後，全未用功，五月初六日考差，孫妥當完卷，雖無毛病，亦無好處，首題「使諸大夫國人皆有所矜式。」經題「天下有道，則行有枝葉。」詩題「賦得角黍，得經字。」共二百四十一人進場，初八日派閱卷大臣十二人，每人分卷廿本，傳聞取七本，不取者十三本，彌封未拆，故閱卷者亦不知所取何人，所黜何人，取與不取，一概進呈，恭候欽定。外間謠言，某人第一，某人未取，俱不足憑，總待放差後方可略測端倪。亦有眞第一而不得，有眞未取而得差者，靜以聽之而已。同鄉考差九人，皆妥當完卷。六月初一，放雲南生主考，龔寶蓮（辛丑榜眼）、段大章（戊戌同年）。貴州主考，龍元僖、王桂（庚子湖南主考）。孫在京平安，孫婦及曾孫兄妹皆如常。前所付銀，諒已到家。高麗參目前難寄，容當覓便寄回。六弟在城南，孫已有信託陳堯農先生，同鄉官皆如舊，黃正齋生糧船來，已於六月初三到京，餘容後稟。（道光二十三年六月初六日）

稟祖父母（請將銀餽贈戚族）

孫國藩跪稟祖父母大人萬福金安。二月十四日孫發第二號信，不知已收到否？孫身體平安，孫婦及曾孫男女皆好。孫去年臘月十八，曾寄信到家，言寄家銀一千兩，以六百爲家中還債之用，以四百爲餽贈親族之用，其分贈數目，另載寄弟信中，以明不敢自專之義也。後接家信，知兌嘯山百三十千，則此銀已虧空一百矣。頃聞曾受恬丁艱，其借銀恐難遽完，則又虧空一百矣。所存僅八百，而家中舊債尚多。

餽贈親族之銀，係孫一人愚見，不知祖父母、父親、叔父、以為可行否？伏乞裁奪！孫所以汲汲餽贈者，蓋有二故：一則我家氣運太盛，不可不格外小心，以為持盈保泰之道；舊債盡清，則好處太全，恐盈極生虧，留債不清，則好中不足，亦處樂之法也。二則各親戚家皆貧，而年老者，今不略為佽助，則他日不知何如？自孫入都後，如彭滿舅曾祖彭王姑母，歐陽岳祖母，江通十舅，已死數人矣。再過數年，則意中所欲餽贈之人，正不知何若矣。家中之債，今雖不還，後尚可還；贈人之舉，今若不為，後必悔之。此二者，孫之愚見如此，然孫少不更事，未能遠謀一切，求祖父、叔父作主，孫斷不敢擅自專權。其銀待歐陽小岑南歸，孫寄一大箱衣物，銀兩概寄渠處，孫認一半車錢，彼時再有信回，孫謹稟。（道光二十四年三月初十日）

稟祖父母（告送率五回家及生女）

孫男國藩跪稟祖父母大人萬福金安。八月廿七日，接到七月十五、廿五兩次所發之信，內祖父母各一信，父親、母親、叔父、各一信，諸弟亦皆有信，欣悉一切，慰幸之至！叔父之病，得此次信，始可放心。八月廿八日，陳岱雲之弟送靈櫬回南，坐糧船，孫以率五妹丈，與之同伴南歸，船錢飯錢，陳宅皆不受，

孫送至城外，率五揮淚而別，甚為可憐。率五來意，本欲考供事，冀得一官以養家，孫以供事必須十餘年，乃可得一典史，宦海風波，安危莫卜，卑官小吏，尤多危機，每見佐雜末秩，下場鮮有好者。孫在外已久，閱歷已多，故再三苦言勸率五居鄉，勤儉守舊，不必出外做官，勸之既久，率五亦以為然。其打發行李諸物，孫一一辦妥，另開單呈覽。

孫送率五歸家，即於是日申刻生女，母女俱平安。前正月間孫寄銀回南，有餽贈親族之意，理宜由堂上定

數目，方合內則不敢私與之道。孫此時糊塗，擅開一單，輕重之際，多不妥當，幸堂上各大人斟酌增減，方爲得宜。但岳家太多，他處相形見絀，孫稍有不安耳！率五大約在春初可以到家，渠不告而出，心中懷慚，到家後，望大人不加責，並戒家中及近處毋相譏訕爲幸！孫謹稟。（道光二十四年八月十九日）

稟祖父母（告曾孫愛習字及曬皮衣之法）

孫國藩跪稟祖父母大人萬福金安。孫在京平安，孫婦及曾孫男女四人皆好。曾孫最好寫字，散學後，則在其母房中，多寫至更初，猶不肯睡，罵亦不止。目下天寒墨凍，脫手寫多不成字，玆命之寫稟安帖寄呈，以博堂上大人一歡笑而已。

上半年所付黑狸皮褂料，不知祖父大人合身否？聞狸皮在南邊易於回潮，黑色變爲黃色，不知信否？若果爾，則回潮天氣，須勤勤檢視。又凡收皮貨，須在省城買潮腦，其色如白淮鹽，微帶黃色，其氣如樟木，用皮紙包好，每包約寸大，每衣內置三、四包，收衣時，仍將此包置衣內；又每年曬皮貨，曬衣之日，不必折收，須過兩天，待熱氣退盡乃收。

江西家受恬明府，昨有信來，云此銀今冬必付到，不知近來接到否？如未接到，立即寫信來京，再去催取，兌銀之難，往往如此。

同鄉唐鏡海先生，三年以來，連生三子，而長者前以病殤，幼者昨又以痘殤，僅存次子，尚未周歲，良可悼歎！

現在京官甚少，僅二十二人。昨十月廿五日，謝恩赴宮門叩頭者，僅到三人，尤非盛時氣象，玆將謝摺付回呈覽。母親生日，京中僅客一席，待明年當付壽屏回家，所需之物，須寫信來，明年會試後寄歸，孫國藩稟。（道光二十四年十一月廿一日）

稟祖父母（報告補侍讀及皇上求雪）

孫國藩跪稟祖父母大人萬福金安。十一月二十二日發十三號信，廿九日祖父母大人壽辰，孫等叩頭遙祝，寓中客一席，次日請同鄉公車一席。初七日皇上御門，孫得轉補翰林院侍讀，所遺侍講缺，許乃釗補升。侍講轉侍讀，照例不謝恩，故孫未具摺謝恩。今冬京中未得厚雪，初九日設三壇求雪，四五六阿哥詣三壇行禮，皇上親詣大高殿行禮，十一日即得大雪，天心感召，呼吸相通，良可賀也。

孫等在京平安，曾孫讀書有恆，惟好寫字，見閒紙則亂畫，請其母釘成本子。孫今年用度尚寬裕，明年上半年尚好，至五月後再作計較。昨接曾興仁信，知渠銀尚未還，孫甚著急，已寫信去催，不知家中今年可不窘迫否？同鄉京官皆如故，馮樹堂、郭筠仙、在寓亦好。

荊七自五月出去，至今未敢見孫面，在同鄉陳洪鐘家，光景亦好，若使流落失所，孫亦必宥而收恤之。且渠對人言：情願餓死，不願回南，此實難處置，孫則情願多給銀兩，使他回去，不願他在京再犯出事，望大人明示以計，俾孫遵行。

四弟等自七月寄信來後，至今未再得信，孫甚切望！嚴太爺在京引見，來拜一次，孫回拜一次，又請酒，渠未赴席。此人向有狂妄之名，孫已亥年在家，一切不與之計較，故相安於無事，大約明春可回湘鄉任，孫謹稟。（道光二十四年十二月十四日）

稟祖父（欲另尋祖母墳地）

孫男國藩跪稟祖父大人萬福金安。去年十二月十七，發第廿二號信，並輓聯一包，朱心泉誥命一軸，交徐玉山太守，帶交蕭辛五處，想三月可到。又於廿日，發廿三號信，交摺弁，想二月可到。新正十五日，接到家中十一月十九所發信，敬悉大人之病，已愈大半，不知近日得全愈否？孫去冬信言，須參用化痰之藥，不知可從否？

祖母已於十二月初十安葬，甚好甚好。但孫有略不放心者，孫幸蒙祖父福佑，忝居卿大夫之末，則祖母墳塋，必須局面宏敞，其墓下拜掃之處須寬濶，其外須建立誥封牌坊，又其外須立神道碑。木兜沖原墳，規模隘小離河太近，無立牌坊與神道碑之地，是以孫不甚放心，意欲從容另尋一地，以圖改葬，不求富貴吉祥，但求無水蟻，無凶險，面前宏敞而已，不知大人以為何如？若可則家中在近境四十里內從容尋地可也。餘俟續具，孫謹禀。（道光二十七年正月十七日）

卷二

禀父母（述到京後之狀況）

男國藩跪禀父母親大人膝下：去年十二月十六日，男在漢口寄家信付湘潭人和紙行，不知已收到否？後於念一日，在漢口開車，二人共雇二把手小車六輛，男佔三輛半，行三百餘里，至河南八里汊度歲。正月初二日開車，初七日至周家口，即換大車，雇三套篷車二輛，每套錢十五千文，男佔四套，朱佔二套。初九日開車，十二日至河南省城，拜客耽擱四天，獲百餘金。十六日起行，即於是日三更，趁風平浪靜，徑渡黃河，念八日到京，一路清吉平安，天氣亦好，惟過年二天微雪耳。

到京在長郡會館卸車，二月初一日移寓南橫街千佛庵，屋四間，每月賃錢四千文，與梅、陳二人居趾甚近。三月聯會，間日一課，每課一賦一詩，謄眞。初八日是湯中堂老師大課，題「智若禹之行水賦，」以「行所無事，則智大矣，」為韻。詩題「賦得池面魚吹柳絮行，得吹字。」三月尙有大課一次，同年未到者不過二人，梅、陳二人皆正月始到。

岱雲江南、山東之行，無甚佳處，到京除償債外，不過存二、三金，又有八口之家。

男路上用去百金，刻下光景頗好，接家眷之說，鄧小珊現無回信，伊若允諾，似儘妥妙，如其不可，則另圖善計，或緩一、二年亦可，因兒子太小故也。家中諸事，都不罣念，惟諸弟讀書，不知有進境否？須將所作文字詩賦，寄一、二首來京，丹閣叔大作，亦望寄示。男在京一切謹愼，家中儘可放心。

又稟者：大行皇后於正月十一日升遐，百日以內，禁薙髮，期年禁宴會音樂。何仙槎年伯於二月初五日溘逝，是日男在何家早飯，並未聞其染病，不數刻而凶音至矣。歿後加太子保銜，其次子何子毅，已於去年十一月物故，自前年出京後，同鄉相繼殂逝者，夏一濤、李高衢、楊寶筠、三主事，熊子謙、謝訒庵及何氏父子，凡七人，光景爲之一變。

男現愼保身體，自奉頗厚，朱師、徐師靈櫬，並已回南矣。詹有乾家墨到京，竟不可用，以膠太重也，擬仍付回，或退或用，隨便。接家眷事，三月又有信回，家中信來，須將本房及各親戚家附載詳明。堂上各老人須一一分敘，以煩瑣爲貴，謹此跪稟萬福金安。（道光二十年二月初九日）

稟父母（謹守保身之訓）

男國藩跪稟父母親大人萬福金安。自閏三月十四日，在都門拜送父親，嗣後共接家信五封，五月十五日，父親到長沙發信，內有四弟信，六弟文章五首，謹悉祖父母大人康强，家中老幼平安，諸弟讀書發奮，並喜父親出京，一路順暢，自京至省，僅三十餘日，眞極神速。

邇際男身體如常，每夜早眠，起亦漸早，惟不耐久思，思多則頭昏，故常冥心於無用，優游涵養，以謹守父親保身之訓。九弟功課有常，禮記九本已點完，鑑已看至三國，斯文精粹詩文，各已讀半本，詩略進功，文章未進功，男亦不求速效，觀其領悟，已有心得，大約手不從心耳。

甲三於四月下旬能行走，不須扶持，尚未能言，無乳可食，每日一粥兩飯。冢婦身體亦好，已有夢熊之喜，婢僕皆如故。

今年新進士龍翰臣得狀元，係前任湘鄉知縣見田年伯之世兄，同鄉六人，得四庶常，兩知縣，覆試單已於閏三月十六日付回，茲又付呈殿試朝考全單。

同鄉京官如故，鄭莘田給諫服闋來京，梅霖生病勢沉重，深爲可慮！黎樾喬老前輩處，父親未去辭行，男已道達此意，廣東之事四月十八日得捷音，茲將抄報付回。

男等在京，自知謹慎，堂上各老人，不必罣懷！家中事，蘭姊去年生育，是男是女？楚善叔如何成就？伏望示知。男謹稟，即請父母親大人萬福金安。（道光二十一年五月十八日）

稟父母（籌畫歸還借款）

男國藩跪稟父母親大人萬福金安。彭山屺進京，道上爲雨泥所苦，又値黃河水漲，渡河時大費力，行旅衣服皆濕，惟男所寄書，渠收貯箱內，全無潮損，眞可感也！到京又以腊肉蓮茶送男，渠於初九晚到，男於十三日請酒，十六日將四十千錢交楚。渠於十八日賃住黑市，離城十八里，係武會試進場之地，男必去送考。

男在京身體平安，國荃亦如常，男婦於六月廿三、四感冒，服藥數帖全愈，又服安胎藥數帖。紀澤自病全愈後，又服補劑十餘帖，辰下體已復元，每日行走歡呼，雖不能言，已無所不知，食粥一大碗，不食零物。僕婢皆如常，周貴已薦隨陳雲心回南，其人蠢而負恩，蕭祥已跟別人，男見其老成，加錢呼之復來。

男目下光景漸窘，恰有俸銀接續，冬下又望外官例寄炭資，今年尙可勉强支持，至明年則更難籌畫。借錢之難，京城與家鄉相仿，但不勒追强逼耳。前次寄信回家，言添梓坪借項內，松軒叔兄弟實代出錢四十千，男可寄銀回家，完淸此項。近因完彭山屺項，又移徙房屋，用錢日多，恐難再付銀回家。男現看定屋在繩匠胡同北頭路東，準於八月初六日遷居，初二日已搬一香案去，取吉日也。棉花六條胡同之屋，王翰城言多間極不吉，且言重慶下者，不宜住三面懸空之屋，故遂遷移繩匠胡同。房租每月大錢十千，收拾又須十餘千。

心齋借男銀已全楚，渠家中付來銀五百五十兩，又有各項出息，渠言尙須借銀出京，不知信否？

男已於七月留鬚，楚善叔有信寄男係四月寫，備言其苦，近聞衡陽田已賣，應可勉强度日，戊戌多所借十千二百，男曾言幫他，曾稟告叔父，未稟祖父大人，是男之罪，非渠之過。其餘細微曲折，時成時否，時朋買，時獨買，叔父信不甚詳明，楚善叔信甚詳，男不敢盡信。總之渠但免債主追迫，即是好處，第目前無屋可住，不知何處安身？若萬一老親幼子，棲託無所，則流離四徙，尤可憐憫！以男愚見，可仍使渠住近處，斷不可住衡陽，求祖父大人代渠謀一安居，若有餘貲，則佃田耕作。又求父親寄信問朱堯階，備言楚善光景之苦，與男關注之切，問渠所營產業，可佃與楚善耕否？渠若允從，則男另有信求堯階，租穀須格外從輕，但路太遠，至少亦須耕六十畝，方可了吃。

堯階壽屛，託心齋帶回，嚴麗生在湘鄉，不理公事，簠簋不飭，聲名狼籍，如査有眞實劣蹟，或有上案，不妨抄錄付京，因有御史在男處查訪也。但須機密。四弟、六弟考試，不知如何？得不足喜，失不足憂，總以發奮讀書爲主。史宜日日看，不可間斷。九弟閱易知錄，現已看至隋朝，溫經須先窮一經，一經通後，再治他經，切不可兼營並騖，一無所得。右謹稟父母親大人萬福金安。（道光二十一年八月初三日）

稟父母（借銀寄回家用）

男國藩跪稟父母親大人萬福金安。十四日接家信，內有父親、叔父、並丹閣叔信各一件，得悉丹閣叔入泮，且堂上各大人康健，不勝欣幸！男於八月初六日，移寓繩匠胡同，北頭路東，屋甚好，共十八間，每月房租京錢二十千文，前在棉花胡同，房甚偪仄，此時房屋爽塏，氣象軒敞，男與九弟言，恨不能接堂上各大人來京住此。

男身體平安，九弟亦如常，前不過小恙，兩日即愈，未服補劑。甲三自病體復元後，日見肥胖，每日歡呼趨走，精神不倦，冢婦亦如恆。九弟禮記讀完，現讀周禮。心齋兄於八月十六日，男向渠借銀四十千，付寄家用，渠允於到湘鄉時，送銀廿八兩交勤七處，轉交男家，且言萬不致誤。男訂待渠到京日，償還其銀，若到家中，不必還他。又男寄有冬菜一簍，朱堯階壽屏一付，在心齋處，冬菜託交勤七叔送至家，壽屏託交朱嘯山轉寄。

香海處，月內準有信去，王睢園處，去冬有信去，至今無回信，殊不可解？顏字不宜寫白摺，男擬改臨褚柳。去年跪託叔父大人之事，承已代覓一具，感戴之至！泥首萬拜。若得再覓一具，即於今冬明春辦就更妙。敬謝叔父，另有信一函，在京一切自知謹愼，男跪稟。（道光二十一年八月十七日）

稟父母（九弟急欲南歸）

男國藩跪稟父母親大人萬福金安。八月十四日家信三件，內係得父親信一，叔父信一，丹閣叔信一，十八日男發家信第十二號，不知已收到否？

男等在京，身體平安，甲三母子如常，惟九弟迫思南歸，不解何故？自九月初間，即欲言歸，男始聞駭異，再四就詢，終不明言，不知男何處不友，遂爾開罪於弟，使弟不願同居。男勸其明白陳辭，萬不可蘊藏於心，稍生猜疑，如男有不是，弟宜正容責之，婉言導之，使男改過自贖。再三勸諭，弟終無一言，如男全無過愆，弟願歸侍定省，亦宜寫信先告知父親，待回信到時，家中諭令南歸，然後擇伴束裝，尙未為晚。

男因弟歸志已決，百計阻留，勸其多住四十天，而弟仍不願，欲與彭山屺同歸，彭會試罷屈，擬九月底南旋，現在尙少途費，待渠家寄銀來京。男目下告匱，九弟若歸，途費甚難措辦。英夷在浙江滋擾日甚，河南水災，豫楚一路，飢民甚多，行旅大有戒心，胡詠之前輩扶櫬南歸，行李家眷，雇一大船，頗挾重貲，聞昨已被搶劫，言之可慘！九弟年少無知，又無大幫作伴，又無健僕，又無途費充裕，又値道上不甚恬謐之際，兼此數者，男所以大不放心，萬萬不令弟歸，即家中聞之，亦萬萬放心不下。

男現在苦留九弟在此，弟若婉從，則讀書如故，半月內男又有稟呈。弟若執拗不從，則男當責以大義，必不令其獨行。自從閏三月以來，弟未嘗片言違忤，男亦從未加以辭色，兄弟極為湛樂。茲忽欲歸，男寢饋難安，展轉思維，不解何故？男萬難辭咎。父親寄諭來京，先責男教書不盡職，待弟不友愛之罪，後責弟年少無知之罪，弟當翻然改悟，男教訓不先，鞠愛不切，不勝戰慄待罪之至！伏望父母親俯賜懲責，俾知悛悔遵守，斷不敢怙過飾非，致兄弟仍稍有嫌隙，男謹稟告家中，望無使外人聞知，疑男兄弟不睦，九弟不過堅執，無絲毫怨男也，男謹稟。（道光二十一年九月十五日）

稟父母（九弟暫不歸家）

男國藩跪稟父母親大人萬福金安。十月十七日，接奉在縣城所發手諭，知家中老幼定吉，各親戚家並皆如常。七月廿五日由黃恕皆處寄信，八月十三日由縣附信寄摺差，皆未收到。男於八月初三發第十一號家信，十八發第十二號，九月十六發第十三號，不知皆收到否？

男在京身體平安，近因體氣日強，每天發憤用功，早起溫經，早飯後讀廿三史，下半日閱詩古文，每日共可看書八十頁，皆過筆圈點，若有躭擱，則止看一半。九弟體好如常，但不甚讀書，前九月下旬，迫切思歸，男再四勸慰，詢其何故？九弟終不明言，惟不讀書，不肯在上房共飯，男但就弟房二人同食，男婦獨在上房飯，九月一月皆如此。弟待男恭敬如常，待男婦和易如常，男夫婦相待亦如常，不解因其思歸之故。男告弟云：「凡兄弟有不是處，必須明言，萬不可蓄疑於心，如我有不是，弟當明爭婉諷，我若不聽，弟當爲信稟告堂上，今欲一人獨歸，浪用途費，錯過光陰，道路艱險，爾又年少無知，祖父母、父母聞之，必且食不甘味，寢不安枕，我又安能放心，是萬不可也，等語。」又寫信一封，詳言不可歸之故，共二千餘字，又作詩一首示弟，弟微有悔意，而尙不讀書。

十月初九，男及弟等恭慶壽辰，十一日，男三十初度，弟具酒食，肅衣冠，爲男祝賀，嗣後復在上房四人共飯，和好無猜。

昨接父親手諭中，有示荃男一紙，言境遇難得，光陰不再等語，弟始愧悔讀書。男教弟千萬言，而弟不聽，父教弟數言，而弟遽惶恐改悟，是知非弟之咎，乃男之不能友愛，不克修德化導之罪也。伏求更賜手諭，責男之罪，俾男得率教改過，幸甚！

男婦身體如常，孫男日見結實，皮色較前稍黑，尙不解語。男自六月接管會館公項，每月收房租大錢十五千文，此項例聽經管支用，俟交卸時算出，不算利錢，男除用此項外，每月僅用銀十一、二兩，若稍省儉，明年尙可不借錢，比家中用度較奢華，祖父母、父母不必懸念！男本月可補國史館協修官，此輪次挨派者。英夷之事，九月十七大勝，在福建台灣，生擒夷人一百三十三名，斬首三十二名，大快人心。同鄉何宅盡室南歸，餘俱如故。

又呈附錄詩一首云：

「松柏翳危巖，葛藟相鉤帶，兄弟匪他人，患難亦相賴，行酒烹肥羊，嘉賓塡門外，喪亂一以聞，寂寞何人會，維鳥有鶺鴒，維獸有狼狽，兄弟審無猜，外侮將予奈，願爲同岑石，無爲水下瀨，水急不可磯，石

堅猶可磕，誰謂百年長，倉皇已老大，我邁而斯征，辛勤共麤糲，來世安可期，今生勿玩愒。」（道光二十一年十月十九日）

稟父母（在外借債過年）

男國藩跪稟父母親大人萬福金安。十一月十八，男有信寄呈，寫十五日生女事，不知到否？昨十二月十七日，奉到手諭，知家中百凡順遂，不勝欣幸！男等在京，身體平安，孫男孫女皆好，現在共用四人，荊七專抱孫男，以春梅事多，不兼顧也。孫男每日清晨，與男同起，即送出外，夜始接歸上房。孫女滿月，有客一席。九弟讀書，近有李碧峰同居，較有樂趣。男精神不甚好，不能勤教，亦不督責，每日兄弟笑語歡娛，藹然自樂。而九弟似有進境，茲將昨日課文原稿呈上。

男今年過年，除用去會館房租六十千外，又借銀五十兩，前日冀望外間或有炭資之贈，今冬乃絕無此項。聞今年家中可盡完舊債，是男在外有負累，而家無負累，此最可喜之事。岱雲則南北負累，時常憂貧，然其人忠信篤敬，見信於人，亦無窘迫之時。

同鄉京官僉岱青先生告假，擬明年春初出京，男便附鹿肉，託渠帶回。杜蘭溪、周華甫、皆擬送家眷出京，岱雲約男同送家眷，男不肯送，渠謀亦中止。彭山屺出京，男爲代借五十金，昨已如數付來。心齋臨行時，約送銀廿八兩至勤七叔處，轉交我家，不知能踐言否？嗣後家中信來，四弟、六弟各寫數行，能寫長信更好，男謹稟。（道光二十一年十二月二十一日）

稟父母（便附家中大布及茶葉）

男國藩跪稟父母親大人萬福金安。男與九弟身體清吉，冢婦亦平安，孫男甲三體好，每日吃粥兩頓，不吃零星飲食。去冬已能講話，孫女亦體好，乳食最多，合寓順適。今年新正，景象陽和，較去年正月，甚爲燠睽。

茲因俞岱青先生南回，付鹿脯一方，以爲堂上大人甘旨之需，鹿肉恐難寄遠，故燻臘附回。此間現有燻臘肉猪舌猪心臘魚之類，與家中無異，如有便附物來京，望附茶葉、大布而已。茶葉須託朱堯階淸明時在永豐買，則其價亦廉，茶葉亦好。家中之布，附至此間，爲用甚大，但家中費用窘迫，無錢辦此耳。同縣李碧峰，苦不堪言，男代爲張羅，已覓得館，每月學俸銀三兩。在男處將住三月，所費無幾，而彼則感激難名。館地現尙未定，大約可成。在京一切自知謹愼，即請父母親大人萬福金安。（道光二十二年正月初七日）

稟父母（九弟擇日南歸）

男國藩跪稟父母親大人萬福金安。新正初七日，男發第一號家信，並鹿脯一方，託俞岱青先生交彭山屺寄轉，不知到否？去年臘月十九，發家信，內共信十餘封，想已到矣。初七日信，係男荃代書，初八早，男兄弟率合寓上下，焚香祝壽，下半日荃弟患病，發熱畏寒，遍身骨節痛，脅氣疼痛，次早，請小珊診，係時疫症，連日服藥，現已大愈。小珊云：「凡南人體素陰虛者，入京多患此症，從前彭棣樓夫婦皆患此症，羅蘇溪、勞辛階、鄭小珊、周華甫，亦曾有此病。」

男庚子年之病，亦是此症，其治法不外滋陰袪邪，二者兼顧。九弟此次之病，又兼肝家有鬱，胃家有滯，故病勢來得甚陡。自初八日至十三，脅氣疼痛，呻吟之聲震屋瓦，男等日夜惶懼！初九即請吳竹和醫治，連日共請四醫，總以竹如爲主，小珊爲輔，十四日，脅痛已止，肝火亦平，十五日，已能食粥，日減日退，現在微有邪熱在胃。小珊云：「再過數日，邪熱袪盡，即可服補劑，本月盡當可復體還元。」

男自己亥年進京，庚子年自身大病，辛丑年孫兒病，今年九弟病，仰託祖父母、父母福蔭，皆保萬全，何幸如之！因此思丁酉春祖父之病，男不獲在家伏侍，至今尙覺心悸！

九弟意欲於病體起復後歸家，男不敢復留，待他全好時，當借途費，擇良伴，令其南歸，大約在三月起行。英逆去秋在浙滋擾，冬間無甚動作，若今春不來天津，或來而我師全勝，使彼片帆不返，則社稷蒼生之福也。黃河決口，去歲動工，用銀五百餘萬，業已告竣；臘底又復決口，湖北崇陽民變，現在調兵剿辦，當易平息，餘容續稟，男謹呈。（道光二十二年正月十八日）

稟父母（九弟習字長進）

男國藩跪稟父母親大人萬福金安。九弟之病，自正月十六日後，日見強旺，二月一日開葷，現全復元矣。二月以來，日日習字，時有長進。男亦常習小楷，以爲明年考差之具。近來改臨智永千字文帖，不復臨顏、柳二家帖，以不合時宜故也。

孫男身體甚好，每日佛達歡呼，曾無歇息，孫女亦好。

浙江之事，聞於正月底交戰，仍爾不勝，去歲所失寗波府城，定海、鎭海二縣城，尙未收復。英夷滋擾以來，皆漢奸助之爲虐，此輩食毛踐土，喪盡天良，不知何日罪惡貫盈，始得聚而殲滅。

湖北崇陽縣逆賊鍾人杰爲亂，攻佔崇陽、通城二縣，裕制軍即日撲滅，將鍾人杰及逆黨檻送京師正法，餘孽俱已搜盡。鍾逆倡亂不及一月，黨羽姻屬，皆伏天誅。

黃河去年決口，昨已合龍，大功告成矣。

九弟前病中思歸，近因難覓好伴，且聞道上有虞，是以不復作歸計。弟自病好後，亦安心不甚思家。

李碧峰在寓住三月，現已找得館地，在唐同年李杜家教書，每月俸金二兩，月費一千。

男於二月初配丸藥一料，重三斤，約計費錢六千文。男等在京謹愼，望父母親大人放心，男謹稟。（道光

二十二年二月二十四日)

稟父母(告孫女種牛痘及經濟狀況)

男國藩跪稟父母親大人萬福金安。三月初，奉大人正月十二日手諭，具悉一切。又知附有布疋臘肉等，在黃茀卿處，第不知黃氏兄弟，何日進京，又不知家中係專人送至省城，抑托人順帶也。

男在京身體如常，男婦亦清吉，九弟體已復元，前二月間，因其初愈，每日只令寫字養神。三月以來，仍理舊業，依去年功課，未服補劑，男分丸藥六兩與他吃，因年少不敢峻補。孫男女皆好，擬於三月間點牛痘，此間牛痘局，係廣東京官請名醫設局積德，不索一錢，萬無一失。

男近來每日習字，不多看書，同年邀爲試帖詩課，十日內作詩五首，用白摺寫好公評，以爲明年考差之具。又吳子序同年，有兩弟在男處附課看文。又金臺書院每月月課，男亦代人作文，因久荒制藝，不得不略爲溫習。

此刻光景已窘，幸每月可收公項房錢十五千外，些微挪借，即可過度。京城銀錢，比外間究爲活動，家中去年徹底澄清，餘債無多，此眞可喜。

蕙妹僅存錢四百千，以二百在新窰食租，不知住何人屋，負薪汲水，又靠何人？率五又文弱，何能習勞，後有家信，望將蕙妹家事，瑣細詳書，餘容後呈，男謹稟。(道光二十二年三月十一日)

稟父母(兩弟患業不精)

男國藩跪稟父母親大人萬福金安。六月廿八日，接到家書，係三月廿四日所發，知十九日四弟得生子，男等合室相慶。四妹生產雖難，然血暈亦是常事，且此次既能保全，則下次較爲容易。男未得信時，常以爲慮，既得此信，如釋重負。

六月底，我縣有人來京捐官，言四月縣考時，渠在城內，並在彭興岐、丁信風兩處，面晤四弟、六弟，知案首是吳定五。男十三年前，在陳氏宗祠讀書，定五纔發蒙作起講，在楊畏齋處受業，來年聞吳春崗說定五甚爲發奮，今果得志。可謂成就甚速。其餘前十名，及每塲題目，渠已忘記，後有信來，乞四弟寫出。四弟、六弟考運不好，不必罣懷！俗語云：「不怕進得遲，只要中得快」。從前邵丹畦前輩，四十三歲入學，五十二歲作學政。現任廣西藩臺汪朗渠，於道光十二年入學，十三年點狀元。阮芸台前輩，於乾隆五十三年，縣府試頭塲皆未取，即於是年入學中舉，五十四年點翰林，五十五年留館，五十六年大考第一，比放浙江學政，五十九年陞浙江巡撫，些小得失不足患，特患業之不精耳。兩弟塲中文若得意，可將原卷領出寄京，若不得意，不寄可也。男輩在京平安，紀澤兄妹二人，體甚結實，皮色亦黑。

逆夷在江蘇滋擾，於六月十一日攻陷鎭江，有大船數十隻，在大江遊弋，江寧、揚州二府，頗可危慮，然而天不降災，聖人在上，故京師人心鎭定。同鄉王翰城告假出京，男與陳岱雲亦擬送家眷南旋，與鄭莘田、王翰城四家同隊出京，男與陳家，本於六月底定計，後於七月初一請人扶乩，似可不必輕舉妄動，是以中止。現在男與陳家，仍不送家眷回南也。

正月間，俞岱青先生出京，男寄有鹿脯一方，託找彭山屺轉寄，俞後託謝吉人轉寄，不知到否？又四月託李昺岡寄銀寄筆，託曹西垣寄褂並交陳季牧處，不知到否？前父親教男養鬚之法，男僅留上唇鬚，不能用水浸透，色黃者多，黑者少，下唇擬待三十六歲始留。男屢接家信，嫌其不詳，嗣後更願詳示，男謹稟。

（道光二十二年六月初十日）

稟父母（九弟路上安否）

男國藩跪稟父母親大人萬福金安。九弟自七月十六日出京，廿三即有信來京，嗣後在道上未發信來，刻下想已到樊城矣，不知道上果平安否？男實難放心。

黃河決口百九十餘丈，在江南桃源縣之北，爲患較去年河南，不過三分之一。

逆夷在江南，半月內無甚消息，大約和議已成。

同縣有黃鑑者，爲口外宣化巡檢，去年回家，在湘鄉帶一老媽來京，因使用不合，仍託人攜帶南歸，現寄居男寓，求男代覓地方附回，途費則黃自出。謝果堂先生已於八月初六出京，住京兩月，與男極相投合，臨別依依，同鄉如唐鏡海、俞岱青、謝肯堂、三前輩，皆老成典型，於男皆青眼相待。何子貞全家已來京。男婦及孫男女身體如常。此次摺差於七月十六日在省起身，想父親彼時尚在省城，不知何以無信？陳岱雲家信言：學院十六封門，四弟、六弟府考，渠亦不知，彭王姑墓誌銘，九弟起程時，倉卒未及寫，今寫畢，又無便寄，求告知徵一表叔。正月所辦壽具，不知已漆否？萬不可用黃二漆匠，此人男深惡之，他亦不肯盡心也。彭宮五亦不可用，彼未學過，且太遲鈍，餘俟續稟，男謹稟。（道光二十二年八月十二日）

稟父母（痛改過失）

男國藩跪稟父母親大人萬福金安。十月廿二，奉到手諭，敬悉一切。鄭小珊處，小隙已解，男從前於過失每自忽略，自十月以來，念念改過，雖小必懲，其詳具載示弟書中。

耳鳴近日略好，然微勞即鳴。每日除應酬外，不能不略自用功，雖欲節勞，實難再節。手諭示以節勞、節欲、節飲食，謹當時時省記。

蕭辛五先生處寄信，不識靠得住否？龍翰臣父子，已於十一月初一日到，布疋線索，俱已照單收到，惟茶葉尚在黃恕皆處。恕皆有信與男，本月可到也。男婦及孫男女等皆平安，餘詳於弟書，謹稟。（道光二十二年十月二十六日）

稟父母(年漆壽材一次)

男國藩跪稟父母親大人萬福金安。十二月十四日，奉到十月初七手諭，敬悉一切。芝妹又小產，男恐其氣性太躁，有傷天和，亦於生產有碍，以後須平心和氣，伏望大人教之。朱備之世兄任寶慶同知，其人渾樸，京師頗有笑其憨者，實則篤厚君子也。

漆壽具，旣用黃二漆匠亦好。男斷不與此等小人計較，但恐其不盡心耳。聞瓷灰不可多用，多用則積久易脫，不如多漆厚漆，有益無損，不知的否？以後每年四具，必須同漆一次。男每年必付四兩銀至家，專爲買漆之用。

九弟前帶回銀十兩，爲堂上吃肉之費，不知已用完否？男等及孫男女身體俱如常，今年用費共六百餘金，絕不窘手，左右逢源，綽有餘裕，另有寄弟信，詳言之。

正月祖父大人七十大壽，男已作壽屏兩架，明年有便，可付回一架。

今年京察，京城各衙門京察堂官，出考語，列等第；取一等者，即外放道府。湖南惟黎樾喬得一等，翰林未滿三年俸者，例不京察。同鄉黃茀卿兄弟到京後，收到茶葉一簍，重廿斤，儘可供二年之食，惟託人東西太大，不免累贅心實不安，而渠殊不介意也。在京一切自知謹愼，男謹稟。(道光二十二年十二月二十日)

稟父母(促四弟季弟師覺庵，六弟九弟下省讀書)

男國藩跪稟父母親大人萬福金安。正月八日，恭慶祖父母雙壽，男去腊作壽屏二架，今年同鄉送壽對者五人，拜壽來客四十人，早麵四席，晚酒三席，未吃晚酒者，於十七日廿日補請二席，又倩人畫椿萱重蔭圖，觀者無不歎羡！

男身體如常，新年應酬太繁，幾至日不暇給。媳婦及孫兒女俱平安。正月十五，接到四弟、六弟信，四弟欲偕季弟從汪覺庵師遊，六弟欲偕九弟至省城讀書。男思大人家事日煩，必不能常在家塾照管諸弟，且四弟天分平常，斷不能一日無師，講書改詩文，斷不可一課耽擱。伏望堂上大人俯從男等之請，即命四弟、季弟從覺庵師，其束修銀，男於八月付回，兩弟自必加倍發奮矣。

六弟實不羈之才，鄉間孤陋寡聞，斷不足以啓其見識而堅其心志，且少年英銳之氣，不可久挫，六弟不得入學，既挫之矣，欲進京而男阻之，再挫之矣，若又不許肄業省城，則毋乃太挫其銳氣乎。伏望堂上大人俯從男等之請，即命六弟、九弟下省讀書，其費用，男於二月間付銀廿兩，至金竺虔家。

夫家和則福自生，若一家之中，兄有言，弟無不從，弟有請，兄無不應，和氣蒸蒸而家不興者，未之有也。反是而不敗者，亦未之有也。伏望大人察男之志，即此敬稟叔父大人，恕不另具。六弟將來必爲叔父克家之子，即爲吾族光大門第，可喜也。謹述一、二，餘續稟。（道光二十三年正月十七日）

稟父母（順四弟六弟之意任其來京讀書）

男國藩跪稟父母大人萬福金安。二月十六日接到家信第一號，係新正初三交彭山屺者，敬悉一切。去年十二月十一，祖父大人忽患腸風，賴神靈默佑，得以速痊，然遊子聞之，尚轉心悸。六弟生女，自是大喜，初八日恭逢壽誕，男不克在家慶祝，心猶依依。

諸弟在家不聽教訓，不甚發奮，男觀諸來信即已知之。蓋諸弟之意，總不願在家塾讀書。自己亥年男在家時即有此意，牢不可破。六弟欲從男進京，男因散館去留未定，故此時未許。庚子年接家眷，即請弟等送，意欲弟等來京讀書也。特以祖父母父母在上，男不敢許，以故但寫諸弟而不指定何人。迨九弟來京，其意頗遂，而四弟、六弟之意，尙未遂也。年年株守家園，時有耽擱，大人又不能常在家教之，近地又無良友，考試又不利，兼此數者，怫鬱難伸。故四弟、六弟不免怨男，其所以怨男者有故。丁酉在家教弟，威克厥愛，可怨一矣。己亥在家，未嘗教弟一字，可怨二矣。臨進京不肯帶六弟，可怨三矣。不爲弟另擇外傅，僅延丹閣叔教之，拂厥本意，可怨四矣。明知兩弟不願家居，而屢次信回，勸弟寂守家塾，可怨五矣。惟男有可怨者五端，故四弟、六弟難免內懷隱衷，前此含意不申，故從不寫信與男，去臘來信甚長，則盡情吐露矣。男接信時，又喜又懼，喜者喜弟志氣勃勃，不可遏也；懼者男再拂弟意，將傷和氣矣。兄弟和，雖窮氓小戶必興；兄弟不和，雖世家宦族必敗。男深知此理，故稟堂上各位大人，俯從男等兄弟之情，實以和睦兄弟爲第一，九弟前年欲歸，男百般苦留，至去年則不復強留，亦恐拂弟意也。臨別時彼此戀戀，情深似海；故男自九弟去後，思之尤切，信之尤深，謂九弟縱不爲科目中人，亦當爲孝弟中人，兄弟人人如此，可以終身互相依倚，則雖不得祿位，亦何傷哉！

伏讀手諭，謂男教弟宜明言責之，不宜瑣瑣告以閱歷工夫。男自憶連年教弟之信，不下數萬字，或明責，或婉勸，或博稱，或約指，知無不言，總之，盡心竭力而已。男婦孫男女身體皆平安，伏乞放心，男謹稟。(道光二十三年二月十九日)

稟父母(盤查國庫巨案)

男國藩跪稟父母親大人萬福金安。三月二十日，男發第三號信，廿四日發第四號信，諒已收到！託金竺虔帶回之物，諒已照信收到。男及男婦孫男女皆平安如常。男因身子不甚壯健，恐今年得差勞苦，故現服補藥，預爲調養，已作丸藥兩單。考差尙無信，大約在五月初旬，四月初四御史陳公上摺直諫，此近日所僅見，朝臣仰之如景星慶雲，玆將摺稿付回。

三月底盤査國庫，不對數銀九百二十五萬兩，歷任庫官及査庫御史，皆革職分賠，査庫王大臣亦攤賠，此從來未有之巨案也。湖南查庫御史有石承藻、劉夢蘭二人，查庫大臣有周系英、劉權之、何凌漢三人，已故者令子孫分賠，何家須賠銀三千兩。同鄉唐詩甫李杜選陝西靖邊縣，於四月廿一出京，王翰城選山西冀寧州知州，於五月底可出京，餘俱如故。男二月接信後，至今望信甚切，男謹稟。（道光二十三年四月二十日）

稟父母（暫緩兒女聯姻）

男國藩跪稟父母親大人萬福金安。五月十一接到四月十三自省城所發信具悉一切。母親齒痛，不知比從前略鬆否？現服何藥？下次望四弟寄方來看。叔父之病，至今未愈，想甚沉重，望將藥方病症書明寄京。劉東屏醫道甚精，然高雲亭猶嫌其過於膽大，不知近日精進何如？務宜愼之又愼！

王率五荒唐如此，何以善其後，若使到京，男當嚴以束之，婉以勸之，明年會試後，偕公車南歸，自然安置妥當，家中儘可放心，特恐其不到京耳。本家受恬之銀，男當寫信去催。江西撫台，係男戊戌座師，男可寫信提及，亦不能言調劑之說。

常南陔之世兄，聞其宦家習氣太重，孫男孫女尚幼，不必急於聯婚，且男之意，兒女聯姻，但求勤儉孝友之家，不願與宦家結契聯婚，不使子弟長奢惰之習，不知大人意見何如？望即日將常家女庚退去，託陽九婉言以謝。前男送各戚族家銀兩，不知祖父、父親、叔父之意云何？男之淺見，不送則家家不送，要送則家家全送，要減則每家減去一半，不減則家家不減，不然，口惠而實不至，親族之間，嫌怨叢生，將來釁生不測，反成仇讎，伏乞堂上審愼施行，百叩百叩！男謹稟。（道光二十四年五月十二日）

稟父母（無法位置妹夫）

男國藩跪稟父母親大人萬福金安。五月十二日，男發第六號信，其信甚厚，內有寄歐陽小岑、黃仙垣、梁莪莊三處貨物單，此刻三人想俱到省，不審已照單查收否？男及男婦身體清吉，孫兒亦好，六月十七日，三字經讀完，十八日起讀爾雅。二孫女皆好。馮樹堂、郭筠仙、皆在寓如常。

王率五妹夫於五月二十三日到京，其從弟仕四同來，二人在湘潭支錢十千，在長沙搭船，四月十二日至漢口，在漢口杉板廠內住十天，廿二在漢口起身，步行至京，道上備嘗辛苦，幸天氣最好，一路無雨無風，平安到京。在道上僅傷風兩日，服藥二帖而愈，到京又服涼藥二帖，補藥三帖，現在精神全好。初到京時，遍身衣褲鞋襪皆壞，件件臨時新製，而率五仍不知艱苦。京城實無位置，只得暫留男寓，待有便即令他回家。男自調停妥當，家中不必挂心，蕙妹亦不必著急。至於仕四目前尚在男寓飯，待一月既滿，如有朋友回南，則薦仕四作僕人帶歸，如無便可薦，則亦只得麾之出門，不能常留男寓也。

湖北主考倉少平，係男同年相好，男託倉帶仕四到湖北，倉七月初一出京，男給仕四錢約六千，即可安樂到家。本不欲優待也，然不如此，則渠必流落京城恐終為男之累，不如早打發他回為妥。祖父大人於四月鼻血多出，男聞不勝惶恐！聞率五說：祖父近日不喫酒，不甚健步，不知究竟如何？萬求一一詳示。叔父病勢似不輕，男尤罣心，務求將病症開示。

男教習庶吉士，五月十八日上學門生六人，二十日蒙皇上御勤政殿召見，天語垂問及男奏對，約共六七十句。今年考差，只剩河南、山東、山西、三省，大約男已無望。男今年甚怕放差，蓋因去年男婦生產，是踏花生，今年恐走舊路，出門難以放心，且去年途中之病，至今心悸！男日來應酬已少，讀書如故。寓中用度浩繁，共二十口喫飯，實為可怕。居家保身，一切男自知謹慎，大人不必罣念！男謹稟。（道光二十四年六月廿三日）

稟父母(勸弟除驕傲氣)

男國藩跪稟父母親大人萬福金安：六月二十三日，男發第七號信交摺差，七月初一日，發第八號交王仕四手，不知已收到否？六月廿日，接六弟五月十二書，七月十六，接四弟、九弟五月廿九日書，皆言忙迫之至，寥寥數語，字跡潦草，即縣試案首前列，皆不寫出。同鄉有同日接信者，即考古老先生，皆已詳載，同一摺差也。各家發信，遲十餘日而從容，諸弟發信，早十餘日而忙迫，何也？且次次忙迫，無一次從容者，又何也？

男等在京，大小平安，同鄉諸家皆好，惟湯海秋於七月八日得病，初九日未刻即逝。八月二十八考教習，馮樹堂、郭筠仙、朱嘯山、皆取。湖南今年考差，僅何子貞得差，餘皆未放，惟陳岱雲光景最苦。男因去年之病，反以不放為樂。王仕四已善為遣回，率五大約在糧船回，現尚未定，渠身體平安，二妹不必罣心。叔父之病，男累求詳信直告，至今未得，實不放心。

甲三讀爾雅，每日二十餘字，頗肯率教。六弟今年正月信，欲從羅羅山處附課，男甚喜之！後來信絕不提及，不知何故？所付來京之文，殊不甚好。在省讀書二年，不見長進，男心實憂之，而無如何，只恨男不善教誨而已。大抵第一要除驕傲氣習，中無所有，而夜郎自大，此最壞事。四弟、九弟雖不長進，亦不自滿，求大人教六弟，總期不自滿足為要！餘俟續陳，男謹稟。（道光二十四年七月廿日）

稟父母（教弟注重看書）

男國藩跪稟父母親大人萬福金安：八月二十九日，男發第十號信，備載廿八生女，及率五回南事，不知已收到否？男身體平安，家婦月內甚好，去年月裏有病，今年盡除去，孫兒女皆好。

初十日順天鄉試發榜，湖南中三人，長沙周荇農中南元。率五之歸，本擬附家心齋處，因率五不願坐車，故附陳岱雲之弟處，同坐糧船。昨岱雲自天津歸云：「船不甚好」。男頗不放心，幸船上人多，應可無慮。諸弟考試後，聞肄業小羅菴巷，不知勤惰若何？此時惟季弟較小，三弟俱年過二十，總以看書為主。我邑惟彭濤暨先生看書略多，自後無一人講究者。大抵爲考試文章所誤，殊不知看書與考試，全不相礙，彼不看書者，亦仍不利考如故也。我家諸弟，此時無論考試之利不利，無論文章之工不工，總以看書爲急。不然，則年歲日長，科名無成，學問亦無一字可靠，將來求爲塾師而不可得，或經或史，或詩集文集，每日總要看二十頁。

男今年以來，無日不看書，雖萬事叢忙，亦不廢正業。聞九弟意欲與劉霞仙同伴讀書，霞仙近來見道甚有所得，九弟若去，應有進益，望大人斟酌行之，男不敢自主。此事在九弟自爲定計，若愧奮直前，有破釜沉舟之志，則遠遊不負。若徒悠忽因循，則近處儘可度活，何必遠行百里外哉。求大人察九弟之志而定計焉。餘容續陳，男國藩謹稟。（道光二十四年九月十九日）

稟父母（京寓慶祝壽辰）

男國藩跪稟父母親大人萬福金安。男身體平安，讀書日有常課，自六月底起，至今未嘗間斷一天。男婦如常，漸漸有乳。孫男讀書有恆，已讀爾雅一本，共四本，大約明年下半年可讀完。此書大難，他書則易爲力矣。三孫女皆好，餘亦合室平安。男自七月起，寓中已養車馬，每年須費百金，因郭雨三奉諱出京，渠車馬借與男用，渠曾借男五十金，亦未見還。率五在東昌有信來京，已將錢用完，不知餘銀敷用否？若不敷用，陳處挪移自易，然男已不放心。鄒至堂來，望付茶葉一簍，大小剪刀各二把，其餘布匹臘肉之類，俱不必付，蓋家中極難辦，路上極難帶也。初九日父親大人壽辰，京寓客共三席，十一月初三日，母親大人六十壽辰，男不獲在家慶祝，不勝瞻戀！男於壽辰後，作壽屏一架，即留在京張掛，不必付回。諸弟讀書，不知明年定在何處？望於今冬寫信告知，不勝懸望！謹稟。即跪叩父母親大人雙壽大喜。（道光二十四年十月廿一日）

稟父母(寄書物等回家)

男國藩跪稟父母親大人。男於三月初六日蒙恩得分會試房，四月十一日，發榜出場，身體淸吉，合室平安。所有一切事宜，寫信交摺差先寄。玆因嘯山還家，託帶紋銀百兩，高麗參斤半，子史精華六套，古文辭類纂二套，綏寇紀略一套，皆六弟信要看之書。

高麗參，男意送江岷山東海二家六兩，以冀少減息銀。又送金竺虔之尊人二兩，以報東道之誼。聽大人裁處。男尙辦有送朱嵐暄掛屏，候郭筠仙帶回。又有壽屏及考試筆等物，亦俟他處寄回，餘俟續具，男謹稟。(道光二十五年五月十五日)

稟父母(不可入署說公事或與人搆訟)

男國藩跪稟父母親大人膝下：十七日接到諸弟四月廿二日在縣所發信，欣悉九弟得取前列第三，餘三弟皆取二十名，歡欣之至、諸弟前付詩文到京，玆特請楊春皆改正付回，今年長進甚速，良可欣慰！向來六弟文筆最矯健，四弟筆頗笨滯，觀其「爲仁矣」一篇，則文筆大變，與六弟並稱健者。九弟文筆淸貴，近來更圓轉如意，季弟秀雅，男再三審覽，實堪怡悅！

男在京平安，男婦服補劑已二十餘帖，大有效驗，醫者云：「虛弱之症，能受補則易好。」孫男女及合室下人皆淸吉。長沙館於五月十二演戲，題名狀元、南元、朝元、三匾，同日張挂，極爲熱鬧，皆男總辦，而人人樂從，頭門對聯云：「同拜十進士，慶榜三名元，」可謂盛矣。

同鄉鄧鐵松在京患吐血病，甚爲危症，大約不可挽回，同鄉有危急事，多有向男商量者。男效祖父大人之法，銀錢則量力資助，辦事則竭力經營。

嚴麗生取九弟置前列，理應寫信謝他，因其平日官聲不甚好，故不願謝，不審大人意見何如？我家旣爲鄉紳，萬萬不可入署說公事，致爲官長所鄙薄，即本家有事，情願吃虧，萬不可與人構訟，令官長疑爲倚勢凌人，伏乞慈鑒！男謹稟。（道光二十五年五月廿九日）

稟父母（專人去取借款）

男國藩跪稟父母親大人萬福金安。五月三十日，發第七號家信，內有升官謝恩摺，及四弟、九弟、季弟詩文，不知到否？

男於五月中旬染瘟症，服藥即效，已全愈矣。而餘熱未盡，近日頭上生癬，身上生熱毒，每日服銀花甘草等藥。醫云：「內熱未散，宜發不宜遏抑，身上之毒，至秋即可全好，頭上之癬，亦不至蔓延。」又云：「恐家中祖塋上有不潔處，雖不宜挑動，亦不可不打掃。」男以皮膚之患，不甚經意，仍讀書應酬如故，飲食起居，一切如故。

男婦服附片高麗參熟地白朮等藥，已五十餘日，飯量略加，尚未十分壯健，然行事起居，亦復如常。孫男女四人並皆平安，家中僕婢皆好。前有信言寄金年伯高麗參二兩，此萬不可少，望如數分送。去年所送戚族銀，男至今未見全單，男年輕識淺，斷不敢自作主張，然家中諸事，男亦願聞其詳，求大人諭四弟將全單開示爲望。

諸弟考試，今年想必有所得，如得入學，但擇親族拜客，不必遍拜，亦不必請酒，蓋恐親族難於應酬也。曾受恬去年所借錢，不知已寄到否？若未到，須專人去取，萬不可緩。如心齋亦專差，則兩家同去；如渠不專差，則我家獨去。家中近日用度如何？男意有人做官，則待鄰里不可不略鬆，而家用不可不守舊，不知是否？男謹稟。（道光二十五年六月十九日）

稟父母（諸弟願意來否）

男國藩跪稟父母親大人萬福金安。六月廿一日，男發第八號家信，不審到否？中言頭上生癬，身上生熱毒云云。近日請醫細看，頭上亦非癬也，皆熱毒耳。用生地煮水長洗，或用熬濃汁，厚塗患處即愈，現在如法洗塗，大有效驗，蓋本因血熱而起，適當鬱蒸天氣而發，生地凉血而滋潤，所以奏功。特此告知，望大人放心，寓中大小平安。

陳岱雲之妾，於廿二日到京，其幼子寄在男處養者，渠已於廿四日接歸自養，同鄉各家，並皆如舊。李雙甫先生象鵾，由貴州藩台進京，奉旨以三品京堂候補，雖在渠爲左遷，而湖南多一京官，亦自可喜。

今年考試，想四位老弟中必有入泮者，然世事正難逆料，萬一皆不得售，則諸弟必牢騷抑鬱憤懣不平，此亦人之常情也。如果鬱憂，則問四弟、六弟、九弟、三人中，或有願進京者，不妨來京一遊，可以廣耳目，豁心胸，可以叙兄弟之樂，亦男所甚望也。如諸弟不願來，則不必强，恐其到京而急於思歸也。如有一位入學者，則不必，恐家中旣辦印卷，又辦途費，銀錢艱窘也。如皆不進，而諸弟又甚願來，則望大人張羅途費，毋阻其發憤之志，而遏其抑鬱之氣，幸甚！如季弟願來，則須有一兄同來，乃妥。

鄧鐵松病勢日危，恐不復能回南，屢勸之勿服藥，渠皆不聽，今之病，皆藥誤之也。去年大人教男寫字不宜斜脚，男近日已力除此弊，自去年六月起，無論行楷大小字，皆懸腕懸肘，是以力足而不精緻，伏求大人教訓，男謹稟。（道光二十五年七月初一日）

稟父母（身上熱毒未好）

男國藩跪稟父母親大人萬福金安。十四日接到四弟在省發信，內有大人手諭，具悉一切，不勝欣慰！家鄉近事，及去年分贈之項，至是始昭然明白矣。

男在京平順，惟身上熱毒，至今未好，其色白，約有大指頭大一顆，通身約有七、八十顆，鼻子兩旁，有而不成堆，餘皆成堆脫白皮疥，髮裏及頸上約二十餘顆，兩脅及胸腹約五十餘顆，現以治癬之法治之，有效與否，尙不敢定，幸喜毫無他病，飲食起居如常，讀書習字應酬亦如常。男婦服補劑漸好，孫兒讀爾雅後，讀詩經，已至凱風，朔望行禮，頗無失儀。孫女及合寓皆平安。

荆七在陳宅，光景尙好，男想叫他回來，不好安置，他亦靦顏不願回來，若男得主考學政，或放外官，則一定叫他回來，帶他上任。京官毫無出息，陳宅有小印結分，故荆七在陳宅，比我家好些，男已將此意告荊七，乞家中並告渠兄弟也。

前次寫升官信，未詳職守，詹事府本是東宮輔導太子之官，因本朝另設有上書房，教阿哥，故詹事府諸官，毫無所事，不過如翰林院爲儲才養望之地，男居此地，仍日以讀書爲樂。汪覺庵師壽文，准於八月摺差付回。

温甫弟生子不育，想不免傷感，然男三十始生子，六弟今年二十三耳，叔父母不必憂慮！四弟與常家對親，甚好。男擬寄輓聯一副，輓常老太姻母，亦在下次寄回。同鄉諸家如舊，惟何子貞脚痛已久，恐倉卒難好，鄧鐵松病亦難好，餘俱平安，男謹稟。（道光二十五年七月十六日）

稟父母（請祖父換藍頂）

男國藩跪稟父母親大人萬福金安。念八日接到手諭，係九月底在縣城新發者。男等在京平安，身上癬毒，至今未得全好，中間自九月中旬數日，即將面上全愈，毫無疤痕，係陳醫士之力。故升官時召見，無隕越之虞。十月下半月，又覺微有痕跡，頭上仍有白皺皮，身上尙如九月之常，照前七、八月，則已去其大半矣。一切飲食起居，毫無患苦。四弟、六弟，用功皆有定課，昨二十八始開課作文。孫男紀澤，鄭風已讀畢，古詩十九首亦已讀畢。男婦及三孫女皆平順。

前信言宗丈毅然家銀三十兩，可將謝山岙家一項去還，頃接山岙信云：渠去江西時，囑其子辦蘇市平元絲銀四十兩還我家，想送到矣。如已到，即望大人將銀並男前信送毅然家，渠是紋銀，我還元絲，必須加水，還他三十二兩可也。蕭辛五處鹿膠，准在今冬寄到。

初十皇太后七旬萬壽，皇上率百官行禮，四位阿哥皆騎馬而來，七阿哥僅八歲，亦騎馬雍容，眞龍種氣象。十五日，皇上頒恩詔於太和殿，十六日又生一阿哥，皇上於辛丑年六秩，壬寅年生八阿哥，乙巳又生九阿哥，聖躬老而彌康如此。

男得請封章，如今年可用璽，則明春可寄回。如明夏用璽，則秋間寄回。然既得詔旨，則雖誥軸未歸，而恩已至矣，望祖父先換藍頂，其四品補服，候男在京寄回，可與誥軸並付。湖南各家俱平安，餘俟續具，男謹稟。（道光二十五年十月二十九日）

稟父母（擬爲六弟納監）

男國藩跪稟父母親大人萬福金安。男頭上瘡癬，至今未愈，近日每天洗兩次，夜洗藥水，早洗開水，本無大毒，或可因勤洗而好。聞四弟言：家中連年生熱毒者八人，並男共九人，恐祖墳有不潔淨處，望時時打掃，但不可妄爲動土，致驚幽靈。

四弟、六弟及兒婦孫男女等皆平安。男近與同年會課作賦，每日看書如常，飲食起居如故。四弟課紀澤讀，師徒皆有常程。六弟文章極好，擬明年納監下場，但現無銀，不知張羅得就否？

同鄉唐鏡海先生已告病，明春即將回南，所著國朝學案一書，係男約同人，代爲發刻，其刻價則係耦庚先生所出。前門內有義塾，每年延師八人，教貧戶子弟三百餘人，昨首事杜姓已死，男約同人接管其事，亦係集腋成裘，男花費亦無幾。紀澤雖從四弟讀書，而李作屋先生尙住男宅，渠頗思南歸，但未定計耳。

誥封二軸，今年不能用璽，明年乃可寄回。藕辛五處已寄鹿膠一斤，阿膠半斤與他，家中若須阿膠、鹿膠，望信來京，以便覓寄，男謹稟。（道光二十五年十一月二十日）

稟父母（報告兩次兼職）

男國藩跪稟父母親大人萬福金安。乙巳十一月廿二日，同鄉彭棣樓放廣西思恩府知府，廿四日，陳岱雲放江西吉安府知府，岱雲年僅三十二歲，而以翰林出爲太守，亦近來所僅見者。人皆代渠慶幸，而渠深以未得主考學政爲恨！且近日外官情形，動多掣肘，不如京官清貴安穩。能得外差，固爲幸事，即不得差，亦可讀書養望，不染塵埃。岱雲雖已得郡爲榮，仍以失去玉堂爲悔。自放官後，摒擋月餘，已於十二月廿八日出京。是夕，渠有家書到京，男拆開，接大人十一月廿四所示手諭，內叔父及九弟、季弟各一信，彭茀庵表叔一信，具悉家中一切事。

前信言莫管閒事，非恐大人出入衙門，蓋以我邑書吏，欺人肥己，黨邪嫉正，設有公正之鄉紳，取彼所魚肉之善良而扶植之，取彼所朋比之狐鼠而鋤抑之，則於彼大有不便，必且造作謠言，加我以不美之名，進讒於官，代我構不解之怨，而官亦陰庇彼輩，外雖以好言待我，實則暗笑之而深斥之，甚且當面嘲諷，且此門一開，則求者踵至，必將日不暇給，不如一切謝絕。今大人手示，亦云杜門謝客，此男所深爲慶幸者也。

男身體平安，熱毒至今未好，塗藥則稍愈，總不能斷根。十二月十二，蒙恩充補日講起居注官，廿二日，又得充文淵閣直閣事，兩次恭謝天恩，茲幷將原摺付回，講官共十八人，滿八缺，漢十缺，其職司則皇上所到之處，須輪四人侍立，直閣事四缺，不分滿漢，其職司則皇上臨御經筵之日，四人皆侍立而已。

四弟、六弟，皆有進境。孫男讀書已至陳風，男婦及孫女等皆好。歐陽牧雲有信來京，與男商請封及薦館事，二事男俱不能應允，故作書宛轉告之。外辦江綢套料一件，高麗參二兩，鹿膠一斤，對聯一付，爲岳父慶祝之儀，恐省城寄家無便，故託彭棣樓帶至衡陽學署。朱堯階每年贈穀四十石，受惠太多，恐難爲報，今年必當辭卻。小米四十石，不過值錢四十千，男每年可付此數到家，不可再受他穀，望家中力辭之。毅然家之銀，想已送矣，若未送，須秤元絲銀三十二兩，以渠來係紋銀也。男有輓聯託岱雲交蕭辛五轉交毅然家，想可無誤。岱雲歸，男寄有冬菜十斤，阿膠二斤，筆四支。彭棣樓歸，男寄有藍頂兩個，四品補服四付，俱交蕭辛五家轉寄，伏乞查收！男謹稟。（道光二十六年正月初三日）

稟父母（病在肝虛）

男國藩跪稟父母親大人萬福金安。初七日，彭棣樓太守出京，男寄補服四付，藍頂二個，又寄歐陽滄溟先生江綢褂料一件，對聯一付，高麗參二兩，鹿膠一斤，又寄彭茀庵表叔鹿膠一斤。

男等在京合室平安，男病尚未全愈，二月初，喫龍膽瀉肝湯，甚爲受累，始知病在肝虛。近來專服補肝之品，頗覺有效，以何首烏爲君，加以蒺藜淮山藥赤芍茯苓兎絲諸味。男此時不求瘡癬遽好，但求臟腑無病，身體如常，即爲如天之福，今年雖不能得差，男亦毫無怨尤！

同鄉張鏈漣丁艱，男代爲張羅一切，令之即日奔喪回里。黎樾喬於二月十四日到京。

四弟近日讀書專以求解爲急，每日摘疑義二條來問，爲男煎藥求醫，及紀澤教讀，皆四弟獨任其勞。六弟近日文思大進，每月作四書文六首，經文三首，同人無不擊節稱賞。請封之事，大約六月可以用璽，秋冬可以寄家，餘詳四弟書中，男謹稟。（道光二十六年二月十六日）

稟父母（請勿懸望得差）

男國藩跪稟父母親大人萬福金安。上次男寫信略述癬病情形，有不去考差之意，近有一張姓醫，包一個月治好，偶試一處，居然有驗，現在趕緊醫治，如果得好，男仍定去考差；若不愈，則不去考差。總之，考與不考皆無關緊要，考而得之，不過多得錢耳，考而不得，與不考同，亦未必不可支持度日。每年考差三百餘人，而得差者通共不過七十餘人，故終身翰林，屢次考差而不得者，亦常有也。如我邑鄧筆山、羅九峰是已。男祇求平安，伏望大人勿以得差爲望。四弟已寫信言男病，男恐大人不放心，故特書此紙，男謹稟。（道光二十六年三月二十五日）

稟父母（附呈考差詩文）

男國藩跪稟父母親大人萬福金安。五月初二日，赴圓明園，初六日在正大光明殿考試共二百七十人入場，湖南凡十二人。首題「無爲小人儒」，次題「任官惟賢才一節」。詩題「霖雨既霑，得霑字」。男兩文各七百字，全卷未錯落一字。惟久病之後，兩眼朦朧，場中寫前二開不甚得意，後五開略好，今年考差，好手甚多，男卷難於出色。茲命四弟謄頭篇與詩一首寄回，伏乞大人賜觀。知男在場中不敢潦草，則知男病後精神，毫無傷損，可以放心。知男寫卷不得意，則求大人不必懸望得差，堂上大人不以男病爲憂，不以得差爲望，則男心安逸矣。

男身上癬疾，經張醫調治，已愈十之七矣，若從此漸漸好去，不過閏月，可奏全效。寓中大小平安，男婦有夢熊之喜，大約八、九月當生。四弟書法，日日長進。馮樹堂於五月十七到京，以後紀澤仍請樹堂教，四弟可專心讀書，六弟捐監，擬於本月內上兌，塡寫三代履歷，里鄉戶長，一切男自斟酌，大人儘可放心！

紀澤詩已讀至浩浩昊天，古詩已讀半本，書皆熟。三孫女皆平安，同鄉各家皆如常。京師今年久旱，屢次

求雨，尚未優渥，皇上焦思，未知南省年歲何如也，男謹稟。（道光二十六年五月十七日）

稟父母（六弟成就功名）

男國藩跪稟父母親大人萬福金安。五月十八日，發第九號家信，內有考差詩文。男自考差後，癬疾日愈，現在頭面已不甚顯矣。身上自腰以下，亦十去七、八，自腹以下尚未治，萬一放差，儘可面聖謝恩，但如此頑病，而得漸好，已為非常之喜，不敢復設妄想矣。

六弟捐監，於五月廿八日具呈，閏月初兌銀，廿一日可領照，六月初一日可至國子監考到十四日即可錄科，仰承祖父、叔父之餘蔭，六弟幸得成就功名，敬賀敬賀。

男身體平安，現服補氣湯藥，內有高麗參焦朮，男婦及孫男女四人並如常，四弟自樹堂教書之後，功課益勤，六弟近日文章，雖無大進，亦未荒怠，餘俟續呈，男謹稟。（道光廿六年閏五月十五日）

稟父母（請敬接誥封軸）

男國藩跪稟父母親大人萬福金安。六弟六月初一日，在國子監考到，題「視其所以」，經題「聞善以相告也，……」二句，六弟取列一百三名，廿五日錄科，題「齊之以禮」，詩題「荷珠，得珠字」，六弟亦取列百餘名，兩次皆二百餘人入場。

男等身體皆平安，男婦及孫男女皆安泰。今年誥封軸數甚多，聞須八月始能辦完發下，男於八月領到，即懇湖南新學院帶至長沙。男另辦祖父母壽屏一架，華山石刻陳摶所書壽字一個，新刻誥封卷一百本，共四件，皆交新學院帶回，轉交陳岱雲家，求父親大人於九月廿六、七赴省，鄒雲陔由廣西過長沙，不過十月初旬，渠有還男銀八十兩，面訂交陳季牧手，父親或面會雲陔，或不去會他，即在陳宅接銀亦可。十月下旬，新學院即可到省，渠有關防，父親萬不可去拜他，但在陳家接誥軸可也。

若新學院與男素不相識，則男另覓便寄回，亦在十月底可到省，最遲亦不過十一月初旬，父親接到，帶歸縣城，寄放相好人家或店內，廿六日，令九弟下縣去接，廿八夜，九弟宿賀家坳等處，廿九日，祖母大人八十大壽，用吹手執事接誥封數里，接至家，於門外向北置一香案，案上豎聖旨牌位，將誥軸置於案上，祖父母率父母望北行三跪九叩首禮，壽屏請蕭史樓寫，史樓現未得差，若八月不放學政，則渠必告假回籍，誥軸託渠帶歸亦可也，一切男自知裁酌。茲寄回黃芽白菜子一包，查收，餘俟續呈，男謹稟。（道光廿六年七月初三日）

稟父母（毋以男不得差及六弟不中為慮）

男國藩跪稟父母親大人萬福金安。九月十七日，接讀家信，喜堂上各位老人安康，家事順遂，無任歡慰！男今年不得差，六弟鄉試不售，想堂上大人不免內憂。然男則正以不得為喜，蓋天下之理，滿則招損，亢則有悔，日中則昃，月盈則虧，至當不易之理也。男毫無學識，而官至學士，頻邀非分之榮。祖父母、父母皆康健，可謂盛極矣。

現在京官，翰林中無重慶下者，惟我家獨享難得之福，是以男慄慄恐懼，不敢求非分之榮，但求堂上大人眠食如常，闔家平安，即為至幸！萬望祖父母、父母、叔父母、無以男不得差，六弟不中為慮，則大慰矣！況男三次考差，兩次已得；六弟初次下場，年紀尚輕，尤不必罣心也。

同縣黃正齋，鄉試當外簾差，出闈即患痰病，時明時昧，近日略愈。男癬疾近日大好，頭面全不看見，身上亦好了，在京一切，自知謹慎，男謹稟。（道光二十六年九月十九日）

稟父母（四弟送歸誥軸）

男國藩跪稟父母親大人萬福金安。九月十九日，發第十七號信，十月初五，發十八號信，諒已收到。

十二、三、四日內，誥軸用寶，大約十八日可領到。同鄉夏階平吏部丁內艱，二十日起程回南，男因渠是素服，不便託帶誥軸，又恐其在道上拜客，或有躭擱。祖母大人於出月廿九大壽，若趕緊送回，倘可於壽辰迎接誥軸，是以特命四弟束裝出京，專送誥軸回家，與夏階平同伴。計十一月十七、八可到漢口，漢口到岳州，不過三、四天，雇轎五天可到家，四弟到省，即專人回家，以便家中辦事，迎接誥命。凡事難以逆料，風順坐船，風不順則坐轎，恐四弟道上或有風水阻隔，不能趕上祖母壽辰，亦未可知。家中做生日酒，且不必辦接誥封事。若四弟能到，廿七日有信，廿八辦鼓手香案，廿九接封可也。若廿七無四弟到省之信，則廿九但辦壽筵，明年正月初八日接封可也。倘四弟不歸而託別人，不特廿九趕不上，恐初八亦接不到，此男所以特命四弟送歸之意耳。

四弟數千里來京，伊意不願遽歸，男與國子監祭酒車意園先生商議，令四弟在國子監報名，先交銀數十兩，即可給與頂戴，男因具呈爲四弟報名，繳銀三十兩，其餘俟明年陸續繳納，繳完之日，即可領照，男以此打發四弟，四弟亦欣然感謝，且言願在家中幫堂上大人照料家事，不願再應小考，男亦頗以爲然。

男等在京，身體平安，男婦生女後亦平善。六弟決計留京，九弟在江西，有信來甚好，陳岱雲待之如胞弟，飲食教誨，極爲可感，書法亦大有長進，然無故而依人，究似非宜，男寫書與九弟，囑其今年偕郭筠仙同伴回家，大約年底可到家。男在京一切用度，自有調度，家中不必罣心，男謹稟。（道光二十六年十月十五日）

稟父母（男在京事事省儉及告對九弟等之期望）

男國藩跪稟父母親大人禮次。正月十五日，接到父親、叔父十一月二十所發手諭，敬悉一切。但摺弁於臘月念八，在長沙起程，不知四弟何以尚未到省？祖母葬地，易敬臣之說甚是，男去冬已寫信與朱堯階，請渠尋地，茲又寄書與敬臣，堯階看妥之後，可請敬臣一看，以堯階爲主，而以敬臣爲輔，堯階看定後，若毫無疑義，不再請敬臣可也。若有疑義，則請渠二人商之。男書先寄去，若請他時，四弟再寫一信去。男有信稟祖父大人，不知祖父可允從否？若執意不聽，則遵命不敢違拗，求大人相機而行。

大人念及京中恐無錢用，男在京事事省儉，偶値闕乏之時，尙有朋友可以通挪，去年家中收各項，約共五百金，望收藏二百勿用，以備不時之需。丁戊二年不考差，恐男無錢寄回。男在京用度，自有打算，大人不必挂心。此間情形，四弟必能詳言之。家中辦喪事情形，亦望四弟詳告，共發孝衣幾十件，饗祭幾堂，遠處來吊者幾人，一一細載爲幸。

男身體平安，一男四女，痘後俱好，男婦亦如常。聞母親想六弟回家，叔父信來，亦欲六弟隨公車南旋，此事須由六弟自家作主，男不勸之歸，亦不敢留。家中諸務浩繁，四弟可一人經理，九弟、季弟，必須讀書，萬不可耽擱他，九弟、季弟亦萬不可懶散自棄。去年江西之行，已不免爲人所竊笑，以後切不可輕舉妄動，只要天不管，地不管，伏案用功而已。男在京時時想望者，只望諸弟中有一發憤自立之人，雖不得科名，亦是男的大幫手。萬望家中勿以瑣事，耽擱九弟、季弟，亦望兩弟鑒我苦心，切實用功也。

男之癬疾，近又小發，但不似去春之甚耳。同鄉各家如常，劉月槎已於十五日到京，餘俟續呈，男謹稟。

（道光二十七年正月十八日）

稟父母（遵命一意服官）

男國藩跪稟父母親大人膝下：昨初九日巳刻，接讀大人示諭，及諸弟信，藉悉一切。祖父大人之病已漸愈，不勝禱祝！想可由此而全愈也。男前與朱家信，言無時不思鄉土，亦久宦之人所不免，故前次家信亦言之。今旣承大人之命，男則一意服官，不敢違拗，不作是想矣。昨初六日派總裁房差，同鄉惟黃恕皆一人。男今年又不得差，則家中氣運不致太宣洩。祖父大人之病，必可以速愈，諸弟今年或亦可以入學；此盈虛自然之理也。

男癬病雖發，不甚狠，近用蔣醫方朝夕治之，渠言「此病不要緊，可以徐愈」，治病既好，渠亦不要錢，兩大人不必懸念。

男婦及華男孫男女身體俱好，均無庸掛念。男等所望者，惟祖父大人之病速愈，暨兩大人之節勞，叔母目疾速愈，俾叔父寬懷耳，餘容另稟。（道光二十七年三月初十日）

稟父母（詢問託人寄上之物及告勿因家務過勞）

男國藩跪稟父母親大人膝下：十六夜，接到六月初八日所發家信，欣悉一切！祖父大人病已十愈八、九，尤爲莫大之福。六月二十八日，曾發一信言升官事，想已收到。馮樹堂六月十七日出京，寄回紅頂、補服、袍掛、手釧、筆等物，計八月可以到家。賀禮惟七月初五日出京，寄回鹿膠、高麗參等物，計九月可以到家。四弟、九弟信來，言家中大小諸事，皆大人躬親之，未免過於勞苦。勤儉本持家之道，而人所處之地各不同。大人之身，上奉高堂，下蔭兒孫，外爲族黨鄉里所模範，千金之軀，誠宜珍重。且男忝竊卿貳，服役已兼數人，而大人以家務勞苦如是，男不安於心。此後萬望總持大綱，以細微事付之四弟，四弟固謹慎者，必能負荷，而大人與叔父大人，惟日侍祖父大人前，相與娛樂，則萬幸矣！

京寓大小平安，一切自知謹慎，堂上各位大人，不必罣念！餘容另稟。（道光二十七年八月十八日）

稟父母（當歸蒸雞治失眠）

男國藩跪稟父母親大人萬福金安。十二月初五，接到家中十一月初旬所發家信，具悉一切。男等在京，身體平安。男癬疾已全愈，六弟體氣如常，紀澤兄妹五人皆好。男婦懷喜，平安不服藥，同鄉各家亦皆無恙。陳本七先生來京，男自有處置之法，大人儘可放心。大約款待從厚而打發從薄，男光景頗窘，渠來亦必自悔。

九弟信言母親常睡不著，男婦亦患此病，用熟地當歸蒸母雞食之，大有效驗，九弟可常辦與母親吃，鄉間雞肉、豬肉，最為養人，若常用黃芪當歸等類蒸之，略帶藥性而無藥氣，堂上五位老人食之，甚有益也，望諸弟時時留心辦之。

老秧田背後三角坵，是竹山灣至我家大路，男曾對四弟言及，要將路改於坳下，在檀山嘴那邊架一小橋，由豆土排上橫穿過來，其三角坵則多栽竹樹，上接新塘坳大楓樹，下接檀山嘴大藤，包裹甚為完緊，我家之氣更聚，望堂上大人細思。如以為可，求叔父於明年春栽竹種樹；如不可，叔父寫信示之為幸！男等於二十日期服已滿，敬謹祭告，廿九日又祭告一次，餘俟續具。（道光二十七年十二月初六日）

稟父母(好地氣必團聚)

男國藩跪稟父母親大人禮安。四月底接家中二月廿六日所發書，五月初八又接三月廿九所發書，具悉一切。祖父大人病體未愈，不知可服虎骨膠否？男身體如常，華男在黃家就館，端節後，仍於初八上學。紀澤讀告子至魚我所欲也，書尚熟。次孫體甚肥胖，四孫女俱平安。長孫女論語已讀畢，兩婦亦好，其餘眷口如常。

前叔父信言，知廣彭姓山內有地，有乾田十畝，男思好地峯廻氣聚，田必膏腴，其山必易生樹木，蓋氣之所積，自然豐潤。若磽田童山，氣本不聚，鮮有佳城，如廟山宗祠各山之童涸，斷無吉穴矣。大抵凡至一處，覺得氣勢團聚。山水環抱者，乃可尋地，否則不免誤認也。知廣之地，不知何如？男因有乾田十畝之說，故進此說。

祖母葬後，家中尙屬平安，其地或尙可用，如他處買地，不必專買丈尺者，附近田畝在三、四百千內者，京中儘可寄回。京中欠賬已過千金，然張羅尙活動，從不窘迫，堂上大人儘可放心！餘容續稟，男謹稟。

（道光二十八年五月初十日）

稟父母（述紀澤姻事）

男國藩跪稟父母親大人萬福金安。四月十四日，接奉父親三月初九日手諭，並叔父大人賀喜手示，及四弟家書，敬悉祖父大人病體未好，且日加沉劇，父叔率諸兄弟服侍已逾三年，無晝夜之間，無須臾之懈，獨男一人，遠離膝下，未得一日盡孫子之職，罪責甚深！聞華弟、荃弟、文思大進。葆弟之文，得華弟講改，亦日馳千里。遠人聞此，歡慰無極！

男近來身體不甚結實，稍一用心，即癬發於面，醫者皆言心虧血熱，故不能養肝，熱極生風，陽氣上肝，故見於頭面，男恐大發，則不能入見，故不敢用心，謹守大人保養身體之訓，隔一日至衙門辦公事，餘則在家不妄出門。現在衙門諸事，男俱已熟悉，各司官於男皆甚佩服，上下水乳俱融，同寅亦極協和，男雖終身在禮部衙門，爲國家辦照例之事，不苟不懈，盡就條理，亦所深願也。

英夷在廣東，今年復請入城。徐總督辦理有方，外夷折服，竟不入城，從此永無夷禍，聖心嘉悅之至。術者每言皇上連年命運，行刼財地，去冬始交脫。皇上亦每爲臣工言之，今年氣象，果爲昌泰，誠國家之福也。

兒婦及孫女輩皆好，長孫紀澤，前因開蒙太早，教得太寬，頃讀畢書經，請先生再將詩經點讀一徧，夜間講綱鑑正史，約已講至秦商鞅開阡陌。

李家親事，男因桂陽州往來太不便，已在媒人唐鶴九處回信不對；常家親事，男因其女係妾所生，已知其不諧矣。紀澤兒之姻事，屢次不就，男當年亦十五歲始定婚，則紀澤再緩一、二年，亦無不可，或求大人即在鄉間選一耕讀人家之女，或男在京自定，總以無富貴氣習者為主。紀雲對郭雨三之女，雖未訂盟，而彼此呼親家，稱姻弟，往來親密，斷不改移。二孫女對岱雲之次子，亦不改移，謹此稟聞，餘詳與諸弟書中，男謹稟。（道光二十九年四月十六日）

稟父母（具摺奏請日講）

男國藩跪稟父母親大人福安。溎男三月十五到京十八日發家信一件，四月內應可收到。

藩男十九日下園子，二十日卯刻，恭送大行皇太后西陵。西陵在易州，離京二百六十里，二十四下午到，廿五日辰刻致祭，比日轉身，趕走一百二十里，二十六日走百四十里，申刻到家，一路清吉，而晝夜未免辛苦。二十八早覆命，數日內作奏摺，擬初一早上具摺，因前奏舉行日講，聖上已允諭於百日後舉行。玆摺要將如何舉行之法，切實呈奏也。

廿九日申刻，接到大人二月廿一日手示，內六弟一信，九弟二十六之信，並六弟與他之信，一并付來，知堂上四位大人康健如常，合家平安。父母親大人俯允來京，男等內外不勝欣喜，手諭云「起程要待溎男秋多兩季歸，明年二月，溎男仍送二大人進京」云云。男等敬謹從命，叔父一、二年內，既不肯來，男等亦不敢強。溎男歸家，或九月，或十月，容再定妥。男等內外及兩孫孫女皆好，堂上大人不必懸念，餘俟續稟。（道光三十年三月三十日）

稟父（述辦水戰之法）

男國藩跪稟父親大人萬福金安。屢次接到廿三日、廿八日、廿九日、初二日手諭，敬悉一切。

男前所以招勇往江南殺賊者，以江岷樵麾下人少，必須萬人一氣，諸將一心，而後渠可以指揮如意，所向無前。故八月三十日寄書於岷樵，言絡續訓練，交渠統帶，此男練勇往江南之說也。王璞山因聞七月廿四日江西之役，謝易四人殉難，鄉勇八十人陣亡，因大發義憤，欲招湘勇二千，前往兩江殺賊，爲易、謝諸人報仇，此璞山之意也。男係爲大局起見，璞山係爲復仇起見，男兼招寶慶、湘鄉及各州縣之勇，璞山則專招湘鄉一縣之勇，男係添六千人，合在江西之寶勇湘勇，足成萬人，概歸岷樵統領，璞山則招二千人，由渠統帶。男與璞山大旨相同，中間亦有參差不合之處，恐家書及傳言，但云指勇往江南，而其中細微分合之處，未能盡陳於大人之前也。

自九月以來，聞岷樵本縣之勇，皆潰散回楚，而男之初計爲之一變。聞賊匪退出江西，回竄上游，攻破田鎮，逼近湖北，而男之計又一變。而璞山則自前次招勇報仇之說，通稟撫藩各憲，上憲各嘉其志而壯其才，昨璞山往省，撫藩命其急招勇三千，赴省救援，聞近日在漣濱開局，大招壯勇，即日晉省，器械未齊，訓練未精，此則不特非男之意，亦並非璞山之初志也。在勢之推移，有不自知而出於此，若非人力所能自主耳。

季弟之歸，乃弟之意，男不敢強留。昨奉大人手示，嚴切責以大義，不特弟不敢言歸，男亦何敢稍存私見，使胞弟迹近規避，導諸勇以退縮之路。現令季弟仍認原缺之不可爲，且見專用本地人之有時而不可恃也。

男現在專思辦水戰之法，擬簰與船並用，湘潭駐紮，男與樹堂亦嘗熟思之。辦船等事，宜離賊踪略遠，恐未曾辦成之際，遽爾蜂擁而來，則前功盡棄。朱石翁已至湖北，刻難遽回，餘湘勇留江西與城者，男已專人去調矣。江岷樵聞亦已到湖北，謹此奉聞。男辦理一切，自知謹慎，求大人不必掛心。（咸豐三年十月

初四日）

稟覆父（軍中要務數條）

男國藩跪稟父親大人萬福金安。廿二日接到十九日慈諭，訓戒軍中要務數條，謹一一稟覆。

一、營中喫飯宜早，此一定不易之理，本朝聖聖相承，神明壽考，即係早起能振刷精神之故。即現在粵匪暴亂，爲神人所共怒，而其行軍，亦係四更喫飯，五更起行，男營中起太晏，喫飯太晏，是大壞事，營規振刷不起，即是此咎。自接慈諭後，男每日於放明砲時起來，黎明看各營操演，而喫飯仍晏，實難驟改，當徐徐改作未明喫飯，未知能做得到否？

一、紮營一事，男每苦口教各營官，又下札教之，言築牆須八尺高，三尺厚，濠溝須八尺寬，六尺深，牆內有內濠一道，牆外有外濠二道，或三道，濠內須密釘竹籤云云。各營官總不能遵行，季弟於此等事，尤不肯認眞，男亦太寬，故各營不甚聽話，岳州之潰敗，即係因未能紮營之故，嗣後當嚴戒各營也。

一、調軍出戰，不可太散，慈諭所戒，極爲詳明。昨在岳州，胡林翼已先至，平江、通城，屢稟來岳，請兵救援，是以於初五日遣塔周繼往，其岳州城內，王璞山有勇二千四百，朱石樵有勇六百，男三營，有一千七百，以爲可保無虞矣。不謂璞山至羊樓司一敗，而初十開仗，僅男三營，與朱石樵之六百人，合共不滿二千人，而賊至三萬之多，是以致敗。此後不敢分散，然即合爲一氣，而我軍僅五千人，賊尚多六、七倍，擬添募陸勇萬人，乃足以供分佈耳。

一、破賊陣法，平日男訓戒極多，兼畫圖訓諸營官。二月十三日男親畫賊之蓮花抄尾陣，寄交璞山，璞山並不回信，寄交季弟，季弟回信言賊了無伎倆，並無所謂抄尾陣。寄交楊名聲、鄒壽璋等，回信言當留心，慈訓言當用常山蛇陣法，必須極熟極精之兵勇，乃能如此。昨日岳州之敗，賊並未用抄尾法，交手不過一個時辰，即紛紛奔退，若使賊用抄尾法，則我兵更膽怯矣。若兵勇無膽無藝，任憑好陣法，他也不管，臨陣總是奔回，實可痛恨！

拿獲形跡可疑之人，以後必拿辦之，斷不姑息。

以上各條，謹一一稟覆，再求慈訓，男謹稟。（咸豐四年二月廿五日）

稟父（在省中修理戰船）

男國藩跪稟父親大人萬福金安。二十日申刻，唐四到，奉到手諭，敬悉一切。家中大小平安，鄉間田禾暢茂，甚爲忻慰！

賊匪於初六日，復竄入岳州城內，約有二、三千人，岳陽城下，及南津港船，約有數百號，初八、九分船至竄西湖，擾安鄉縣，十三日龍陽失守，東而益陽，西而常德，並皆戒嚴。此間調李相堂都司帶楚勇一千，胡詠芝帶黔勇六百前往，又調周鳳山帶道州勇一千一百，想廿三、四可先後到常。又趙璞山帶新寧勇一千，由寶慶往常德，又有貴州兵一千，亦至常德，想可保全。塔智亭於十二日起程至岳，現尚未到。

男在省修理戰船，已有八分工程，衡州新船，及廣西水勇，均於本日可到，出月初，即可令水師至西湖剿賊。十八日城牆上之兵一、二千人，鬧至中丞署內，因每銀一兩，折放錢二千文，係奉戶部咨，而兵不肯從，斫柱毀橋，鬧至三堂，實屬可慮！

二十日吳仲修之火器所起火，火藥燒去數千斤，其餘火器全燒，傷人數十，現尚未查淸，此事關係最要緊。男之心緒，不能順適，然必認眞辦理，斷不因此而稍形懈弛。大人此次下縣，係因公事紳士之請，以後總求不履縣城，男心尤安。尤望不必來省，軍務倥偬之際，免使省中大府，多出一番應酬，男亦惟盡心辦

理一切，不以牽裾依戀，轉增大人慈愛感喟之懷。伏乞大人垂鑒，餘容續稟。（咸豐四年五月二十日）

卷三

稟叔父（請再代辦壽材）

姪國藩敬稟叔父大人侍下：本年家信三號，正月一號，至今尚未收到。由彭九峯寄之信，七月初九收到，七夕所發之信，八月十四日收到，欣悉家中一切。三月之事，本姪分所當爲，情所不得已，何足挂齒。前年跪託之事，蒙在渣前買得頂好料一具，姪謹與弟國荃南望拜謝，感難名！更求再買一具，即於今冬明春，請木匠辦就，其所需之錢，望寫信來京，姪可覓便付回，一切經營費心，何能圖報。嬸母之病全愈，不知是何光景？曾否服藥？尚有不時言笑否？若有信來，望詳細示知爲幸！肅此，恭請叔父母大人萬福金安。姪率弟國荃謹稟。（道光二十一年八月十七日）

稟叔父母（移寓呂祖閣）

姪國藩謹啓叔父母大人座下：屢次家書，或呈祖父，或寄諸弟，想叔父大人皆賜觀覽。今年已寄十一次矣。而家中諸弟寄京信，姪每嫌其不詳，平日在家時寄省無便，姪亦不怪，昨府考以六月十八到省，而摺差七月初九進京，諸弟無信。八月初一摺差進京，僅四弟一信，六弟、九弟、季弟、皆無信，四弟信又太略，府考共考幾場，每場是何題目，開點何人，前列何人，皆不寫一句，院考題目，考古題目，道案首及進學何人，亦皆不寫一句，去年考試亦如此。姪期望甚切！而毫不能得音信，眞不可解？九弟前在京時，望家信亦甚切，而歸去後，亦懶於寄信，何也？

姪今年至五月來，滿身熱毒，煩燥之至，加意調理，應酬最繁，而每次家信必詳細言之。現在身上熱毒，已服藥四十餘帖，尚未得好，據醫者云：「雖無大害，然必至十一月，乃能去盡」，幸飲食起居如恆。因家中客多，不甚清淨，姪於十八日移寓呂祖閣廟內，離家不過半里，而在廟內起火食，無事從不歸去，家中姪婦及姪孫、姪孫女三人，皆平安如常，姪孫詩經已讀至「定之方中」。同鄉諸家亦皆如舊，同年中祁雋藻放湖北黃州府知府，本家心齋仙逝，實為可哀，下次摺差，必作書慰毅然宗伯。四弟、六弟，不審已進京否？若未來，仍須發奮，不可牢騷廢學，姪謹啓。（道光二十五年八月廿一日）

稟叔父（俠士料理友喪）

姪國藩謹啓叔父大人座下：九月十五、十七，連到兩摺差又無來信，想四弟、六弟已經來京矣。若使未來，則在省還家時，必將書信寄京。姪身上熱毒，近日頭面大減，請一陳姓醫生，每早吃丸藥一錢，而小有法術，已請來三次，每次給車馬大錢一千二百文，自今年四月得此病，請醫甚多，服藥亦五十餘劑，皆無效驗，惟此人來，乃將面上治好，頭上已好十分之六，身上尚未好。渠云：「不過一月，即可全愈」。姪起居如常，應酬如故，讀書亦如故，惟不做詩文，少寫楷書而已。姪婦及姪孫兒女皆平安。陳岱雲現又有病，雖不似前年之甚，而其氣甚餒，亦難驟然復元。

湘鄉鄧鐵松孝廉，於八月初五出京，竟於十一日卒於獻縣道中。幸有江岷樵忠源同行，一切附身附棺，必信必誠，此人義俠之士，與姪極好。今年新化孝廉鄒柳溪，在京久病而死，一切皆江君料理，送其靈櫬回南，今又扶鐵松之病而送其死，眞俠士也。挾兩友之柩，行數千里，亦極難矣。

姪曾作鄒君墓誌銘，茲付兩張回家。今年七月，忘付黃芽白菜子，八月底寄出，已無及矣。請封之典，要十月十五日始可頒恩詔，大約明年秋間，始可寄回。聞彭慶三爺令郎入學，此是我境後來之秀，不可不加

意培植，望於家中賀禮之外，另封儀大錢一千，上書姪名，以示奬勸，餘不具，姪謹啓。（道光二十五年九月十七日）

稟叔父母（報告升翰林院侍讀學士）

姪國藩謹啓叔父母大人萬福金安。廿三日四弟、六弟到京，體氣如常。廿四日，皇上御門，姪得陞翰林院侍讀學士，每年御門，不過四、五次，在京各官缺出，此時未經放人者，則候御門之日簡放，以示爵人於朝，與衆共之之意。姪三次升官，皆御門時特擢，天恩高厚，不知所報。姪合室平安，身上瘡癬，尙未盡淨，惟面上於半月內全好，故謝恩召見，不至隕越以貽羞，此尤大幸也。

前次寫信回家，內有寄家毅然宗丈一封，言由長沙金年伯家送去心齋之母奠儀三十金。此項本羅蘇溪寄者，託姪轉交，故姪兌與周輯瑞用，由周家遞金家。頃聞四弟言，此項已作途費矣，則毅然伯家奠分必須家中趕緊辦出付去，萬不可失信。謝興岐曾借去銀三十兩，若還來甚好，若未還，求家中另行辦去。又黃麓西借姪銀二十兩，亦聞家中已收，姪在京借銀與人頗多，姪不寫信告家中者，則家中亦不必收取，蓋在外與居鄉不同。居鄉者緊守銀錢，自可致富；在外者有緊有鬆，有發有收，所謂大門無出，耳門亦無入。余仗名聲好，乃扯得活，若名聲不好，專靠自己收藏之銀，則不過一年，即用盡矣。以後外人借姪銀者，仍使送還京中，家中不必收取。去年蔡朝士曾借姪錢三十千，姪已應允作文昌閣捐項，家中亦不必收取。蓋姪言不信，則日後雖有求於人，人誰肯應哉。姪於銀錢之間，但求四處活動，望堂上大人諒之！

又聞四弟、六弟言，父親大人近來常到省城縣城，曾爲蔣市街曾家說墳山事，長壽庵和尙說命案事，此雖積德之舉，然亦是干預公事。姪現在京四品，外放即是臬司，凡鄉紳管公事，地方官無不銜恨，無論有理無理，苟非己事，皆不宜與聞，地方官外面應酬，心實鄙薄，設或敢於侮慢，則姪靦然爲官，而不能免親之受辱，其負疚當何如耶？以後無論何事，望勸父親總不到縣，總不管事，雖納稅正供，使人至縣，伏求堂上大人鑒此苦心，姪時時罣念獨此耳，姪謹啓。（道光二十五年十月初一日）

稟叔父母（寄銀五十兩回家並述其用途）

姪國藩敬稟叔父嬸母大人萬福金安。新年兩次稟安，未得另書敬告一切，姪以庸鄙無知，託祖宗之福蔭，幸竊祿位，時時撫衷滋愧！玆於本月大考，復荷皇上天恩，越四級而超升，姪何德何能，堪此殊榮，常恐祖宗積累之福，自我一人享盡，大可懼也，望叔父作書教姪，幸甚！

余竺虔歸，寄回銀五十兩，其四十兩用法，六弟、九弟在省讀書，用二十六兩，四弟、季弟學俸六兩，買漆四兩，歐陽太岳母奠金四兩，前第三號信業已載明矣。

只餘有十兩，若作家中用度，則嫌其太少，添此無益，減此無損。姪意戚族中有最苦者，不得不些須顧送，求叔父將此十金換錢，分送最親最苦之處。叔父於無意中送他，萬不可說出自姪之意，使未得者有缺望，有怨言。二伯祖父處，或不送錢，按期送肉與油鹽之類，隨叔父斟酌行之可也，姪謹稟。（道光二十七年六月十七日）

稟叔父母（勿勞力過甚）

姪國藩謹稟叔父母大人禮安。十七接家信二件，內父親一諭，四弟一書，九弟、季弟在省各一書，歐陽牧雲一書，得悉一切。祖父大人之病，不得少減，日夜勞心。父親、叔父辛苦服事，而姪遠離膝下，竟不得效絲毫之力，終夜思維，刻不能安。

江岷樵有信來，告渠已買得虎骨，七月當親送我家，以之熬膏，可醫痿痺云云。不知果送來否？

聞叔父去年起公屋，勞心勞力，備極經營，外面極堂皇，工作極堅固，費錢不過百千，而見者擬為三百千模範，焦勞太過，後至吐血，旋又以祖父復病，勤劬彌甚，而父親亦於奉事祖父之餘，撰理家政，刻不少休。姪竊伏思父親、叔父二大人，年壽日高，精力日邁，正宜保養神氣，稍稍休息，家中瑣細事務，可命四弟管理。至服事祖父凡勞心細察之事，則父親、叔父躬任之；凡勞力粗重之事，則另添用僱工一人，不夠則僱二人。

姪近年以來，精力日差，偶用心略甚，癬疢即發，夜坐略久，次日即昏倦，是以力加保養，不甚用功，以求無病無痛，上慰堂上之遠懷。外間求作文，求寫字，求批改詩文者，往往歷久而莫償宿諾，是以時時抱疚，日日無心安神恬之時。前四弟在京，能為我料理一切瑣事，六弟則毫不能管，故四弟歸去之後，姪於外間之回信，家鄉應留心之事，不免疏忽廢弛。

姪等近日身體平安，合室大小皆順。六弟在京，姪苦勸其南歸，一則免告迴避，二則盡仰事俯蓄之誠，三則六弟兩年未作文，必在家中，父親、叔父嚴責，方可用功，鄉試渠不肯歸，姪亦無如之何。

叔父去年四十晉一，姪謹備袍套一付，叔母今年四十大壽，姪謹備棉外套一件，皆交曹西垣帶回，服滿後即可著，母親外褂並漢祿布夾襖，亦一同付回。聞母親近思用一丫環，此亦易辦，在省城買，不過三四十千，若有湖北逃荒者來鄉，則更為便益，望叔父命四弟留心速買，以供母親、叔母之使令，其價姪即寄回。姪今年光景之窘，較甚於往年，然東支西扯，尚可敷衍。若明年能得外差，或升侍郎，便可彌縫。家中今年季弟喜事，不知窘迫否？姪於八月接到俸銀，即當寄五十金回，即去年每歲百金之說也，在京一切張羅，姪自有調停，毫不費力，堂上大人不必罣念！姪謹稟。（道光二十八年七月二十日）

稟叔父母（託人帶歸銀）

姪國藩跪稟叔父母大人福安。九月初十日，接到四弟、九弟、季弟等信，係八月半在省城所發者，知祖大人之病，又得稍減，九弟得補廩，不勝欣幸！前勞辛垓廉訪，八月十一出京，姪寄去衣包一個，計衣十件，不知已到否？姪有銀數十兩，欲寄回家，久無妙便。十月間，武岡張君經贊回長沙，擬託帶回。聞叔父為坍上公屋加工修治，姪亦欲寄數銀兩，為叔父助犒賞匠人之資。羅六所存銀廿二兩，在姪處，右三項，皆擬託張君帶歸。

前歐陽滄溟先生館事，伍太尊已覆書於季仙九先生，茲季師又回一信於伍處，託姪便寄家中，可送至歐陽家，囑其即投伍府尊也。牧雲又託查萬崇軒先生選教官遲早，茲已查出，寫一紅條，大約明冬可選，此二事可囑澄侯寫信告知牧雲。姪等在京，身體平安。常南陔先生欲以幼女許配紀澤，託郭筠仙說媒，李家尚未說定，兩家似可對，不知堂上大人之意若何？望示知，餘容續具，姪謹稟。（道光二十八年九月十二日）

卷四

致諸弟（勿屈於小試，大學之綱領，應用日課冊。）

諸位賢弟足下：十月廿一，接九弟在長沙所發信，內途中日記六葉，外藥子一包。廿二接九月初二日家信，欣悉以慰！

自九弟出京後，余無日不憂慮，誠恐道變故多端，難以臆揣。及讀來書，果不出吾所料，千辛萬苦，始得到家，幸哉幸哉！鄭伴之不足恃，余早已知之矣。郁滋堂如此之好，余實不勝感激！在長沙時，曾未道及彭山屺，何也？

四弟來信甚詳，其發憤自勵之志，溢於行間。然必欲找館出外，此何意也？不過謂家塾離家太近，容易耽擱，不如出外較淨耳。然出外從師，則無甚耽擱，若出外教書，其耽擱更甚於家塾矣。且苟能發奮自立，則家塾可讀書，即曠野之地，熱鬧之場亦可讀書，負薪牧豕，皆可讀書；苟不能發奮自立，則家塾不宜讀書，即淸淨之鄉，神仙之境，皆不能讀書。何必擇地，何必擇時，但自問立志之眞不眞耳。六弟自怨數奇，余亦深以爲然，然屈於小試，輒發牢騷，吾竊笑其志之小而所憂之不大也。君子之立志也，有民胞物與之量，有內聖外王之業，而後不忝於父母之所生，不愧爲天地之完人。故其爲憂也，以不如舜，不如周公爲憂也；以德不修，學不講，爲憂也。是故頑民梗化則憂之，蠻夷猾夏則憂之，小人在位，賢人否閉，則憂之，匹夫匹婦不被己澤則憂之，所謂悲天命而憫人窮，此君子之所憂也。若夫一體之屈伸，一家之飢飽，世俗之榮辱得失，貴賤毀譽，君子固不暇憂及此也。六弟屈於小試，自稱數奇，余竊笑其所憂之不大也。

蓋人不讀書則已，亦旣自名曰讀書人，則必從事於大學，大學之綱領有三：明德、新民、止至善，皆我分內事也。若讀書不能體貼到身上去，謂此三項，與我身毫不相涉，則讀書何用，雖使能文能詩，博雅自詡，亦只算得識字之牧猪奴耳，豈得謂之明理有用之人也。朝廷以制藝取士，亦謂其能代聖賢立言，必能明聖賢之行，可以居官蒞民，整躬率物也。若以明德新民爲分外事，則雖能文能詩，而於修己治人之道，實茫然不講，朝廷用此等人作官，與用牧猪奴作官，何以異哉。然則旣自名爲讀書人，則大學之綱領，皆己立身切要之事明矣。其條目有八，自我觀之，其致功之處，則僅二者而已：曰格物，曰誠意，格物，致知之事也；誠意，力行之事也。物者何，即所謂本末之物也。身心意知家國天下，皆物也；天地萬物，皆物也；日用常行之事，皆物也。格者，即格物而窮其理也。如事親定省，物也；究其所以當定省之理，即格物也。事兄隨行，物也。究其所以當隨行之理，即格物也。吾心物也；究其存心之理，又博究其省察涵養以存心之理，即格物也。吾身，物也；究其敬身之理，又博究其立齊坐尸以敬身之理，即格物也。每日所看之書，句句皆物也。切已體察，窮究其理，即格物也。此致知之事也。所謂誠意者，即其所知而力行之，是不欺也。知一句便行一句，此力行之事也。此二者並進，下學在此，上達亦在此。

吾友吳竹如格物工夫頗深，一事一物，皆求其理，倭艮峯先生則誠意工夫極嚴，每日有日課冊，一日之中，一念之差，一事之失，一言一默，皆筆之於書，書皆楷字，三月則訂一本，自乙未年起，今三十本矣。蓋其慎獨之嚴，雖妄念偶動，必即時克治，而著之於書，故所讀之書，句句皆切身之要藥。茲將艮峯先生日課，抄三葉付歸，與諸弟看。余自十月初一日起，亦照艮峯樣，每日一念一事，皆寫之於冊，以便觸目克治，亦寫楷書，馮樹堂與余同日記起，亦有日課冊，樹堂極為虛心，愛我如兄弟，敬我如師，將來必有所成。余向來有無恆之弊，自此寫日課本子起，可保終身有恆矣。蓋明師益友，重重夾持，能進不能退也。本欲抄余日課冊付諸弟閱，因今日鏡海先生來，要將本子帶回去，故不及抄十一月有摺差，准抄幾葉付回也。余之益友，如倭艮峯之瑟僩，令人對之肅然。吳竹如、竇蘭泉之精義，一言一事，必求至是。吳子序、邵蕙西之談經，深思明辨。何子貞之談字，其精妙處，無一不合，其談詩尤最符契。子貞深喜吾詩，故吾自十月來，已作詩十八首，茲抄二葉付回，與諸弟閱。馮樹堂、陳岱雲之立志，汲汲不遑，亦良友也。鏡海先生，吾雖未嘗執贄請業，而心已師之矣。

吾每作書與諸弟，不覺其言之長，想諸弟或厭煩難看矣。然諸弟苟有長信與我，我實樂之，如獲至寶，人固各有性情也。

余自十月初一日起記日課，念念欲改過自新，思從前與小珊有隙，實是一朝之忿，不近人情，即欲登門謝罪，恰好初九日小珊來拜壽，是夜余即至小珊家久談，十三日與岱雲合夥，請小珊吃飯，從此歡笑如初，前隙盡釋矣。近事大略如此，容再續書，兄國藩手具。（道光二十二年十月二十六日）

致諸弟（述近況並對待童僕之態度）

諸位賢弟足下：前十一月八日已將日課抄與弟閱，嗣後每次家書，可抄三葉付回，日課本皆楷書，一筆不苟，惜抄回不能作楷書耳。

馮樹堂進功最猛，余亦教之如弟，知無不言，可惜九弟不能在京，與樹堂日日切磋，余無日無刻不太息也。九弟在京年半，余懶散不努力，九弟去後，余乃稍能立志，蓋余實負九弟矣。

余嘗語岱雲曰：「余欲盡孝道，更無他事，我能教諸弟進德業一分，則我之孝有一分，能教諸弟進十分，則我之孝有十分，若全不能教弟成名，則我大不孝矣。」九弟之無所進，是我之大不孝也。惟願諸弟發奮立志，念念有恆，以補我不孝之罪，幸甚幸甚！

岱雲與易五近亦有日課冊，惜其識不甚超越，余雖日日與之談論，渠究不能悉心領會，頗疑我言太夸。然岱雲近極勤奮，將來必有所成。何子敬近待我甚好，常彼此作詩唱和，蓋因其兄欽佩我詩，且談字最相合，故子敬亦改容加禮。

子貞現臨隸字，每日臨七、八葉，今年已千葉矣。近又考訂漢書之譌，每日手不釋卷。蓋子貞之學，長於五事：一曰儀禮精，二曰漢書熟，三曰說文精，四曰各體詩好，五曰字好。此五事者，渠意皆欲有所傳於後世，以余觀之，此三者，余不甚精，不知淺深究竟何如？若字則必傳千古無疑矣。詩亦遠出時手之上，必能卓然成家，近日京城詩家頗少，故余欲多做幾首。

金竺虔在小珊家住，頗有面善心非之隙，唐詩甫亦與小珊有隙，余現仍與小珊來往，泯然無嫌，但心中不甚愜洽耳。曹西垣與鄒雲陔，十月十六起程，現尚未到 湯海秋久與之處，其人誕言太多，十句之中，僅一、二句可信。今冬嫁女二次，一係杜蘭溪之子，一係李石梧之子入贅。黎樾翁亦有次女招贅，其婿雖未讀書，遠勝於馮舅矣。李筆峰尙館海秋處，因代考供事，得銀數十，衣服煥然一新。王翰城捐知州，去大錢八千串；何子敬捐知縣，去大錢七千串，皆於明年可選實缺。黃子壽處本日去看他，工夫甚長進，古文有才華，好買書，東翻西閱，涉獵頗多，心中已有許多古董。

何世兄亦甚好，沉潛之至，天分不高，將來必有所成。吳竹如近日未出城，余亦未去，蓋每見則耽擱一天也。其世兄亦極沉潛，言動中禮，現在亦學倭艮峯先生。吾觀何、吳兩世兄之姿質，與諸弟相等，遠不及周受珊、黃子壽，而將來成就，何、吳必更切實，此其故，諸弟能看書自知之，願諸弟勉之而已。此數子者，皆後起不凡之才人也，安得諸弟與之聯鑣並駕，則余之大幸也。

季仙九先生到京服闋，待我甚好，有青眼相看之意。同年會課，近皆懶散，而十日一會如故。余今年過年，尙須借銀百五十金，以五十還杜家，以百金用，李石梧到京，交出長郡館公費，即在公項借用。免出外開口更好，不然，則尙須張羅也。

門上陳升，一言不合而去，故余作傲奴詩。現換一周升作門上，頗好。余讀易旅卦喪其童僕，象曰：「以旅與下，其義喪也」。解之者曰：「以旅與下者，謂視童僕如旅人，刻薄寡恩，漠然無情，則童僕亦將視主如逆旅矣」。余待下雖不刻薄，而頗有視如逆旅之意，故人不盡忠，以後余當視之如家人手足也。分雖嚴明，而情貴周通，賢弟待人，亦宜知之。

余每聞摺差至，輒望家信，不知能設法多寄幾次否？若寄信，則諸弟必須詳寫日記數天，幸甚！余寫信亦不必代諸弟多立課程，蓋恐多看則生厭，故但將余近日實在光景寫示而已，伏維諸弟細察。（道光二十二年十一月十七日）

致諸弟（述修業以衛身）

四位老弟足下：九弟行程，計此時可以到家，自任邱發信之後，至今未接到第二封信，不勝懸懸，不知道上有甚艱險否？四弟、六弟院試，計此時應有信，而摺差久不見來，實深懸望！

予身體較九弟在京時一樣，總以耳鳴爲苦，問之吳竹如云：「只有靜養一法，非藥物所能爲力」。而應酬日繁，予又素性浮躁，何能著實靜養。擬搬進內城住，可省一半無謂之往還，現在尚未找得。予時時自悔，終未能洗滌自新。九弟歸去之後，予定剛日讀經，柔日讀史之法。讀經常懶散不沉著，讀後漢書，現已丹筆點過八本。雖全不記憶，而較之去年讀前漢書，領會較深。

吳竹如近日往來極密，來則作竟日談，所言皆身心國家大道理。渠言有竇蘭泉者，雲南人，見道極精當平實，竇亦深知予者，彼此現尚未拜往。竹如必要予搬進城住，蓋城內鏡海先生可以師事，倭艮峯先生、竇蘭泉可以友事。師友夾持，雖懦夫亦有立志。予思朱子言：「爲學譬如熬肉，先須用猛火煮，然後用漫火溫」。予生平工夫，全未用猛火煮過，雖有見識，乃是從悟境得來，偶用工亦不過優游玩索已耳。如未沸之湯，遽用漫火溫之，將愈煮愈不熟矣。以是急思搬進城內，摒除一切，從事於克己之學。鏡海、艮峰兩先生，亦勸我急搬，而城外朋友，予亦有思常見者數人：如邵蕙西、吳子序、何子貞、陳岱雲是也。蕙西嘗言與周公瑾交，如飲醇醪，我兩人頗有此風味，故每見輒常談不捨。子序之爲人，予至今不能定其品，然識見最大且精，嘗教我云：「用功譬若掘井，與其多掘數井而皆不及泉，何若老守一井，力求及泉而用之不竭乎」。此語正與予病相合，蓋予所謂掘井而皆不及泉者也。

何子貞與予講字極相合，謂我眞知大源，斷不可暴棄，予嘗謂天下萬事萬理，皆出於乾坤二卦，即以作字論之，純以神行，大氣鼓盪，脈絡周通，潛心內轉，此乾道也。結構精巧，向背有法，修短合度，此坤道也。凡乾以神氣言，凡坤以形質言，禮樂不可斯須去身，即此道也。樂本於乾，禮本於坤，作字而優游自得，眞力彌滿者，即樂之意也。絲絲入扣，轉折合法者，即禮之意也。偶與子貞言及此，子貞深以爲然，謂渠生平得力，盡於此矣。

陳岱雲與吾處處痛癢相關，此九弟所知者也。寫至此，接得家書，知四弟、六弟未得入學，悵悵！然科名有無遲早，總由前定，絲毫不能勉强。吾輩讀書，只有兩事：一者進德之事，講求乎誠正修齊之道，以圖無忝所生；一者修業之事，操習乎記誦詞章之術，以圖自衞其身。

進德之事，難於盡言，至於修業以衞身，吾請言之，衞身莫大於謀食，農工商勞力以求食者也。士勞心以求食者也。故或食祿於朝，教授於鄉，或爲傳食之客，或爲入幕之賓，皆須計其所業，足以得食而無愧。科名，食祿之階也，亦須計吾所業，將來不至尸位素餐，而後得科名而無愧。食之得不得，窮通由天作主，予奪由人作主，業之精不精，由我作主。

然吾未見業果精而終不得食者也，農果力耕，雖有饑饉，必有豐年。商果積貨，雖有壅滯，必有通時。士果能精其業，安見其終不得科名哉。即終不得科名，又豈無他途可以求食者哉。然則特患業之不精耳。求業之精，別無他法，曰專而已矣。諺曰：「藝多不養身，謂不專也」，吾掘井多而無泉可飲，不專之咎也。

諸弟總須力圖專業，如九弟志在習字，亦不盡廢他業，但每日習字工夫，不可不提起精神，隨時隨事，皆可觸悟。四弟六弟，吾不知其心有專嗜否？若志在窮經，則須專守一經。志在作制義，則須專看一家文稿。志在作古文，則須專看一家文集。作各體詩亦然，作試帖亦然，萬不可以兼營並騖，兼營則必一無所能矣，切囑切囑，千萬千萬。此後寫信來，諸弟各有專守之業，務須寫明，且須詳問極言，長篇累牘，使我讀其手書，即可知其志向識見。凡專一業之人，必有心得，亦必有疑義。諸弟有心得，可以告我共賞之；有疑義，可以告我共析之。且書信既詳，則四千里外之兄弟，不啻晤言一室，樂何如乎!?

予生平於倫常中，惟兄弟一倫，抱愧尤深！蓋父親以其所知者，盡以教我，而吾不能以吾所知者，盡教諸弟，是不孝之大者也。九弟在京年餘，進益無多，每一念及，無地自容。嗣後我寫諸弟信，總用此格紙，弟宜存留，每年裝訂成冊，其中好處，萬不可忽略看過。諸弟寫信寄我，亦須用一色格紙，以便裝訂，兄國藩手具。（道光二十二年九月十八日）

致諸弟（己巳戒煙欲作曾氏家訓勉勵自立課程）

諸位賢弟足下：九弟到家，徧走各親戚家，必各有一番景況，何不詳以告我？四妹小産，以後生育頗難，然此事最大，斷不可以人力勉強，勸渠家只須聽其自然，不可過於矜持。又聞四妹起最晏，往往其姑反服事他，此反常之事，最足折福。天下未有不孝之婦，而可得好處者，諸弟必須時勸導之，曉之以大義。

諸弟在家讀書，不審每日如何用功？余自十月初一日立志自新以來，雖懶惰如故，而每日楷書寫日記；每日讀史十葉；每日記茶餘偶談一則；此三事，未嘗一日間斷。十月廿一日立誓永戒吃水煙，洎今已兩月不吃煙，已習慣成自然矣。予自立課程甚多，惟記茶餘偶談、讀史十葉、寫日記楷本，此三事者，誓終身不間斷也。諸弟每日自立課程，必須有日日不斷之功，雖行船走路，須帶在身邊。予除此三事外，他課程不必能有成，而此三事者，將終身行之。

前立志作曾氏家訓一部，曾與九弟詳細道及，後因採擇經史，若非經史爛熟胸中，則割裂零碎，毫無線索。至於採擇諸子各家之言，尤爲浩繁，雖抄數百卷，猶不能盡收，然後知古人作大學衍義、衍義補諸書，乃胸中自有條例，自有議論，而隨便引書以證明之，非翻書而徧抄之也。然後知著書之難，故暫且不作曾氏家訓，若將來胸中道理愈多，議論愈貫串，仍當爲之。

現在朋友愈多，講躬行心得者，則有鏡海先生、艮峰前輩、吳竹如、竇蘭泉、馮樹堂；窮經知道者，則有吳子序、邵蕙西；講詩文字而藝通於道者，則有何子貞；才氣奔放，則有湯海秋；英氣逼人，志大神靜，則有黃子壽；又有王少鶴，名錫振，廣西主事，年念七歲，張筱甫之妹夫；朱廉甫名琦，廣西乙未翰林；吳莘畬名倚志，廣東人，吳撫臺之世兄，龐作人名文壽，浙江人；此四君者，首聞予名而先來拜，雖所造有淺深，要皆有志之士，不甘居於庸碌者也。

京師為人文淵藪，不求則無之，愈求則愈出。近來聞好友甚多，予不欲先去拜別人，恐徒標榜虛聲。蓋求友以匡已之不逮，此大益也。標榜以盜虛名，是大損也。天下有益之事，即有足損者寓乎其中，不可不辨耳。

黃子壽近作選將論一篇，共六千餘字，眞奇才也。黃子壽戊戌年始作破題，而六年之中，遂成大學問，此天分獨絕，萬不可學而至。諸弟不必震而驚之，予不願諸弟學他，但願諸弟學吳世兄、何世兄。吳竹如之世兄，現亦學艮峰先生寫日記，言有矩，動有法，其靜氣實實可愛。

何子貞之世兄，每日自朝至夕，總是溫書，三百六十日，除作詩文時，無一刻不溫書，眞可謂有恆者矣。故予從前限功課教諸弟，近來寫信寄弟，從不另開課程，但教諸弟有恆而已。蓋士人讀書，第一要有志，第二要有識，第三要有恆。有志則斷不敢為下流，有識則知學問無盡，不敢以一得自足。如河伯之觀海，如井蛙之窺天，皆無識也。有恆則斷無不成之事，此三者，缺一不可。諸弟此時惟有識不可以驟幾，至於有志、有恆，則諸弟勉之而已。予身體甚弱，不能苦思，苦思則頭暈。不耐久坐，久坐則倦乏，時時屬望，惟諸弟而已。

明年正月，恭逢祖父大人七十大壽，京城以進十為正慶，予本擬在戲園設壽筵，竇蘭泉及艮峰先生勸止之，故不復張筵。蓋京城張筵唱戲，名曰慶壽。實則打把戲，蘭泉之勸止，正以此故。現作壽屏兩架，一架淳化箋四大幅，係何子貞撰文並書，字有茶碗口大。一架冷金箋八小幅，係吳子序撰文，予自書。淳化箋係內府用紙，紙厚如錢，光彩耀目，尋常琉璃廠無有也，昨日偶有之，因買四張。子貞字甚古雅，惜太大，萬不能寄回，奈何奈何！書不能盡言，惟諸弟鑒察，兄國藩手草。（道光二十二年十二月二十日）

附課程表

一、主敬　整齊嚴肅，無時不懼，無事時心在腔子裏，應事時專一不雜。

二、靜坐　每日不拘何時，靜坐一會，體驗靜極生陽來復之仁心，正位凝命，如鼎之鎮。

三、早起　黎明即起，醒後勿沾戀。

四、讀書不二　一書未點完，斷不看他書，東翻西閱，都是徇外為人。

五、讀史　廿三史每日讀十頁，雖有事，不間斷。

六、寫日記　須端楷，凡日間過惡，身過、心過、口過，皆記出，終身間斷。

七、日知其所亡　每日記茶餘偶談一則，分德行門、學問門、經濟門、藝術門。

八、月無忘所能　每月作詩文數首，以驗積理之多寡，氣之盛否。

九、謹言　刻刻留心。

十、養氣　無不可對人言之事，氣藏丹田。

十一保身　謹遵大人手諭，節慾、節勞、節飲食。

十二、作字　早飯後作字，凡筆墨應酬，當作自己功課。

十三、夜不出門　曠功疲神切戒切戒。

致諸弟（講讀經史之法及求師友之注意點）

諸位老弟足下：正月十五日接到四弟、六弟、九弟、十二月初五日所發家信，四弟之信三葉，語語平實，責我待人不恕，甚爲切當。嘗謂月月書信，徒以空言責弟輩，却又不能實有好消息，令堂上聞兄之言，疑弟輩麤俗庸碌，使弟輩無地可容云云。此數語，兄讀之不覺汗下，我去年曾與九弟閒談云：「爲人子者，若使父母見得我好些，謂諸兄弟俱不及我，這便是不孝；若使族黨稱道我好些，謂諸兄弟俱不如我，這便是不弟，何也？蓋使父母心中有賢愚之分，使族黨口中有賢愚之分，則必其平日有討好底意思，暗用機計，使自己得好名聲，而使兄弟得壞名聲，必其後日之嫌隙，由此而生也。劉大爺、劉三爺，兄弟皆想做好人，卒至視如仇讎，因劉三爺得好名聲於父母族黨之間，而劉大爺得壞名聲故也。」今四弟之所責我者，正是此道理，我所以讀之汗下，但願兄弟五人，個個明白這個道理，彼此互相原諒，兄以弟得壞名爲憂，弟以兄得好名爲快，兄不能盡道，使弟得令名，是兄之罪，弟不能盡道，使兄得令名，是弟之罪，若個個如此存心，則億萬年無纖芥之嫌矣。

至於家塾讀書之說，我亦知其甚難，曾與九弟面談及數十次矣。但四弟前次來書，言欲找館出外教書，兄意教館之荒功誤事，較之家塾爲尤甚，與其出而教館，不如靜坐家塾。若云一出家塾，便有明師益友，則我之所謂明師益友者，我皆知之，且已夙夜熟籌之矣。惟汪覺庵師友及滄溟先生，是兄意中所信爲可師者。然衡陽風俗，只有冬學要緊，自五月以後，師弟皆奉行故事而已。同學之人，類皆庸鄙無志者，又最好訕笑人，其笑法不一，總之不離乎輕薄而已。四弟若到衡陽去，必以翰林之弟相笑，薄俗可惡，鄉間無朋友，實是第一恨事，不惟無益，且大有損。習俗染人，所謂與鮑魚處，亦與之俱化也。兄嘗與九弟道及，謂衡陽不可以讀書，漣濱不可以讀書，爲損友太多故也。

今四弟意必從覺庵師遊，則千萬聽兄囑咐，但取明師之益，無受損友之損也。接到此信，立即率厚二到覺庵師處受業。其束修今年謹具錢十挂。兄於八月准付回，不至累及家中，非不欲從豐，實不能耳。兄所最慮者，同學之人，無志嬉遊，端節以後，放散不事事，恐弟與厚二效尤耳，切戒切戒！凡從師必久而後可以獲益，四弟與季弟，今年從覺庵師，若地方相安，則明年仍可從遊，若一年換一處，是即無恆者見異思遷也，欲求長進難矣。

六弟之信，乃一篇絕妙古文，排奡似昌黎，拗很似半山，予論古文，總須有倔強不馴之氣，愈拗愈深之意，故於太史公外，獨取昌黎、半山兩家，論詩亦取傲兀不群者，論字亦然。每蓄此意而不輕談，近得何子貞，意見極相合，偶談一、二句，兩人相視而笑，不知六弟乃生成有此一枝妙筆，往時見弟文亦無大奇特者，今觀此信，然後知吾弟眞不羈才也，歡喜無極！凡兄所有志而力不能爲者，吾弟皆爲之可矣。

信中言兄與諸君子講學，恐其漸成朋黨，所見甚是。然弟儘可放心，兄最怕標榜，常存闇然尙絅之意，斷不至有所謂門戶自表者也。信中言四弟浮躁不虛心，亦切中四弟之病，四弟當視爲良友藥石之言。信中又言弟之牢騷，非小人之熱中，乃志士之惜陰。讀至此，不勝惘然！恨不得生兩翅忽飛到家，將老弟勸慰一番，縱談數日乃快。然向使諸弟已入學，則謠言必謂學院做情，衆口鑠金，何從辨起，所謂塞翁失馬，安知非福，科名遲早，實有前定，雖惜陰念切，正不必以虛名縈懷耳。

來信言看禮記疏一本半，浩浩茫茫，苦無所得，今已盡棄，不敢復閱，現讀朱子綱目，日十餘葉云云。說到此處，兄不勝悔恨！恨早歲不曾用功，如今雖欲教弟，譬盲者而欲導人之大途也，求其不誤難矣。然兄最好苦思，又得諸益友相質證，於讀書之處，有必不可易者數端：窮經必專一經，不可泛騖，讀經以研尋義理爲本，考据名物爲末。讀書有一耐字訣，一句不通，不看下句，今日不通，明日再讀，今年不通，明年再讀，此所謂耐也。讀史之法，莫妙於設身處地，每看一處，如我便與當時之人，酬酢笑語於其間，不必人人皆能記也，但記一人，則恍如接其人；不必事事皆能記也，但記一事，則恍如親其事。經以窮理，史以考事，舍此二者，更別無學矣。

蓋自西漢以至於今，識字之儒，約有三途：曰義理之學，曰考据之學，曰詞章之學，各執一途，互相詆毀。兄之私意，以爲義理之學最大；義理明則躬行有要，而經濟有本，詞章之學，亦所以發揮義理者也。考据之學，吾無取焉矣。此三途者，皆從事經史，各有門徑，吾以爲欲讀經史，但當研究義理，則心一而不紛，是故經則專守一經，史則專熟一代，讀經史則專主義理，此皆守約之道，確乎不可易者也。

若夫經史而外，諸子百家，汗牛充棟，或欲閱之，但當讀一人之專集，不當東翻西閱。如讀昌黎集，則目之所見，耳之所聞，無非昌黎，以爲天地間除昌黎集而外，更無別書也。此一集未讀完，斷斷不換他集，亦專字訣也，六弟謹記之。讀經、讀史、讀專集、講義理之學，此有志者萬不可易者也。聖人復起，必從吾言矣。然此亦僅爲有大志者言之，若夫爲科名之學，則要讀四書文，讀試律賦，頭緒甚多，四弟、九弟厚，二弟天資較低，必須爲科名之學。六弟既有大志，雖不科名可也，但當守一耐字訣耳。觀來信言讀禮記疏，似不能耐者，勉之勉之！

兄少時天分不甚低，厥後日與庸鄙者處，全無所聞，竅被茅塞久矣。及乙未到京後，始有志學詩古文，并作字之法，亦苦無良友。近年得一、二良友，知有所謂經學者、經濟者，有所謂躬行實踐者。始知范韓可學而至也司馬遷韓愈亦可學而至也，程朱亦可學而至也。慨然思盡滌前日之汚，以爲更生之人，以爲父母之肖子，以爲諸弟之先導。無如體氣本弱，耳鳴不止，稍稍用心，便覺勞頓。每日思念，天既限我以不能苦思，是天不欲成我之學問也。故近日以來，意頗疏散，計今年若可得一差，能還一切舊債，則將歸田養親，不復戀戀於利祿矣。麤識幾字，不敢爲非，以蹈大戾已耳，不復有志於先哲矣。吾人第一以保身爲要，我所以無大志願者，恐用心太過，足以疲神也。諸弟亦須時時以保身為念，無忽無忽！來信又駁我前書，謂必須博雅有才，而後可明理有用，所見極是。兄前書之意，蓋以躬行為重，即子夏賢賢易色章之意，以為博雅者不足貴，惟明理者乃有用，特其立論過激耳。六弟信中之意，以為不博雅多聞，安能明理有用，立論極精，但弟須力行之，不可徒與兄辯駁見長耳。

來信又言四弟與季弟從遊覺庵師，六弟、九弟仍來京中，或肄業城南云云。兄之欲得老弟共住京中也，其情如孤雁之求曹也。自九弟辛丑秋思歸，兄百計挽留，九弟當能言之，及至去秋決計南歸，兄實無可如何？祇得聽其自便。若九弟今年復來，則一歲之內，忽去忽來，不特堂上諸大人不肯，即旁觀亦且笑我兄弟輕舉妄動。且兩弟同來，途費須得八十金，此時實難措辦。六弟言能自為計，則兄竊不信。曹西垣去冬已到京，郭筠仙明年始起程，目下亦無好伴，惟城南肄業之說，則甚為得計。兄於二月間，准付銀廿兩至金竺虔家，以為六弟、九弟省城讀書之用。竺虔於二月起身南旋，其銀四月初可到，弟接到此信後，立即下省肄業。省城中兄相好的，如郭筠仙、凌笛舟、孫芝房，皆在別處坐書院。賀蔗農、俞岱青、陳堯農、陳慶覃、諸先生，皆官場中人，不能伏案用功矣。惟聞有丁君者（名忠淑，號秩臣，長沙廩生），學問切實，踐履篤誠，兄雖未曾見面，而稔知其可師，凡與我相好者，皆極力稱道丁君，兩弟到省，先到城南住齋，立即去拜丁君（託陳季牧為介紹）執贄受業。凡人必有師，若無師則嚴憚之心不生。既以丁君為師，以外擇友，則慎之又慎。昌黎曰：「善不吾與，吾强與之附，不善不吾惡，吾强與之拒。」一生之成敗，皆關乎朋友之賢否，不可不慎也！來信以進京為上策，以肄業城南為次策，兄非不欲從上策，因九弟去來太速，不好寫信稟堂上，不特九弟形迹矛盾，即我稟堂上，亦必自相矛盾也。又目下實難辦途費，六弟言能自為計，亦未歷甘苦之言耳。若我今年能得一差，則兩弟今冬與朱嘯山同來甚好，如六弟不以為然，則再寫信來商議可也。

九弟之信，寫家事詳細，惜話說太短，兄則每每太長，以後截長補短爲妙。堯階若有大事，諸弟隨去一人，幫他茂天。牧雲接我長信，何以全無回信，毋乃嫌我話太直乎？扶乩之事，全不足信，九弟總須立志讀書，不必想及此等事。季弟一切，皆須聽諸兄話。此次摺弁走甚急，不暇抄日記本，餘容後告。（道光二十三年正月十七日）

致六弟（學詩習字之法）

溫甫六弟左右：五月廿九，六月初一，連接弟三月初一，四月廿五，五月初一，三次所發之信，并四書文二首，筆力實實可愛。信中有云：「於兄弟則直達其隱，父子祖孫間，不得不曲致其情」。此數語有大道理，余之行事，每自以爲至誠可質天地，何妨直情徑行。昨接四弟信，始知家人天親之地，亦有時須委曲以行之者，吾過矣！吾過矣！香海爲人最好，吾雖未與久居，而相知頗深，爾以兄事之可也。丁秩臣、王衡臣兩君，吾皆未見，大約可爲弟之師。或師之，或友之，在弟自爲審擇。若果威儀可則，淳實宏通，師之可也；若僅博雅能文，友之可也。或師或友，皆宜常存敬畏之心，不宜視爲等夷，漸至慢褻，則不復能受其益矣。

弟三月之信，所定功課太多，多則必不能專，萬萬不可。後信言已向陳季牧借史記，此不可不熟看之書。爾既看史記，則斷不可看他書，功課無一定呆法，但須專耳。余從前教諸弟，常限以功課，近來覺限人以課程，往往強人以所難，苟其不願，雖日日遵照限程，亦復無益，故近來教弟，但有一專字耳。專字之外，又有數語教弟，茲特將冷金箋寫出，弟可貼之座右，時時省覽，並抄一付，寄家中三弟。

香海言時文須學東萊博議，甚是。弟先須用筆圈點一遍，然後自選幾篇讀熟，即不讀亦可，無論何書，總須從首至尾，通看一遍，不然，亂翻幾葉，摘抄幾篇，而此書之大局精處，茫然不知也。學詩從中州集入亦好，然吾意讀總集，不如讀專集，此事人人意見各殊，嗜好不同。吾之嗜好，於五古則喜讀文選，於七古則喜讀昌黎集，於五律則喜讀杜集，七律亦最喜杜詩，而苦不能步趨，故兼讀元遺山集。吾作詩最短於七律，他體皆有心得，惜京都無人可與暢語者。弟要學詩，先須看一家集，不要東翻西閱；先須學一體，不可各體同學；蓋明一體，則皆明也。凌笛舟最善爲詩律，若在省，弟可就之求教。習字臨千字文亦可，但須有恆，每日臨帖一百字，萬萬無間斷，則數年必成書家矣。陳季牧多喜談字，且深思善悟，吾見其寄岱雲信，實能知寫字之法，可愛可畏，弟可從之切磋，此等好學之友，愈多愈好。

來信要我寄詩回南，余今年身體不甚壯健，不能用心，故作詩絕少，僅作感春詩七古五章，慷慨悲歌，自謂不讓陳臥子，而語太激烈，不敢示人。餘則僅應酬詩數首了，無可觀。頃作寄賢弟詩二首，弟觀之以爲何如？京筆現在無便可寄，總在秋間寄回。若無筆寫，暫向陳季牧借一枝，後日還他可也，兄國藩手草。

（道光二十三年六月初六日）

致諸弟（喜述大考升官）

諸位老弟足下：三月初六已刻，奉上諭於初十日大考翰詹，余心甚著急！緣寫作俱生，恐不能完卷。不圖十三日早，見等第單，余名次二等第一，遂得仰荷天恩，賞擢不次，以翰林院侍講升用，格外之恩，非常之榮，將來何以報稱，惟有時時惶悚，思有補於萬一而已。

玆因金竺虔南旋之便付回五品補服四付，水晶頂二座，阿膠二封，鹿膠二封，母親耳環一雙。竺虔到省時，老弟照單查收。阿膠係毛寄雲所贈，最爲難得之物，家中須愼重用之。竺虔曾借余銀四十兩，言定到省即還，其銀二十二兩爲六弟、九弟讀書省城之資；以四兩爲買書、買筆之資；以六兩爲四弟、季弟衡陽從師束脩之資；以四兩爲買漆之費，即每歲漆一次之謂也；以四兩爲歐陽太岳母奠金。賢弟接到銀後，各項照數分用可也。

此次竺虔到家，大約在五月節後，故一切不詳寫，待摺差來時，另寫一詳明信付回，大約四月半可到。賢弟在省，如有欠用之物，可寫信到京，餘不具述，兄國藩手草。（道光二十三年三月十九日）

致諸弟（論孝弟之道）

澄侯叔淳季洪三弟左右：五月底連接三月初一、四月十八、兩次所發家信。四弟之信，具見眞性情，有困心衡慮鬱積思通之象，此事斷不可求速效，求速效必助長，非徒無益，而又害之。祇要日積月累，如愚公之移山，終久必有豁然貫通之候，愈欲速則愈錮蔽矣。來書往往詞不達意，我能深諒其苦。

今人都將學字看錯了，若細讀賢賢易色一章，則絕大學問，即在家庭日用之間，於孝弟兩字上，盡一分，便是一分學，盡十分，便是十分學。今人讀書，皆爲科名起見，於孝弟倫紀之大，反似與書不相關。殊不知書上所載的，作文時所代聖賢說的，無非要明白這個道理。若果事事做得，即筆下說不出何妨；若事事不能做，並有虧於倫紀之大，即文章說得好，亦祇算個名教中之罪人。

賢弟性情眞摯，而短於詩文，何不日日在孝弟兩字上用功。曲禮內則所說的，句句依他做出，務使祖父母、父母、叔父母、無一時不安樂，無一時不順適，下而兄弟妻子，皆藹然有恩，秩然有序，此眞大學問也。若詩文不好，此小事不足計，即好極亦不值一錢，不知賢弟肯聽此語否？科名之所以可貴者，謂其足以承堂上之歡也，謂祿仕可以養親也，今吾已得之矣。即使諸弟不得，亦可以承歡，亦可以養親，何必兄弟盡得哉。賢弟若細思此理，但於孝弟上用功，不於詩文上用功，則詩文不期進而自進矣。

凡作字總須得勢，使一筆可以走千里，三弟之字，筆筆無勢，是以局促不能遠縱，去年曾與九弟說及，想近來已忘之矣。九弟欲看余白摺，余所寫摺子甚少，故不付。地仙爲人主葬，害人一家，喪良心不少，未有不家敗人亡者，不可不力阻凌雲也。至於紡棉花之說，如直隸之三河縣、靈壽縣，無論貧富男婦，人人紡布爲生，如我境之耕田爲生也。江南之婦人耕田，猶三河之男人紡布也。湖南如瀏陽之夏布，祁陽之葛布，宜昌之棉花，皆無論貧富男婦人，皆依以爲業，并此不足爲駭異也。第風俗難以遽變，必至駭人聽聞，不如刪去一段爲妙，書不盡言。兄國藩手草。（道光二十三年六月初六日）

致諸弟（述求師友宜專）

四位老弟左右：正月二十三日，接到諸弟信，係臘月十六日在省城發，不勝欣慰！四弟女許朱良四姻伯之孫，蘭姊女許賀孝七之子，人家甚好，可賀！惟蕙妹家頗可慮，亦家運也。

六弟、九弟今年仍讀書省城羅羅山兄處，附課甚好，既在此附課，則不必送詩文於他處看，以明有所專主也。凡事皆貴專，求師不專，則受益也不入。求友不專，則博愛而不親。心有所專宗，而博觀他塗以擴其識，亦無不可。無所專宗，而見異思遷，此眩彼奪，則大不可。羅山兄甚爲劉霞仙、歐曉岑所推服，有楊生任光者，亦能道其梗概，則其可爲師表明矣，惜吾不得常與居遊也。

在省用錢，可在家中支用，銀三十兩，則够二弟一年之用矣。亦在吾寄一千兩之內，予不能別寄與弟也。

我去年十一月廿日到京，彼時無摺差回南，至十二月中旬始發信，乃兩弟之信，罵我糊塗，何不檢點至此。趙子舟與我同行，曾無一信，其糊塗更何如？即余自去年五月底至臘月初，未嘗接一家信，我在蜀可寫信由京寄家，豈家中信不可由京寄蜀耶！又將罵何人糊塗耶？凡動筆不可不檢點。

九弟與鄭、陳、馮、曹、四信，寫作俱佳，可喜之至！六弟與我信，字太草率，此關乎一生福分，故不能

不告汝也。四弟寫信，語太不圓，由於天分，吾不復責。餘容續布，諸惟心照！兄國藩手具。（道光二十四年正月二十六日）

致諸弟（告身健及紀澤婚事）

四位老弟左右：正月廿六日發一家信，二月初十日，黃仙垣來京，接到家信，備悉一切，欣慰之至！所付諸物，已接脯肉一方，鵝肉一邊，雜碎四件，布一包，烘籠二個，餘皆彭雨蒼帶來。朱嘯山亦於是日到，現與家心齋同居，係兄代伊覓得房子，距余寓甚近，不過一箭遠耳。郭筠仙現尚未到，余已爲賃本胡同關帝廟房，使渠在廟中住，在余家伙食。馮樹堂正月初六日來余家，擬會試後再行上學，因小兒春間怕冷故也。樹堂於二月十三日考國子監學正，題「而恥惡衣惡食者」二句，「不以天下奉一人策」。共五百人入場，樹堂寫作俱佳，應可必得。

陳岱雲於初六日移寓報國寺，其配之柩，亦停寺中，岱雲哀傷異常，不可勸止，作祭文一篇三千餘字，余爲作墓誌銘一首，不知陳宅已寄歸否？余懶謄寄也。四川門生，現已到廿餘人，我縣會試者，大約可十五人，甲午同年，大約可念五、六人，然有求於余者，頗不乏人。

余今年應酬更繁，幸身體大好，迥不似從前光景，面胖而潤，較前稍白矣。耳鳴亦好十之七、八，尚有微根未斷，不過月餘可全好也。內人及兒子兩女兒皆好，陳氏小兒在余家乳養者亦好。

六弟、九弟在城南讀書，得羅羅山爲之師，甚妙。然城南課似亦宜應，不應，恐山長不以爲然也。所作詩文及功課，望日內付來。四弟、季弟從覺庵師讀，自佳。四弟年已漸長，須每日看史書十頁，無論能得科名與否，總可以稍長見識。季弟每日亦須看史，然溫經更要緊，今年不必急急赴試也。曾受恬自京南歸，余寄回銀四百兩，高麗參半斤，鹿膠、阿膠共五斤，闈墨廿部，不知家中已收到否？尚有衣一箱，銀五百兩，俟公車南歸帶回。同鄉湯海秋與杜蘭溪，子女已過門而廢婚，係湯家女兒及父母並不是，餘俱如故。周介夫鳴鑾放安徽廬鳳道，其女兒欲許字紀澤；常南陔大淳升安徽臬臺，其孫女欲許字紀澤，余俱不甚願。季仙九師爲安徽學政後，升吏部右侍郎。廖老師名鴻荃，去年放欽差，至河南塞河決，至今未成功，昨革職，賞七品頂戴，在河工効力贖罪。黃河大工不成，實國家大可憂慮之事，如何如何？餘容後陳，兄國藩手具。（道光二十四年二月十四日）

致諸弟（述濟戚族之故）

六弟九弟左右：來書言自去年五月至十二月，計共發信七、八次。兄到京後，家人僅檢出二次，一係五月二十二日發，一係十月十六發，其餘皆不見，遠信難達，往往似此。腊月信有糊塗字樣，亦情之不能禁者。蓋望眼欲穿之時，疑信雜生，怨怒交至，惟骨肉之情愈摯，則望之愈殷，望之愈殷，則責之愈切，度日如年，居室如圜牆，望好音如萬金之獲，聞謠言如風聲鶴唳，又加以堂上之懸思，重以嚴寒之逼人，其不能不出怨言以相詈者，情之至也。然爲兄者觀此二字，則雖曲諒其情，亦不能不責之；非責其情，責其字句之不檢點耳，何芥蒂之有哉。

至於回京時有摺弁南還，則兄實不知。當到家之際，門幾如市，諸務繁劇，吾弟可想而知。兄意謂家中接榜後所發一信，則萬事可以放心矣，豈尚有懸挂哉。來書辨論詳明，兄今不復辨，蓋彼此之心，雖隔萬里，而赤誠不啻目見，本無纖毫之疑，何必因二字而多費唇舌，以後來信，萬萬不必提起可也。

所寄銀兩，以四百爲餽贈戚族之用。來書云：「非有未經審量之處，即似稍有近名之心。」此二語，推勘入微。兄不能不內省者也。又云：「所識窮乏，得我而爲之，抑逆知家中必不爲此慷慨，而姑爲是言。」斯二語，毋亦擬阿兄不倫乎？兄雖不肖，亦何至鄙且奸至於如此之甚！所以爲此者，蓋族戚中斷不可不有一援手之人，而其餘則牽連而及。

兄己亥年至外家，見大舅陶穴而居，種菜而食，爲惻然者久之。通十舅送我謂曰：「外甥做外官，則阿舅來作燒火夫也。」南五舅送至長沙握手曰：「明年送外甥婦來京。」余曰：「京城苦，舅勿來。」舅曰：「然，然吾終尋汝任所也。」言已泣下。兄念母舅皆已年高，飢寒之況可想，而十舅且死矣。及今不一援手，則大舅、五舅、又能沾我輩之餘潤乎。十舅雖死，兄意猶當卹其妻子，且從俗爲之延僧，如所謂道塲者，以慰逝者之魂，而盡吾不忍死其舅之心，我弟以爲可乎？蘭姊、蕙妹，家運皆舛。兄好爲識微之妄談，謂姊猶可支撐，蕙妹再過數年，則不能自存活矣。同胞姊妹，縱彼無觖望，吾能不視如一家一身乎？歐陽滄溟先生，夙債甚多，其家之苦況，又有非吾家可比者，故其母喪，不能稍隆厥禮。岳母送余時，亦涕泣而道，兄贈之獨豐，則猶徇世俗之見也。楚善叔爲債主逼迫，入地無門，二伯祖母嘗爲余泣言之，又泣告子植曰：「八兒夜來淚注地，濕圍徑五尺也，而田貨於我家，價既不昂，事又多磨，嘗貽書於我，備陳吞聲飲泣之狀。」此子植所親見，兄弟嘗欷歔久之。

丹閣叔與寶田表叔，昔與同硯席十年，豈意今日雲泥隔絕至此，知其窘迫難堪之時，必有飲恨於實命之不猶者矣。丹閣戊戌年，曾以錢八千賀我，賢弟諒其景況，豈易辦八千者乎。以爲喜極，固可感也！以爲釣餌，則亦可憐也！任尊叔見我得官，其歡喜出於至誠，亦可思也。竟希公項，當甲午年，抽公項三千、二千爲賀禮，渠兩房頗不悅，祖父曰：「待藩孫得官，第一件先復竟希公項。」此語言之已熟，特各堂叔不敢反脣相譏耳。同爲竟希公之嗣，而菀枯懸殊若此。設造物者一日移其菀於彼二房，則無論六百，即六兩亦安可得耶？

六弟、九弟之岳家，皆寡婦孤兒，槁餓無策，我家不拯之，則孰拯之者。我家少八兩，未必遂爲債戶逼取，渠得八兩，則舉室回春，賢弟試設身處地，而知其如救水火也。彭王姑待我甚厚，晚年家貧，見我輒泣，茲王姑已歿，故贈宜仁王姑丈，亦不忍以死視王姑之意也。騰七則姑之子，與我同孩提，長養各舅祖，則推祖母之愛而及也。彭舅曾祖，則推祖父之愛而及也。陳本七、鄧升六二先生，則因覺庵師而牽連及之者也。其餘餽贈之人，非實有不忍於心者，則皆因人而及，非敢有意討好，沽名釣譽，又安敢以己之豪爽，形祖父之刻嗇，爲此奸鄙之心之行也哉。

諸弟生我十年以後，見諸戚族家皆窮，而我家尙好，以爲本分如此耳，而不知其初，皆與我家同盛者也。兄悉見其盛時氣象，而今日零落如此，則大難爲情矣。凡盛衰在氣象；氣象盛則雖飢亦樂，氣象衰則雖飽亦憂。今我家方全盛之時，而賢弟以區區數百金爲極少，不足比數，設以賢弟處楚善、寬五之地，或處葛、熊二家之地，賢弟能一日以安乎。

凡遇之豐嗇順舛，有數存焉，雖聖人不能自爲主張。天可使吾今日處豐亨之境，即可使吾明日處楚善、寬五之境。君子之處順境，兢兢焉常覺天之過厚於我，我當以所餘，補人之不足。君子之處嗇境，亦兢兢焉常覺天之厚於我，非果厚也，以爲較之尤嗇者，而我固已厚矣。古人所謂境地須看不如我者，此之謂也。

來書有區區千金四字，其毋乃不知天之已厚於我兄弟乎。

兄嘗觀易之道，察盈虛消息之理，而知人不可無缺陷也。日中則昃，月盈則虧，天有孤虛，地闕東南，未有常全而不闕者。剝也者，復之機也，君子以爲可喜也。夬也者，姤之漸也，君子以爲可危也。是故既吉矣，則由吝以趨於凶。既凶矣，則由悔以趨於吉。君子但知有悔耳；悔者，所以守其缺，而不敢求全也。小人則時時求全，全者既得，而吝與凶隨之矣。衆人常缺，而一人常全，天道屈伸之故，豈若是不公乎。今吾家椿萱重慶，兄弟無故，京師無比美者，亦可謂至萬全者矣。故兄但求缺陷，名所居曰求缺齋。蓋求缺於他事，而求全於堂上，此則區區之至願也。家中舊債，不能悉清，堂上衣服，不能多辦，諸弟所需，不能一給，亦求缺陷之義也。內人不明此義，而時時欲置辦衣物，兄亦時時教之，今幸未全備，待其全時，則吝與凶隨之矣，此最可畏者也！賢弟夫婦訴怨於房闥之間，此是缺陷，吾弟當思所以彌其缺，而不可盡給其求，蓋盡給則漸幾於全矣。吾弟聰明絕人，將來見道有得，必且韙余之言也。

至於家中欠債，則兄實有不盡知者。去年二月十六，接父親正月四日手諭中云：「一切年事，銀錢敷用有餘，上年所借頭息錢，均已完清，家中極為順遂，故不窘迫」。父親所言如此，兄亦不甚了了，不知所完究係何項？未完尚有何項？兄所知者，僅江孝八外祖百兩，朱嵐暄五十兩而已，其餘如耒陽本家之帳，則兄由京寄還，不與家中相干。甲午冬借添梓坪錢五十千，尚不知作何還法，正擬此次稟問祖父。

此外帳目，兄實不知，下次信來，務望詳開一單，使兄得漸次籌畫。如弟所云：「家中欠債已傳播否？若已傳播而實不至，則祖父受吝嗇之名，我加一信，亦難免二、三其德之誚」。此兄讀兩弟來書，所為躊躇而無策者也。

茲特呈堂上一稟，依九弟之言書之。謂朱嘯山曾受恬處二百落空，非初意所料，其餽贈之項，聽祖父、叔父裁奪。或以二百為贈，每人減半亦可；或家中十分窘迫，即不贈亦可。戚族來者，家中即以此信示之，庶不悖於過則歸己之義，賢弟觀之，以為何如也？若祖父、叔父、以前信為是，慨然贈之，則此稟不必付歸，兄另有安信付去，恐堂上慷慨持贈，反因接吾書而疑沮。

凡仁心之發，必一鼓作氣，盡吾力之所能為，稍有轉念，則疑心生，私心亦生。疑心生則計較多而出納吝矣。私心生則好惡偏而輕重乖矣。使家中慷慨樂與，則慎無以吾書生堂上之轉念也。使堂上無轉念，則此舉也，阿兄發之，堂上成之，無論其為是為非，諸弟置之不論可耳。向使去年得雲貴廣西等省苦差，並無一錢寄家，家中亦不能責我也。

九弟來書，楷法佳妙，余愛之不忍釋手。起筆、收筆、皆藏鋒，無一筆撒手亂丟，所謂有往皆復也。想與陳季牧講究，彼此各有心得，可嘉可喜！然吾所教爾者，尙有二事焉：一曰換筆；古人每筆中間，必有一換，如繩索然，第一股在上，一換則第二股在上，再換則第三股在上也。筆尖之著紙者，僅少許耳，此少許者，吾當作四方鐵筆用，起處東方在左，西方向右，一換則東方向右矣。筆尖無所謂方也，我心中常覺其方，一換而東，再換而北，三換而西，則筆尖四面有鋒，不僅一面相向矣。二曰結字有法。結字之法無窮，但求胸中有成竹耳。

六弟之信，文筆拗而勁，九弟文筆婉而達，將來皆必有成。但目下不知各看何書，萬不可徒看考墨卷，汨其性靈，每日習字不必多，作百字可耳。讀背誦之書不必多，十葉可耳。看涉獵之書不必多，亦十葉可耳；但一部未完，不可換他部，此萬萬不易之理，阿兄數千里外教爾，僅此一語耳。

羅羅山兄讀書明大義，極所欽仰，惜不能會面暢談。余近來讀書無所得，酬應之繁，日不暇給，實實可厭！惟古文各體詩，自覺有進境，將來此事當有成就。恨當世無韓愈、王安石一流人，與我相質證耳。賢弟亦宜趁此時學爲詩古文，無論是否，且試拈筆爲之，及今不作，將來年長，愈怕醜而不爲矣。每月六課，不必其定作詩文也。

古文詩賦四六，無所不作，行之有常，將來百川分流，同歸於海，則通一藝，即通衆藝，通於藝，即通於道，初不分而二之也。此論雖太高，然不能不爲諸弟言之。使知大本大原，則心有定向，而不至於搖搖無著。雖當其應試之時，全無得失之見，亂其意中，即其用力舉業之時，亦於正業不相妨礙，諸弟試靜心領略，亦可徐徐會悟也。外附錄五箴 首，養身要言一紙，求缺齋課程一紙，詩文不暇錄，惟諒之！兄國藩

手草。（道光二十四年三月二十日）

附錄五箴幷序（甲辰春作）

少不自立，荏苒遂洎今茲，蓋古人學成之年，而吾碌碌尚如斯也，不其戚矣。繼是以往，人事日紛，德慧日損，下流之赴，抑又可知。夫疢疾所以益智，逸豫所以亡身，僕以中材而履安順，將欲刻苦而自振拔，諒哉其難之，因作五箴以自創云。

立志箴

煌煌先哲，彼亦猶人，藐焉小人，亦父母之身，聰明福祿，予我者厚哉，棄天而佚，是及凶災，積悔累千，其終也已，往者不可追，請從今始，荷道以躬，與之以言。一息尚活，永矢弗諼。

居敬箴

天地定位，二五胚胎。鼎焉作配，實曰三才，儼恪齋明，以凝女命，女之不莊，伐生戕性，誰人可慢，何事可弛，弛事者無成，慢人者反爾，縱彼不反，亦長吾驕，人則下汝，天罰昭昭。

主靜箴

齋宿日觀，天雞一鳴，萬籟俱息，但聞鐘聲，後者毒蛇，前有猛虎，神定不懾，誰敢余侮，豈伊避人，日對三軍，我慮則一，彼紛不紛，馳騖半生，曾不自主，今其老矣，始擾擾以終古。

謹言箴

巧語悅人，自擾其身，閒言送日，亦攪女神，解人不誇，誇者不解，道聽塗說，智笑愚駭，駭者終明，謂女實欺，笑者鄙女，雖矢猶疑，尤悔既叢，銘以自攻，銘而復蹈，嗟女既耄。

有恆箴

自吾識字，百歷洎玆，二十有八載，則無一知，曩之所忻，閱時而鄙，故者既拋，新者旋徙，德業之不常，日為物牽，爾之再食，曾未聞或愆，黍黍之增，久而盈斗，天君司命，敢告馬走。

養身要言（癸卯入蜀道中作）

一陽初動處，萬物始生時，不藏怒焉，不宿怨焉。（以上仁所以養肝也）

內而整齊思慮，外而敬慎威儀，泰而不驕，威而不猛。（以上禮所以養心也）

飲食有節，起居有常，作事有恆，容止有定。（以上信所以養脾也）

擴然而大公，物來而順應，裁之吾心而安，揆之天理而順。（以上義所以養肺也）

心欲其定，氣欲其定，神欲其定，體欲其定。（以上智所以養腎也）

求缺齋課程（癸卯孟夏立）

讀熟讀書十葉，（易經詩經）（史記明史）（屈子莊子）（杜詩韓文）看應看書十葉，（不具載）（習字一百，數息百八）記過隙，（即日記）記茶餘偶談一則。（以上每月課）

逢三日寫回信，逢八日作詩古文一藝。（以上每月課）

致諸弟（喜得會試房差）

四位老弟足下：三月初六日，蒙皇上天恩，得會試分房差，即於是日始閱卷，十八房每位分卷二百七十餘，至廿三日頭場即已看畢，廿四看二、三場，至四月初四皆看完。各房薦卷，多少不等，多者或百餘，少者亦薦六十餘卷，余薦六十四卷。而惟余中卷獨多，共中十九人，他房皆不能及。十一日發榜，余即於是日出闈，在場月餘，極清吉。寓內眷口，大小平安。出闈數日，一切忙迫，人客絡繹不絕。朱嘯山於四月十六日出京，余寄有紋銀百兩，高麗參一斤半，書一包，內子史精華六套，古文辭類纂二套，綏寇紀略一套，到家日查收。別有壽屏及筆等項，尚未辦齊，待郭筠仙帶回。十四日新進士覆試，題「君子喻於義，賦得竹箭有筠，得行字」。我縣謝吉人中進士後，因一切不便，故邀來在余寓住。

十五日接三月初十日家信，內有祖父、父親、叔父手諭，及諸弟詩文並信，其文此次僅半日，忙不及改，准於下次付回。四弟之信，所問叢寶牟、寶庠、寶璿兄弟，皆從昌黎遊，去年所寫牟尼，實誤寫尼字也。汪雙池先生爔係雍正年間人，所著有理學逢源等書。郭筠仙、翌臣兄弟，及馮樹堂，俱要出京，寓內要另請先生，現尚未定。草布一、二，祈賢弟代稟堂上各位大人，今日上半天，已作一函呈父親大人，交朱嘯山，大約六月可到，兄國藩手草。（道光二十四年四月十五日）

致諸弟（託友帶歸各物）

四位老弟左右：前黃仙垣歸，託帶四川闈墨四十部，共二包，無家信。頃歐陽小岑歸，託帶大皮箱一口，內銀五百十兩，衣服一單，單存箱內，又長包一個，內袍褂料及氈子諸物，亦有單存包內，有家信數行，外又有寄霞仙信一件，書一包，共十套，不知仙垣、小岑二君到時，諸弟尚在省城否？

玆安化梁萘莊同年南還，又託帶四川闈墨四十部，共二包，有一包係油紙封的，內裝訂闈墨廿部，彭王姑墓誌銘一幅，龍翰臣寫散館卷三開，自寫白摺一本，又布包鹿膠一包，重三斤，又鄉試題名錄共一包，照收。並附大挑單一紙，其進士題名錄及散館錄，隨後交摺差帶回，統俟後言詳述，兄國藩手草。（道光二十四年四月二十二日）

致諸弟（告應酬太忙及勿爲時文所誤）

四位老弟足下：自三月十三日發信後，至今未寄一信。余於三月廿四，移寓前門內西邊碾兒胡同，與城外消息不通，四月間到摺差一次，余竟不知，迨既知而摺差已去矣。惟四月十九歐陽小岑南歸，余寄衣箱銀物並信一件。四月廿四梁菉莊南歸，余寄書卷零物並信一件；兩信皆僅數語，至今想尚未到。四月十三黃仙垣南歸，余寄闈墨，並無書信，想亦未到。茲將三次所寄各物，另開清單付回，待三人到時，家中照單査收可也。

內城現住房共廿八間，每月房租京錢三十串，極爲寬敞。馮樹堂、郭筠仙、所住房屋皆清潔，甲三於三月廿四日上學，天分不高不低，現已讀四十天，讀至自修齊至平治矣。因其年太小，故不加嚴，已讀者字皆能認。兩女皆平安，陳岱雲之子，在余家亦甚好，內人身子如常，現又有喜，大約九月可生。

余體氣較去年略好，近因應酬太繁，天氣漸熱，又有耳鳴之病。今年應酬，較往年更增數倍，第一爲人寫對聯條幅，合四川、湖南兩省，求書者幾日不暇給。第二公車來借錢者甚多，無論有借無借，多借少借，皆須婉言款待。第三則請酒拜客，及會館公事。第四則接見門生，頗費精神，又加以散館殿試，則代人料理，考差則自己料理，諸事冗雜，遂無暇讀書矣。

三月廿八，大挑甲午科，共挑知縣四人，教官十九人，其全單已於梁菉莊所帶信內寄回。四月初八日發會試榜，湖南中七人，四川中八人，去年門生中二人，另有題名錄附寄。十二日新進士覆試，十四發一等廿一名，另有單附寄。十六日考差，余在場二文一詩，皆妥當，無弊病，寫亦無錯落，茲將詩稿寄回。十八日散館，一等十九名，本家心齋取一等十二名，陳啓邁取二等第三名，二人俱留館。徐棻因詩內皺字誤寫皺字，改作知縣，良可惜也！廿二日散館者引見，廿六、七兩日考差者引見，廿八日新進士朝考，三十日發全單附回。廿一日新進士殿試，廿四日點狀元，全榜附回。五月初四、五兩日新進士引見，初一日放雲貴試差，初二日欽派大教習二人，初六日奏派小教習六人，余亦與焉。初十日奉上諭，翰林侍讀以下，詹事府洗馬以下，自十六日起，每日召見二員，余名次第六，大約十八日可以召見。從前無逐日分見翰詹之目，自道光十五年始一舉行，足徵聖上勤政求才之意，十八年亦如之，今年又如之，此次召見，則今年放差，大半奏對稱旨者居其半，詩文高取者居其半也。

五月十一日接到四月十三家信，內四弟、六弟各文二首，九弟、季弟各文一首。四弟東皋課文甚潔淨，詩亦穩妥，則何以截一篇，亦清順有法，第詞句多不圓足，筆亦平沓不超脫。平沓最為文家所忌，宜力求痛改此病，六弟筆爽利，近亦漸就範圍，然詞意平庸，無才氣崢嶸之處，非吾意中之溫甫也。如六弟之天姿不凡，此時作文，當求議論縱橫，才氣奔放，作如火如荼之文，將來庶有成就。不然，一挑半剔，意淺調卑，即使獲售，亦當慚其文之淺薄不堪，若其不售，則又兩失之矣。今年從羅羅山遊，不知羅山意見如何？

吾謂六弟今年入泮固妙，萬一不入，則當盡棄前功。壹志從事於先輩大家之文，年過二十，不為少矣。若再扶牆摩壁，役役於考卷搭截小題之中，將來時過而業仍不精，必有悔恨於失計者，不可不早圖也。余當日實見不到此，幸而早得科名，未受其害，向使至今未嘗入泮，則數十年從事於吊渡映帶之間，仍然一無所得，豈不靦顏也哉！此中誤人終身多矣。溫甫以世家之子弟，負過人之姿質，即使終不入泮，尚不至於飢寒，奈何亦以考卷誤終身也。

九弟要余改文詳批，余實不善改小考文，當請曹西垣代改，下次摺弁付回。季弟文氣清爽異常，喜出望外，意亦層出不窮，以後務求才情橫溢，氣勢充暢，切不可挑剔敷衍，安於庸陋，勉之勉之！初基不可不大也。書法亦有褚字筆意，尤為可喜。總之，吾所望於諸弟者，不在科名之有無，第一則孝弟為端，其次則文章不朽，諸弟若果能自立，當務其大者遠者，毋徒汲汲於進學也。馮樹堂、郭筠仙在寓，看書作文，功無間斷，陳季牧日日習字，亦可畏也。四川門生留京約二十人，用功者頗多，餘不盡言，兄國藩草。（道光二十四年五月十二日）

致諸弟（論進德修業）

四位老弟左右：昨念七日接信，暢快之至，以信多而處處詳明也。四弟七夕詩甚佳，已詳批詩後，從此多作詩亦甚好，但須有志有恆，乃有成就耳。余於詩亦有工夫，恨當世無韓昌黎及蘇、黃一輩人，可與發吾狂言者。但人事太多，故不常作詩，用心思索，則無時敢忘之耳。

吾人則有進德修業兩事靠得住；進德則孝弟仁義是也，修業則詩文作字是也。此二者由我作主，得尺則我之尺也，得寸則我之寸也，今日進一分德，便算積了一升穀；明日修一分業，又算餘了一分錢；德業並增，則家私日起，至富貴功名，悉由命定，絲毫不能自主。昔某官有一門生，為本省學政，託以兩孫，當面拜為門生，後兩孫歲考臨場大病，科考丁艱，不入學，數年後，兩生乃皆入學，其長者仍得兩榜，此可見早遲之際，時刻皆有前定，盡其在我，聽其在天，萬不稍生妄想。六弟天分較諸弟更高，今年受黜，未免憤怨，然及此正可困心衡慮，大加臥薪嘗膽之功，切不可因憤廢學。

九弟勸我治家之法，甚有道理，喜甚慰甚！自荊七遣去之後，家中亦甚整齊，待率五歸家便知。書曰：「非知之艱，行之維艱」。九弟所言之理，亦我所深知者，但不能莊嚴威厲，使人望若神明耳。自此後當以九弟言書諸紳，而刻刻警省！季弟天性篤厚，誠如四弟所云，樂何如之！求我示讀書之法，及進德之道，另紙開示，餘不具，國藩手草。（道光二十四年八月廿九日）

致諸弟（須立志猛進）

四位老弟足下：自七月發信後，未接諸弟信，鄉間寄信，較省城寄百倍之難，故余亦不望。然九弟前信，有意與劉霞仙同伴讀書，出意甚佳。霞仙近來讀朱子書，大有所見，不知其言語容止，規模氣象何如？若果言動有禮，威儀可則，則直以爲師可也，豈特友之哉。然與之同居，亦須眞能取益乃佳，無徒浮慕虛名。人苟能自立志，則聖賢豪傑，何事不可爲，何必借助於人。「我欲仁，斯仁至矣。」我欲爲孔、孟，則日夜孜孜，惟孔、孟之是學，人誰得而禦我哉。若自已不立志，則雖日與堯舜禹湯同住，亦彼自彼，我自我矣，何與於我哉。

去年溫甫欲讀書省城，我以爲離却家門侷促之地，而與省城諸勝已者處，其長進當不可限量。乃兩年以來，看書亦不甚多，至於詩文，則絕無長進，是不得歸咎於地方之侷促也。去年余爲擇師丁君叙忠，後以丁君處太遠，不能從，余意中遂無他師可從。今年弟自擇羅羅山改文，而嗣後杳無消息，是又不得歸咎於無良友也。日月逝矣，再過數年，則滿三十，不能不趁三十以前，立志猛進也。

余受父教而余不能教弟成名，此余所深愧者。他人與余交，多有受余益者，而獨諸弟不能受余之益，此又余所深恨者也。今寄霞仙信一封，諸弟可抄存信稿而細玩之，此余數年來學思之力，略具大端。六弟前囑余將所作詩抄錄寄回，余往年皆未存稿，近年存稿者，不過百餘首耳，實無暇抄寫，待明年將全本付回可也，國藩草。（道光二十四年九月十九日）

致諸弟（戒勿恃才傲物）

四位老弟足下：吾人爲學最要虛心，嘗見朋友中有美材者，往往恃才傲物，動謂人不如已，見鄉墨則罵鄉墨不通，見會墨則罵會墨不通，既罵房官，又罵主考，未入學者則罵學院。平心而論，已之所爲詩文，實亦無勝人之處，不特無勝人之處，而且有不堪對人之處，只爲不肯反求諸已，便都見得人家不是。既罵考官，又罵同考而先得者，傲氣既長，終不進功，所以潦倒一生，而無寸進矣。

余平生科名，極為順遂，惟小考七次始售，然每次不進，未嘗敢出一怨言，但深愧自己試場之詩文太醜而已。至今思之，如芒在背，當時之不敢怨言，諸弟問父親、叔父及朱堯階便知。蓋場屋之中，只有文醜而僥倖者，斷無文佳而埋沒者，此一定之理也。

三房十四叔，非不勤讀，只為傲氣太勝，自滿自足，遂不能有所成。京城之中，亦多有自滿之人，識者見之，發一冷笑而已。又有當名士者，鄙科名為糞土，或好作古詩，或好講考據，或好談理學，囂囂然自以為壓倒一切矣。自識者觀之，彼其所造，曾無幾何，亦足發一冷笑而已。故吾人用功，力除傲氣，力戒自滿，毋為人所冷笑，乃有進步也。諸弟平日皆恂恂退讓，第累年小試不售，恐因憤激之久，致生驕惰之氣，故特作書戒之，務望細思吾言而深省焉，幸甚幸甚！國藩手草。（道光二十四年十月廿一日）

致諸弟（看書須有恆）

四位老弟足下：前月寄信，想已接到，余蒙祖宗遺澤，祖父教訓，幸得科名，內顧無所憂，外遇無不如意，一無所缺矣。所望者，再得諸弟強立，同心一力，何患令名之不顯，何患家運之不興。欲別立課程，多講規條，使諸弟遵而行之，又恐諸弟習見而生厭心。欲默默而不言，又非長兄督責之道；是以往年常示諸弟以課程，近年則只教以有恆二字。所望於諸弟者，但將諸弟每月功課，寫明告我，則我心大慰矣！乃諸弟每次寫信，從不將自己之業寫明，乃好言家事及京中諸事，此時家中重慶，外事又有我照料，諸弟一概不管可也。以後寫信，但將每月作詩幾首，作文幾首，看書幾卷，詳細告我，則我歡喜無量！諸弟或能為科名中人，或能為學問中人，其為父母之令子一也。我之歡喜一也。慎弗以科名稍遲，而遂謂無可自力也。如霞仙今日之身分，則比等閒之秀才高矣。若學問愈進，身分愈高，則等閒之舉人進士，又不足論矣。

學問之道無窮，而總以有恆爲主。兄往年極無恆，近年略好，而猶未純熟。自七月初一起，至今則無一日間斷，每日臨帖百字，抄書百字，看書少須滿二十頁，多則不論。自七月起，至今已看過王荊公文集百卷，歸震川文集四十卷，詩經大全二十卷，後漢書百卷，皆硃筆加圈批，雖極忙，亦須了本日功課。不以昨日耽擱，而今日補做；不以明日有事，而今日預做；諸弟若能有恆如此，則雖四弟中等之資，亦當有所成就，況六弟、九弟上等之資乎。

明年肄業之所，不知已有定否？或在家，或在外，無不可者。謂在家不好用功，此巧於卸責者也。吾今在京，日日事務紛冗，而猶可以不間斷，況家中萬萬不及此間之紛冗乎。

樹堂、筠仙、自十月起，每十日作文一首，每日看書十五頁，亦極有恆，諸弟試將朱子綱目過筆圈點，定以有恆，不過數月，卽圈完矣。若看註疏，每經不過數月卽完。切勿以家中有事，而間斷看書之事；又勿以考試將近，而間斷看書之課；雖走路之日，到店亦可看，考試之日，出塲亦可看也。兄日夜懸望，獨此有恆二字告諸弟，伏願諸弟刻刻留心，兄國藩手草。（道光二十四年十一月廿一日）

致諸弟（詩之命意，結親之注意點，勸勿管家中事）

諸位老弟足下：十六早，接到十一月十二日發信，內父親一信，四位老弟各一件，具悉一切，不勝欣幸！

四弟之詩，又有長進，第命意不甚高超，聲調不甚響亮。命意之高，須要透過一層，如說考試，則須說科名是身外物，不足介懷，則詩意高矣。若說必以得科名爲榮，則意淺矣。舉此一端，餘可類推，腔調則以多讀詩爲主，熟則響矣。

去年樹堂所寄之筆，亦我親手買者；「春光醉」目前每支大錢五百文，實不能再寄，「漢璧」尚可寄，然必須明年會試後，乃有便人回南，春間不能寄也。

五十讀書固好，然不宜以此躭擱自己功課，女子無才便是德，此語不誣也。

常家欲與我結婚，我所以不願者，因聞常世兄最好恃父勢，作威福，衣服鮮明，僕從烜赫，恐其家女子有宦家驕奢習氣，亂我家規，誘我子弟好奢耳。今渠再三要結婚，發甲五八字去，恐渠家是要與我爲親家，非欲與弟爲親家，此語不可不明告之。

賢弟婚事，我不敢作主，但親家爲人何如，亦須向汪三處查明。若喫鴉片煙，則萬不可對，若無此事，則聽堂上各大人與弟自主之可也。所謂翰堂秀才者，其父子皆不宜親近，我曾見過，想衡陽人亦有知之者，若要對親，或另請媒人亦可。

六弟九月之信，於自己近來弊病，頗能自知，正好用功自醫，而猶曰終日泄泄，此則我所不解者也。家中之事，弟不必管，天破了，自有女媧管，洪水大了，自有禹王管，家事有堂上大人管，外事有我管，弟輩則宜自管功課而已，何必問其他哉。至於宗族姻黨，無論他與我有隙無隙，在弟輩只宜一概愛之敬之。孔子曰：「汎愛衆，而親仁。」孟子曰：「愛人不親，反其仁，禮人不答，反其敬。」此刻未理家事，若便多生嫌怨，將來當家立業，豈不個個都是仇人。古來無與宗族鄉黨爲仇之聖賢，弟輩萬不可專責他人也。十一月信言，現看莊子並史記，甚善。但作事必須有恆，不可謂考試在即，便將未看完之書丟下，必須從首至尾，句句看完，若能明年將史記看完，則以後看書，不可限量，不必問進學與否也。賢弟論袁詩，論作字，亦皆有所見，然空言無益，須多做詩，多臨帖，乃可談耳。譬如人欲進京，一步不行，而在家空言進京程途，亦何益哉，即言之津津，人誰得而信之哉。

九弟之信，所以規勸我者甚切，余覽之，不覺毛骨悚然！然我用功，實腳踏實地，不敢一毫欺人，若如此做去，不作外官，將來道德文章，必麤有成就。上不敢欺天地祖父，下不敢欺諸弟與兒子也。而省城之鬧望日隆，即我亦不知其自來。我在京師，惟恐名浮於實，故不先拜一人，不自詡一言，深以過情之聞爲恥耳。

來書寫大場題及榜信，此間九月早已知之，惟縣考案首前列及進學之人，則至今不知。諸弟以後寫信，於此等小事，及近處戚族家光景，務必一一詳載。

季弟信亦謙虛可愛，然徒謙亦不好，總要努力前進，此全在爲兄者倡率之。余他無所取，惟近來日日有恆，可爲諸弟倡率。四弟、六弟，總不欲以有恆自立，獨不怕壞季弟之樣子乎。餘不盡宣，兄國藩手具。（道光二十四年十二月十八日）。

致諸弟（無師無友亦可成第一等人物）

四位老弟足下：去年十二月廿二日，寄去書函，諒已收到。頃接四弟信，雖前信小註中，誤寫二字，其詩比即付還，今亦忘其所誤謂何矣。諸弟寫信，總云倉忙，六弟去年曾言南城寄信之難，每次至撫院齎奏廳打聽云云，是何其蠢也。靜坐書院三百六十日，日日皆可寫信，何必打聽摺差行期而後動筆哉。或送至提塘，或送至岱雲家，皆萬無一失，何必問了無關涉之齎奏廳哉。若弟等倉忙，則兄之倉忙，殆過十倍，將終歲無一字寄家矣。

送王五詩第二首，弟不能解，數千里致書來問，此極虛心，余得信甚喜！若事事勤思善問，何患不一日千里，茲另紙寫明寄回。家塾讀書，余明知非諸弟所甚願，然近處實無名師可從，省城如陳堯農、羅羅山，皆可謂名師，而六弟、九弟，又不善求益，且住省二年，詩文與字，皆無大長進，如今我雖欲再言，堂上大人亦必不肯聽，不如安分耐煩，寂處里閈，無師無友，挺然特立，作第一等人物，此則我之所期於諸弟者也。昔婺源汪雙池先生，一貧如洗，三十以前，在窰上爲人傭工畫碗，三十以後，讀書訓蒙，到老終身不應科擧，卒著書百餘卷，爲本朝有數名儒，彼何嘗有師友哉，又何嘗出里閭哉。余所望於諸弟者，如是而已，然總不出乎立志有恆四字之外也。

買筆付回，須待公車歸，乃可帶回，大約府試、院試、可待用，縣試則趕不到也，諸弟在家作文，若能按月付至京，則余請樹堂隨到隨改，不過兩月，家中又可收到。書不詳盡，餘俟續具，兄國藩手草。（道光二十五年二月初一日）。

致諸弟（論中表爲婚之不當）

四位老弟足下：二月有摺差到京，余因眼蒙，故未寫信。三月初三，接到正月廿四所發家信，無事不詳悉，忻喜之至！此次眼尚微紅，不敢多作字，故未另稟堂上，一切詳此書中，煩弟等代稟告焉。去年所寄銀，余有分饋親族之意，厥後屢次信問，總未詳明示悉，頃奉父親示諭云：『皆已周到，酌量減半』，然以余所聞，亦有過於半者，亦有不及一半者，下次信來，務求九弟開一單告我爲幸！

受恬之錢，既專使去取，余又有京信去，想必可以取回，則可以還江岷山東海之項矣。岷山東海之銀，本有利息，余擬送他高麗參共半斤，掛屏對聯各一付，或者可少減利錢，待公車歸時帶回。父親手諭，要寄百兩回家，亦待公車帶回，有此一項，則可以還率五之錢矣。率五想已到家，渠是好體面之人，不必時時責備他，惟以體面待他，渠亦自然學好。蘭姊買田，可喜之至，惟與人同居，小事要看鬆些，不可在在討人惱。

歐陽牧雲要與我重訂婚姻，我非不願，但渠與其妹是同胞所生，兄妹之子女，猶然骨肉也。古者婚姻之道，所以厚別也，故同姓不婚，中表爲婚，此俗禮之大失，譬如嫁女而號泣，奠禮而三獻，喪事而用樂，此皆俗禮之失，我輩不可不力辨之，四弟以此義告牧雲，吾徐當作信覆告也。

羅芸皋於二月十八日到京，路上備嘗辛苦，爲從來進京者所未有。廿七日在圓明園正大光明殿補行覆試，所帶小菜布疋茶葉，俱已收到，但不知付物甚多，何以並無家信？四弟去年所寄詩，已圈批寄還，不知收到否？汪覺菴師壽文，大約在八月前付到。五十已納徵禮成，可賀可賀！朱家氣象甚好，但勸其少學官款，我家亦然。嘯山接到咨文，上有祖母已歿字樣，甚爲哀痛！歸思極迫，余再三勸解，塲後即來余寓同住，我家共住三人。郭二於二月初八日到京，覆試二等第八。上下合家皆淸吉，余耳仍鳴，無他恙，內人及子女皆平安。樹堂榜後要南歸，將來擇師尙未定。

六弟信中言功課在廉讓之間，此語殊不可解！所需書籍，惟子史精華家中現有，准託公車帶歸。漢魏六朝百三家，京城甚貴，余已託人在揚州買，尙未接到。稗海及餒寇紀略亦貴，且寄此書與人，則驚人車價，因此書尙非吾弟所宜急務者，故不買寄。元明名古文，尙無選本，近來邵蕙西已選元文，渠勸我選明文，我因無暇，尙未選，古文選本，惟姚姬傳先生所選本最好，吾近來圈過一遍，可於公車帶回，六弟用墨筆加圈一遍可也。

九弟詩大進，讀之爲之距躍三百，即和四章寄回。樹堂、筠仙、意城、三君，皆各有和章。詩之爲道，各人門徑不同，難執一已之成見以概論。吾前教四弟學袁簡齋，以四弟筆情與袁相近也。今觀九弟筆情，則與元遺山相近。吾教諸弟學詩無別法，但須看一家之專集，不可讀選本，以汩沒性靈，至要至要！吾於五七古學杜韓，五七律學杜，此二家無一字不細看。外此則古詩學蘇黃，律義學義山，此三家亦無一字不看。五家之外，則用功淺矣。我之門徑如此，諸弟或從我行，或別尋門徑，隨人性之所近而爲之可耳。余近來事極繁，然無日不看書，今年已批韓詩一部，正月十八批畢。現在批史記三之二，大約四月可批完。諸弟所看書，望詳示。鄰里有事，亦望示知，國藩手草。（道光二十五年三月初五日）。

致諸弟(帶物歸家)

四位老弟左右：四月十六日，曾寫信交摺弁帶回，想已收到。十七日，朱嘯山南歸，託帶紋銀百兩，高麗參一斤半，書一包，計九套。玆因馮樹堂南還，又託帶壽屏一架，狼兼毫筆廿枝，鹿膠二斤，對聯堂幅一包，內金伯耀南四條，朱嵐暄四條，蕭辛五對一幅，江岷山母舅四條，東海舅父四條，父親橫披一個，叔父摺扇一柄，乞照單査收。前信言送江岷山東海高麗參六兩，送金耀南年伯參二兩，皆必不可不送之物，惟諸弟稟告父親大人送之可也。樹堂歸後，我家先生尙未定，諸弟若在省得見樹堂，不可不殷勤親近，親近愈久，獲益愈多。今年湖南蕭史樓得狀元，可謂極盛，八進士皆在長沙，黃琴塢之胞兄及令嗣皆中，亦長沙人也。餘續具，兄國藩手草。(道光二十五年四月二十四日)。

致諸弟(喜述升詹事府右春坊右庶子)

四位老弟足下：初二早，皇上御門辦事，余蒙天恩，得升詹事府右春坊右庶子，次日具摺謝恩，蒙召見勤政殿，天語垂問，共四十餘句。是日同升官者，李菡升都察院左副都御史，羅惇衍升通政司副使，及余共三人。余蒙祖父餘澤，頻叨非分之榮，此次升官，尤出意外，日夜恐懼修省，實無德足以當之。諸弟遠隔數千里，必須匡我之不逮，時時寄書規我之過，務使累世積德，不自我一人而墮，則庶幾持盈保泰，得免速致顚危。諸弟能常進箴規，則弟即吾之良師益友也。而諸弟亦宜常存敬畏，勿謂家有人作官，而遂敢於侮人；勿謂已有文學，而遂敢於恃才傲人，常存此心，則是載福之道也。

今年新進士善書者甚多，而湖南尤甚。蕭史樓既得狀元，而周荇農壽昌去歲中南元，孫芝房鼎臣又取朝元，可謂極盛。現在同鄉諸人，講求詞章之學者固多，講求性理之學者亦不少，將來省運必大盛。

余身體平安，惟應酬太繁，日不暇給。自三月進闈以來，至今已滿兩月，未得看書。內人身體極弱，而無病痛，醫者云：「必須服大補劑，乃可回元。」現在所服之藥，與母親大人十五前所服之白朮黑薑方略同，差有效驗。兒女四人，皆平順如常。

去年寄家之銀兩，將次寫信，求將分給戚族之數目，詳實告我，而至今無一字見示，殊不可解？以後務求將賬目開出寄京，以釋我之疑。又余所欲問家鄉之事甚多，茲另開一單，煩弟逐一條對，是禱！兄國藩草。（道光二十五年五月初五日）

致諸弟（評論文章及書法）

子植、季洪兩弟左右：四月十四日接子植二月、三月兩次手書，又接季洪信一函，子植何其詳，季洪何其略也。今年以來，京中已發信七號，不審俱收到否？第六號、第七號，余皆有稟呈堂上，言今年恐不考差，彼時身體雖平安，而癬疥之疾未愈，頭上、面上、頸上，並斑剝陸離，恐不便於陛見，故情願不考差。恐堂上諸大人不放心，故特作白摺楷信，以安慰老親之念。三月初有直隸張姓醫生，言最善治癬，貼膏藥於癬上，三日一換，貼三次即可拔出膿水，貼七次即全愈矣。初十日，令於左脅試貼一處，果有效驗，廿日即令貼頭、面、頸上，至四月八日，而七次皆已貼畢，將膏藥揭去，僅餘紅暈，向之厚皮頑癬，今已蕩然平矣。十五六即貼遍身，計不過半月，即可畢事，至五月初旬考差，而通身已全好矣。現在仍寫白摺，一定赴試，雖得不得自有一定，不敢妄情，而苟能赴考，亦可上慰高堂諸大人期望之心。寓中大小安吉，惟溫甫前月底偶感冒風寒，遂痛左膝，服藥二、三帖不效，請外科開一針而愈。

澄弟去年習柳字，殊不足觀，今年改習趙字，而參以李北海雲麾碑之筆意，大為長進。溫弟時文已才華橫溢，長安諸友多稱賞之，書法以命意太高，筆不足以赴其所見，故在溫弟自不稱意，而人亦無由稱之。故論文則溫高於澄，澄難為兄；論書則澄高於溫，溫難為弟；子植書法，駕滌澄溫而上之，可愛之至！可愛之至！但不知家中舊有徐浩書和尙碑，及顏眞卿書郭家廟否？若能參以二帖之沉著，則直追古人不難矣。狼兼毫四枝，既不合用，可以二枝送莘田叔，以二枝送弗菴表叔。正月間，曾在岱雲處寄羊毫二枝，不知已收到否？五月，鍾子賓太守往湖南可再寄二枝。以後兩弟需用之物，隨時寫信至京可也。

祖父大人囑買四川漆，現在四川門生留京者僅二人，皆極寒之士，由京至渠家，有五千餘里，由四川至湖南，有四千餘里，彼此路皆太遠，此二人在京，常半年不能得家信，即令彼寄信至渠家，渠家亦萬無便可附湖南，九弟須詳稟祖父大人，不如在省以重價購頂上川漆爲便。

做直牌匾，祖父大人係誥封中憲大夫，父親係誥封中憲大夫，祖母貤封恭人，母親誥封恭人，京官加一級請封。侍讀學士是從四品，故堂上皆正四品也。藍頂是暗藍，余正月已寄回二頂矣。書不宣盡，諸詳澄溫書中。今日身上敷藥，不及爲楷，堂上諸大人，兩弟代爲稟告可也。（道光二十六年四月十六日）

致諸弟（述升內閣學士）

澄侯、子植、季洪三位老弟足下：五月寄去一信，內有大考賦稿，想已收到。六月二日蒙皇上天恩，及祖父德澤，予得超升內閣學士，顧影捫心，實深慚悚！湖南三十七歲至二品者，本朝尙無一人，予之德薄才劣，何以堪此。近來中進士十年得閣學者，惟壬辰季仙九師，乙未張小浦，及予三人，而予之才地，實不及彼二人遠甚，以是尤深愧仄！

馮樹堂就易念園館，係予所薦，以書啓兼教讀，每年得百六十金。李竹屋出京後，已來信四封，在保定訥制臺贈以三十金，且留乾館與他。在江蘇，陸立夫先生亦薦乾俸館與他，渠甚感激我。考教習，余爲總裁，而同鄉寒士如蔡貞齋等，皆不得取，余實抱愧！

寄回祖父、父親袍褂二付；祖父係夾的，宜好好收拾，每月一看，數月一曬，百歲之後，即以此爲斂服，以其爲天恩所賜，其材料外間買不出也。父親做棉的，則不妨長著，不必爲深遠之計，蓋父親年未六十，將來或更有君恩賜服，亦未可知。祖母大人葬後，家中諸事順遂，祖父之病已愈，予之癬疾亦愈，且驟升至二品，則風水之好可知，萬萬不可改葬，若再改葬，則謂之不祥，且大不孝矣。

然其地予究嫌其面前不甚寬敞，不便立牌坊，起誥封碑亭，亦不便起享堂，立神道碑，予意乃欲求堯階相一吉地，爲祖父大人將來壽藏。弟可將此意禀告祖父見允否？蓋誥封碑亭，斷不可不修，而祖母又不可改葬，將來勢不能合葬，乞禀告祖父，總以祖父之意爲定。前問長女對袁家，次女對陳家，不知堂上之意如何？現在陳家信來，謂我家一定對渠，甚歡喜！餘容後具，兄國藩草。（道光二十七年六月十八日）

致諸弟（述現服清涼藥）

四位老弟足下：廿九日摺差到京，問之係七月十一日在省起行，維時諸弟在正省，想是府考將畢之時。岱雲之弟及各家皆有信來京，而我家無信來，何也？余自十四日接到澄侯六月廿三之信，不勝欣慰！日日望府考信到，乃摺差至而竟無信，殊不可解？

余在京身體如常，前日之病，近來請醫生姜姓名士冠，細看云：「是肺胃兩家之熱，發於皮毛。」現在自頭上、頸上、以至腹下，無處無之，其大者如錢，小者如豆，其色白，以蜜塗之，則轉紅紫色，爬破亦無水，不喜蓋被，蓋燥象也。此外毫無所病，一切飲食起居，大小二便，並皆如常。據姜醫云：「須用清涼藥，使肺胃之熱退盡，然後達於皮毛，不可求速效，兩月內則可全好矣。」言之甚爲有理，余將守其說而不搖。六弟之文，昨日始找出，樂道人之善一首，其文甚有識見道理，准於下次摺差帶回。此外諸弟倘有文在京者否？若有，須寫信來清出。汪覺庵師壽文，今日始作就，付回査收，若有不妥處，即請覺庵師改正可也。鄧鐵松病勢不輕，於八月初五日起行回南，此人利心甚熾，余去年送大錢十千，今又送盤費十兩，渠尚怏怏有觖望。

王荊七自去年來，不常至我家，昨日因奉父親大人之命，故喚他來，許他、倘我得外差或外官，即帶他出京；他現歡天喜地，常來請安。然自此次懲戒之後，想亦不敢十分鴟張也。今年縣試前列第二名，是葛二一之子闢一否？下次書來，乞示我。餘俟續布，兄國藩手具。（道光二十五年七月三十日）

致諸弟（不可與人太疏許配二女事）

澄侯四弟、子植九弟、季洪二弟左右：二月十一，接到第一、第二號來信，三月初十，接到第三、四、五、六號來信，係正月十二、十八、廿二及二月朔日所發，而一次收到，家中諸事，瑣屑畢知，不勝歡慰！祖父大人之病，竟以服沉香少愈，幸甚！然予終疑祖父大人之體本好，因服補藥太多，致火壅於上焦，不能下降，雖服沉香而愈，尚恐非切中肯綮之劑，要須服清導之品，降火滋陰爲妙。予雖不知醫理，竊疑必須如此，上次家書，亦曾寫及，不知曾與諸弟商酌否？丁酉年祖父大人之病，亦誤服補劑，賴澤六爺投以涼藥而效。此次何以總不請澤六爺一診？澤六爺近年待我家甚好，即不請他診病，亦須澄弟到他處常常來往，不可太疏，大小喜事，宜常送禮。

堯階既允爲我覓妥地，如其覓得，即聽渠買，買後或遷或否，仍由堂上大人作主，諸弟不必執見。上次信言，予思歸甚切，屬弟探堂上大人意思何如？頃奉父親手書，責我甚切，兄自是謹遵父命，不敢作歸計矣。郭筠仙兄弟於二月二十到京，筠仙與其叔及江岷樵住張相公廟，去我家甚近，翌臣即住我家，樹堂亦在我家入場，我家又添二人伏侍李郭二君，大約榜後退一人，只用一打雜人耳。

筠仙自江西來，述岱雲母子之意，欲我將第二女許配渠第二子，求婚之意甚誠，則年岱雲在京，亦曾託曹西垣說及，予答以緩幾年再議，今又託筠仙爲媒，情與勢皆不可卻。岱雲兄弟之爲人，與其居官治家之道，九弟在江西一一目擊，煩九弟細告父母，並告祖父，求堂上大人分咐，或對或否？以便答江西之信。予夫婦現無成見，對之意有六分，不對之意亦有四分，但求堂上大人主張。九弟去年在江西，予前信稍有微詞，不過恐人看輕耳。仔細思之，亦無妨礙，且有莫之爲而爲者，九弟不必自悔艾也。

碾兒胡同之屋東，四月要回京，予已看南横街圓通觀東間壁房屋一所，大約三月尾可移寓，此房係汪醇卿之宅，比碾兒胡同狹一小半，取其不費力易搬，故暫移彼，若有好房，當再遷移。黄秋農之銀已付還，加利十兩，予仍退之。周之佩於三月三日喜事，正齋之子竟尚未歸。黄茀卿、周韓臣、聞皆將告假回籍。茀卿已定十七日起行。劉盛唐得瘋疾，不能入闈，可憫之至！袁漱六到京數日，即下園子用功，其夫人生女僅三日，下船進京，可謂膽大。周荇農散館，至今未到，其膽尤大。曾儀齋正月廿六在省起行，二月廿九日到京。凌笛舟正月廿八起行，亦廿九到京，可謂快極。而澄弟出京，偏延至七十餘天始到，人事之無定如此。

新舉人覆試題，「人而無恆」二句，「賦得倉庚鳴，得鳴字，」四等十一人，各罰停會試二科，湖南無之。我身癬疾，春間略發而不甚爲害，有人說方，將石灰澄清水，用水調桐油擦之，則白皮立去。現二、三日一擦，使之不起白皮，薙頭後不過微露紅影，雖召見亦無碍。除頭頂外，他處皆不擦，以其僅能濟一時，不能除根也。內人及子女皆平安，今年分房。同鄉僅恕皆，同年僅松泉與寄雲大弟，未免太少，余雖不得差，一切自有張羅，家中不必掛心！今日余寫信頗多，又係馮、李諸君出場之日，實無片刻暇，故予未作楷信稟堂上，乞弟代爲我說明。澄弟理家事之間，須時時看五種遺規。植弟、洪弟須發奮讀書，不必管家事，兄國藩草。（道光二十七年三月初十日）

致諸弟（勿占人便益，兒女姻事勿太急）

澄侯、子植、季洪三弟足下：自四月廿七日，得大考諭旨以後，廿九日發家信，五月十八又發一信，二十九又發一信，六月十八又發一信，不審俱收到否？二十五日接到澄弟六月一日所發信，具悉一切，欣慰之至！發卷所走各家，一半係余舊友，惟屢次擾人，心殊不安！我自從已亥年在外把戲，至今以爲恨事，將來萬一作外官，或督撫，或學政，從前施情於我者，或數百，或數千，皆釣餌也。渠若到任上來，不應則失之刻薄，應之則施一報十，尙不足滿其欲。故自兄自庚子到京以來，於今八年，不肯輕受人惠，情願人佔我的便益，斷不肯我佔人的便益，將來若作外官，京城以內，無責報於我者。澄弟在京年餘，亦得略見其概矣。此次澄弟所受各家之情，成事不說，以後凡事不可佔人半點便益，不可輕取人財，切記切記！彭十九家姻事，兄意彭家發洩將盡，不能久於蘊蓄，此時以女對渠家，亦若從前之以蕙妹定王家也，目前非不華麗，而十年之外，局面亦必一變。澄弟一男二女，不知何以急急定婚若此，豈少緩須臾，即恐無親家耶？賢弟從事多躁而少靜，以後尙期三思。兒女姻緣，前生注定，我不敢阻，亦不敢勸，但囑賢弟少安無躁而已。

京寓中大小平安，紀澤讀書，已至宗族稱孝焉。大女兒讀書，已至吾十有五。前三月買騾子一頭，頃趙炳坤又送一頭，二品本應坐綠呢車，兄一切向來簡樸，故仍坐藍呢車。寓中用度，比前較大，每年進項亦較多，其他外間進項，尙與從前相似。同鄉人皆如舊。李竹屋在蘇寄信來，立夫先生許以乾館，餘不一，兄手草。（道光二十七年六月二十七日）

致諸弟(述大女兒訂姻)

澄侯、子植、季洪三弟左右：八月十六日摺弁到京，係七月廿九日在省起行，惟時植、洪二弟正在省城，不解何無一字寄京？聞學院二十六日始考古，二十九日我邑尙未院試也。

京中大小平安，予之癬疾，七月底較六月稍差，要無碍召見，弟之事，則亦聽之而已。六弟在國子監考課，各位堂官頗加青眼。上次蔡司業課古經文一篇，經解一篇，賦一篇，詩一篇，六弟取第一，獎勵甚重，帖一套，佳墨八條。內人近頗多病，不能健飯，現在服藥，當不緊要也。

紀澤讀書，前四月間所請之湖北魏先生，渠八月中即回家，我家已於八月初七日換請一宋先生，常德府丙午舉人，今年考取教習，係我門生，其人專嚴勤教，余有同人書札，亦交渠代寫。紀澤現已讀至梁惠王章句下，每日讀書，頗能領會。

大女兒與袁家訂姻，已於八月初六日寫庚書過禮，郭筠仙為媒，即須出都，後年始能復來，故趁其在京時先行納采。袁家過禮來眞金簪一，眞金耳環一對，鍍金手釧一副，金戒指二，紅綠湖縐各三丈，金花一對。我家回禮，袍褂料一套，靴一，帽一，朝珠一，補子一，筆插一，扇插一，又女婿見面儀六兩。

陳家姻事，前接四弟信，知家中堂上大人甚歡喜，現在岱雲丁艱，自不能定庚，只好待渠服滿後，諸弟若與陳家昆仲見面時，亦不必道及姻事。岱雲之喪事，余已送賻儀三十兩，交郭筠仙帶歸，又有輓聯一付，京官向例不送外官銀兩，予送三十兩，則已為重矣。諸弟若到省，只須辦香燭去行禮，不必再送情也。

王荊七現來要求再入我家，我家現在本用兩跟班，目前有一個要去，擬仍叫荊七來，但不知高僧能久持行戒否？書不詳盡，餘俟續寄，兄國藩手草。（道光二十七年八月十八日）

致諸弟（欣聞兩次喜信）

澄侯、子植、季洪足下：九月重陽日，接到家信三封，內父親手諭二件，澄侯六月廿五在家發信一件，七月十五在省發信一件，十九又一件，八月十三一件，子植七月十九發一件，八月十三日又一件，季洪亦有七月十九一篇，子植府試文章，在此包內，題名錄二紙，蓋至是始識九弟案首入學之信。前八月摺弁到京，乃七月廿九日在省起行者，計是時九弟府首喜信，已發交提塘矣，而渠不帶來，良可憾也！我與溫甫看一夜始完，兩次喜信，使祖父大人病體大愈，此爲人子孫者大幸也。

呈請晉封，仍須覃恩之年。辛亥年是皇上七旬萬壽，大約可以請晉封祖父母、父母，並可誥封叔父母，且可誥贈曾祖父母矣。然使身不加修，學不加進，而濫受天恩，徒覺愧悚，故兄自升官後，時時戰兢惕懼。

近來身體甚好，耳又微聾。甲三讀書，先生極好，嚴而且勤，教書亦極得法。長女上論將讀畢矣，溫甫國子監應課，已經補班，寓中眷口俱平順。

荊七現又收在我家於門上跟班之外，多用一人，以充買辦行走之用，即以荊七補缺，甚爲勝任。渠亦如士會還朝，蘇武返漢，欣幸之至！四弟可告知渠家也。

袁漱六因其幼女已死，現搬住湘潭館，訂庚之事，前已寫信告堂上矣。陳家姻事，堂上大人既欣然允許，余豈復有不滿意者，惟訂庚須稍遲，或俟岱雲起服，亦未可知，至姻事卻有成言矣。曾心齋曾借銀八十與郭瑞田，渠現還百金，交余託轉寄毅然先生，目前尚無妥便，一入他人手，又恐化爲烏有，故不得不慎重。弟可先作書告毅然丈，說我所以慎重之故，亦總在今冬明春寄到也。

九弟印卷費，須出大錢百千，乃爲不豐不嗇，不被人譏議，或三股均送，或兩學較多，門斗較少亦可，但須今年內送去，不可捱至明年。教官最爲清苦，我輩仕官之家，不可不有以體諒之也。家中今年想尚可支持，至明年上半年，余必寄銀至家應用。

陳岱雲到省，四弟與郭三合辦呢幛，甚是妥叶，余送渠奠分三十金，已交筠仙帶去矣，別有輓聯，現尚未畢。梅劭生求我作書與鍾子賓，準在近日付去。唐書郊之信，屢次未回，則實以懶惰之故，渠託我代求各翰林法書，澄侯不在京，而欲我爲此等事，毋乃强人以難乎。

四弟以女許彭家，姻緣前定，斷不可因我前言而稍生疑心。九弟入學，家中材料可以做衣，若再久收，恐被蟲傷，做數套衣，兄弟易衣而出，最好。家中諸皮衣，年年須少買樟腦，好好收拾，否則必為蟲傷矣。同鄉諸家如常，書不能盡，摺弁在京僅一日，故多草率，兄國藩手具。（道光二十七年九月初十日）

致諸弟（溫弟館事述思歸省親之計）

澄侯、子植、季洪足下：正月十一日發一家信，是日予極不閒，又見溫甫在外未歸，心中懊惱，故僅寫信與諸弟，未嘗為書稟堂上大人，不知此書近已接到否？

溫弟自去歲以來，時存牢騷抑鬱之氣，太史公所謂：「居則忽忽若有所亡，出則不知其往者」，溫甫頗有此象，舉業工夫，大為拋荒，間或思一振奮，而興致不能鼓舞，余深以為慮！每勸其痛著祖鞭，併心一往。溫弟輒言思得一館，使身有管束，庶心有維繫。余思自為京官，光景尚不十分窘迫，焉有不能養一胞弟，而必與寒士爭館地，向人求薦，實難啟口，是以久不為之謀館。自去歲秋冬以來，聞溫弟婦有疾，溫弟羈留日久，牢落無偶，而叔父抱孫之念甚切，不能不思溫弟南歸。且余既官二品，明年順天主考，亦在可簡放之列，恐溫弟留京三年，又告迴避，念此數者，欲勸溫弟南旋，故上次信道及此層，欲諸弟細心斟酌。不料發信之後，不過數日，溫弟即定得黃正齋館地，現在既已定館，身有所管束，心有所繫屬，舉業工夫，又可漸漸整理，待今年下半年再看光景。如我或聖眷略好，有明年主考之望，則到四、五月，再與溫弟商入南闈或北闈行止。如我今年聖眷平常，或別有外放意外之事，則溫弟仍留京師，一定觀北闈，不必議南旋之說也。坐館以羈束身心，自是最好事，然正齋家，澄弟所深知者，萬一不合，溫弟亦難久坐，見可而留，知難而退，但能不得罪東家，好來好去，即無不可耳。

余自去歲以來，日日想歸省親，所以不能者，一則京帳將近一千，歸家途費，又須數百，甚難措辦；二則二品歸籍，必須具摺，摺中難於措辭。私心所願者，得一學差，三年任滿，歸家省親，上也。若其不能，或明年得一外省主考，能辦途費，後年必歸，次也。若二者不能，只望六弟、九弟，明年得中一人，後來得一京官，支持門面，余則告養歸家，他日再定行止。如三者皆不得，則直待六年之後，至母親七十之年，余誓具摺告養，雖負債累萬，歸無儲粟，亦斷斷不顧矣。然此實不得已之計，若能為前三者之中，得其一者，則後年可見堂上各大人，乃如天之福也，不審祖宗默佑否？

現在寓中一切平安，癬疾上半身全好，惟腰下尚有纖痕。家門之福，可謂全盛，而余心歸省之情，難以自慰，因偶書及，遂備陳之。

毅然伯之項，去年已至余寓，余始覓便寄南，家中可將書封好，即行送去。餘不詳盡，諸惟心照！兄國藩手草。（道光二十八年正月廿一日）

致諸弟（指導考試，勸勿告官）

澄侯、子植、季洪三弟左右：澄侯在廣東，前後共發信七封，至郴州耒陽，又發二信，三月十一日到家以後，又發二信，皆已收到。植、洪二弟，今年所發三信，亦均收到。

澄弟在廣東處置一切，甚有道理。易念園，莊生各處程儀，尤為可取。其辦朱家事，亦為謀甚忠，雖無濟於事，而朱家必可無怨。論語曰：「言忠信，行篤敬，雖蠻貊之邦行矣。」吾弟出外，一切如此，吾何慮哉！

賀八爺、馮樹堂、梁儷裳三處，吾當寫信去謝，澄弟亦宜各寄一書。即易念園處，渠既送有程儀，弟雖未受，亦當寫一謝信寄去，其信即交易宅，由渠家書彙封可也。若易宅不便，即託岱雲覓寄。

季洪考試不利，區區得失，無足介懷，補發之案，有名不去覆試，甚為得體，今年院試，若能得意，固為大幸，即使不遽獲售，去年家中旣售一人，則今歲小挫，亦盈虛自然之理，不必抑鬱！植弟書法甚佳，然向例未經過歲考者，不合選拔。弟若去考拔，則同人必指而目之，及其不得，人不以爲不合例而失，且以爲寫作不佳而黜，吾明知其不合例，何必受人一番指目乎。弟書問我去考與否，吾意以科考正場爲斷，若正場能取一等補廩，則考拔之時，已是廩生入場矣。若不能補廩，則附生考拔，殊可不必，徒招人妬忌也。

我縣新官加賦，我家不必答言，任他加多少，我家依而行之。如有告官者，我家不必入場，凡大員之家，無半字涉公庭，乃爲得體。爲民除害之說，爲所轄之屬言之，非謂去本地方官也。

曹西垣教習服滿，引見以知縣用，七月動身還家，母親及叔父之衣，並阿膠等項，均託西垣帶回。

去年內賜衣料袍褂，皆可裁三件，後因我進闈考教習，家中叫裁縫做，渠裁之不得法，又竊去整料，遂僅裁祖父、父親兩套。本思另辦好料，爲母親製衣寄回，因母親尙在制中，故未遽寄。

叔父去年四十晋一，本思製衣寄祝，亦因在制未遽寄也。茲託西垣帶回，大約九月可到家，臘月服闋，即可著矣。紀梁讀書，每日百餘字，與澤兒正是一樣，只要有恆，不必貪多。澄弟亦須常看五種遺規及呻吟語，洗盡浮華，樸實諳練，上承祖父，下型子弟，吾於澄弟實有厚望焉！兄國藩手草。（道光二十八年五月初十日）

致諸弟（述改屋之意見留心辦賊之態度）

澄侯、溫甫、子植、季洪四弟左右：十二月初九，接到家中十月十二日一信，十一月初一日一信，初十日一信，具悉一切。家中改屋，有與我意見相同之處，我於前次信內，曾將全屋畫圖寄歸，想已收到。家中旣已改妥，則不必依我之圖矣。但三角邱之路，必須改於檀山嘴下面，於三角邱密種竹木，此我畫圖之要囑，望諸弟稟告堂上，急急行之。家中改房，亦有不與我合意者，已成則不必再改。但六弟房改在爐子內，此係內外往來之屋，欲其通氣，不欲其閉塞，余意以為必不可，不若以長橫屋上半節間，斷作房為妥（連間兩隔，下半節作橫屋客座，中間一節作過道，上半節作房）。內茅房在石柱屋後，亦嫌太遠，不如於季洪房外高墈打進七、八尺（即舊茅房溝對過之墈，若打進丈餘，則與上首栗樹處同寬），既可起茅房澡堂，而後邊地面寬宏，家有喜事，碗盞菜貨，亦有地安置，不至局促，不知可否？

家中高麗參已完，明春得便即寄。彭十九之壽屏，亦準明春寄到，此間事務甚多，我更多病，是以遲遲。

澄弟辦賊，甚快人心，然必使其親房人等，知我家是圖地方安靜，不是為一家逞勢張威，庶人人畏我之威，而不恨我之太惡。賊既辦後，不特面上不可露得意之聲色，即心中亦存一番哀矜的意思，諸弟人人當留心也。

徵一表叔在我家教讀甚好，此次未寫信請安，諸弟為我轉達。同鄉周荇農家之鮑石卿，前與六弟交遊，近因在妓家飲酒，提督府捉交刑部，革去供事，而荇農、荻舟尚遊蕩不畏法，真可怪也。

余近日常有目疾，餘俱康泰，內人及二兒四女皆平安，小兒甚胖大。西席龐公，擬十一回家，正月半來，將請李筆峯代館。宋湘賓在道上撲跌斷腿，五十餘天始抵樊城，大可憫也！餘不可一一，國藩手草。（道光二十八年十二月初十日）

致諸弟（喜述補侍郎缺）

澄侯、溫甫、子植、季洪四位老弟左右：正月十日曾寄家信，甚為詳備。二月初三接到澄弟十一月二十夜之信，領悉一切。今年大京察，侍郎中休致者二人，德遠村、馮吾園先生也。余即補吾園先生之缺。向來三載考績，外官謂之大計，京官謂之京察。京察分三項：一、二品員及三品之副都御史，皇上皆能記憶其人，不必引見，御筆自下硃諭，以爲彰癉，此一項也。自宗人府丞以下，凡三、四、五品京官，皆引見，有黜而無陟。前在礮兒胡同時，間壁學士奎光，卽引見休致者也，此一項也。自五品而下，如翰林內閣御史六部，由各堂官考差，分別一、二、三等；一等則放府道，從前如勞辛階、易念園，今年如陳竹伯，皆京察一等也，此一項也。余自到禮部，比從前較忙冗，恨不得有人幫辦寓中瑣雜事。然以家中祖父之病，父、叔勤苦已極，諸弟萬無來京之理，且如溫甫在京，余方再三勸誘，令之南歸，今豈肯再蹈覆轍，令之北來。江岷樵以揀發之官浙江，補缺不知何時，余因溫弟臨別叮囑之言，薦鄧星階偕岷樵往浙，岷樵旣應允矣，適徐芸渠請星階教書，星階卽就徐館，言定秋間仍往浙江，江亦應允。

鄒墨林自河南來京，意欲捐教，現寓圓通觀，其爲人實誠篤君子也。袁漱六新正初旬，忽吐血數天，現已全愈。黃正齋竟爲本部司員，頗難爲情，余一切循謙恭之道，欲破除藩籬，而黃總不免拘謹。余現尙未換綠呢車，惟添一騾，蓋八日一赴園，不能不養三牲口也。書不一一，兄國藩草。（道光二十九年二月初六日）

致諸弟（寄歸銀兩物品）

澄侯、溫甫、子植、季洪足下：玆乘喬心農先生常德太守之便，付去紋銀六十三兩零，共六大錠，外又一小錠，外又一小錠，係內子寄其伯母，乞寄歐陽牧雲轉交。又鄧星階寄銀六兩，亦在此包內，並渠信專人送去。又高麗參一布包，內頂上者一兩，共十四枝，專辦與祖父大人用。次等三兩，共五枝。又次等者白參半斤，不計枝。今年所買參，皆擇其佳者，較往年略貴，故不甚多。又鹿膠二斤，共一布包。又一品補服四付，共一布包。前年所寄補服，內有打籽者，係一品服，合此次所寄，共得五付。補服不分男女，向來相傳鳥嘴有向內向外之分，皆無稽之言也。一品頂戴三枚，則置高麗參匣之內，望諸弟逐件清出，呈堂上大人。喬太守要由山西再轉湖南，到長沙大約在閏四月底，此信不詳他事，容下次再詳也，國藩手草。

(道光二十九三月初一日)

致諸弟(不必重價買地)

四位老弟足下：九弟生子大喜，敬賀敬賀！自丙午冬葬祖妣大人於木兕冲之後，我家已添三男丁，我則升閣學，升侍郎；九弟則進學補廩，其地之吉，已有明效可驗。我平日最不信風水，而於朱子所云：「山環水抱藏風聚氣」二語，則篤信之。木兕冲之地，予平日不以為然，而葬後乃吉祥如此，可見福人自葬福地，絕非可以人力參預其間。家中買地，若出重價，則斷斷可以不必，若數十千，則買一、二處無礙。宋湘賓去年回家，臘月始到，山西之館既失，而湖北一帶，又一無所得，今年因常南陔之約，重來湖北，而南陔已遷官陝西矣，命運之窮如此。去年曾有書寄溫弟，茲亦付去，上二次忘付也。李筆峯代館一月，又在寓抄書一月，現在已搬出矣。毫無道理之人，究竟難與相處。龐省三在我家教書，光景甚好；鄒墨林來京捐復教官，在圓通觀住，日日來我家閒談。長沙老館，我今年大加修整，人人皆以為好。瑣事兼述，諸惟心照！(道光二十九年三月廿一日)

致諸弟(癬疾愈見大好)

澄侯、溫甫、子植、季洪足下：近一月餘，無摺弁來，以新撫臺尚未到任。五月十一，接澄弟四月八日並廿六日所發信。而正月十七一信，至今未到，誠不可解？京寓自四月以來，一切平安，癬疾經鄒墨林開方做藥丸，有附子黃芪等補陽之藥，愈見大好，面上、頭上，生人全看不出矣。紀澤兒近作史論，略成章句，茲命其謄兩首，寄呈堂上一閱。次兒之名，音與叔父名相近，已改名紀鴻，體甚肥大，尚不能行，不能說話，四女皆好。

閏四月初九日考差，題「士志於道一章」，經題「閏月則闔門左扉」，詩題「賦得歲豐仍節儉，得仍字」。澄弟岳陽樓記，擬交廣西主考帶去，大約七月初旬可到長沙。溫、植二弟到省以後，恐家中無人伺候，澄弟即不入闈亦可，宜稟堂上，問宜何如耳。

去年多底，所寄各族戚家微資，今年家書總未提及，不知竟一一如數交去否？乞示知。餘不詳盡，俟下次續具，兄國藩手草。（道光二十九年五月十五日）

致諸弟（託查遺失家信）

澄侯、溫甫、子植、季洪四位老弟足下：五月廿四日，由廣西主考孫渠田太史處發信，並澄弟監照戶部照二紙，又今年主考車順軌鄉試文一篇，徐元勳會試文三篇，共爲一包，不審何日到？孫太史於五月廿八在京起程，大約七月中旬可過長沙，待渠過去後，家中可至岱雲處接監照也。

京寓近日平安，癬疾服鄒墨林丸藥方，最爲有效。內人腹瀉七、八天，亦服鄒所開方而效。昨日摺到後，又未接信，澄弟近日寫信，極勤且詳，而京中猶有望眼欲穿之時，蓋不住省城，則摺弁之或遲或早，無從去查問。正月十六日之家信，至今尙未收到，予屢次以書告諸弟，又書告岱雲，託其向提塘並蕭辛五處確查。

昨岱雲回信內，夾有蕭辛五回片，寫明正月十六之信，已於廿一日交提塘王二手收。又言四月十四日周副爺維新到京，此信已交京提塘矣云。予接辛五來片，比遣人去京提塘問明，據答云：「周維新到京，並無此信，若有，萬無不送之理，且旣係正月廿一交省提塘，則二月廿三有韓摺弁到京，三月十八有張摺弁到京，何以兩人俱未帶，而必待四月十四之周維新哉」。今仍將辛五原片，付回家中，望諸弟再到提塘，細查正月廿一辛五到時，提塘曾挂收信號簿否？並問辛五兄所知二月之韓弁，三月之張弁，俱未帶此信，而直待周維新始帶。且辛五片稱：四月十四日信交京提塘門上收。係聞何人所言，何以至今杳然，一一查得水落石出，覆示爲要！予因正月十六之信，至爲詳細，且分爲兩封，故十分認眞，若實不出，則求澄弟再細寫一遍，並告鄧星階家、曾廚子家，道前信已失落也。

紀澤兒讀書如常，玆又付呈論數首，皆先生未改一字者。紀鴻兒體甚肥胖，前聞排行已列丙一，不知乙字一排，十人何以遽滿，乞下次示知。得毋以乙字不佳，遂越而排丙乎？予意不必用甲乙丙丁爲排，可另取四字曰甲科鼎盛，則音節響亮，便於呼喚。諸弟如以爲然，即可遍告諸再從兄弟。

山西巡撫王兆琛，欽差審明各款，現奉旨革職拿問，將來不知作何究竟？此公名聲狼籍，得此番鐫示，亦足寒貪吏之膽。袁漱六病尙未全好，同鄉各家如常。季仙九先生放山西巡撫，送我綠呢車，現尙未乘，擬待一、二年後再換，餘不悉具，兄國藩手草。（道光二十九年六月初一日）

致諸弟（述修改長郡館）

澄侯、溫甫、子植、季洪四位老弟足下：日內身體平安，內人自前腹泄後，至今尙服黃蓍高麗參附片之類，自此可保安泰。紀澤兒讀書尙熟，詩經現讀至生民之什，古詩讀至左太冲詠史，綱鑑講至漢高祖末年，所作史論，較前月所作，意思略多，玆付回三首。次兒肥胖可愛，四女兒皆好，龐省三教書甚爲得法。宋湘賓在湖北藩署，光景頗好，昨有書來，致意溫弟，長郡館向來規模不好，人人不喜，今年我督工匠，大改規模，人人拍案稱奇。現在同鄉人請我將湖廣館亦改定規制，擬於八月興工，覲十月可畢役。郭筠仙家水勢不知如何？溫甫在省見之，可問明告我。渠欠漱六五十金，近已償去，若見筠仙翌丞，可即告之，不另寫信。岱雲寄程正槃信，亦已妥交，見岱雲時，即告知。寄莊心庠、張禮度信各一件，到日即送去。餘不一一，俟下次續具，兄國藩手具。（道光二十九年六月廿九日）

致諸弟(計劃設致義田)

澄侯、溫甫、子植、季洪四位老弟足下：七月十三日，接到澄弟六月初七所發家信，具悉一切。吾於六月，共發四次信，不知俱收到否？今年陸費中丞丁憂，閏四月無摺差到，故自四月十七發信後，直至五月中旬始再發信，宜家中懸望也。祖父大人之病，日見增加，遠人聞之，實深憂懼！前六月念日所付之領茸片，不知何日可到，亦未知可有微功否？

予之癬病，多年沉痛賴鄒墨林學黃蓍附片方，竟得全愈。內人六月之病，亦極沉重，幸墨林診治，遂得化險為夷，變危為安。同鄉找墨林看病者甚多，皆隨手立效。墨林之弟嶽屏四兄，今年曾到京寓圓通觀，其醫道甚好，現已歸家，予此次以書附墨林家書內，求嶽屏至我家診治祖父大人，或者挽回萬一，亦未可知。嶽屏人最誠實，而又精明，即周旋不到，必不見怪，家中只須打發轎夫大錢二千，不必別有所贈送，渠若不來，家中亦不必去請他。

鄉間之穀，貴至三千五百，此亙古未有者，小民何以聊生？吾自入官以來，即思為曾氏置一義田，以贍救孟學公以下貧民；為本境置義田，以贍救念四都貧民。不料世道日苦，予之處境未裕，無論為京官者，自治不暇，即使外放，或為學政，或為督撫，而如今年三江兩湖之大水災，幾於鴻嗷半天下，為大官者，更何忍於廉俸之外，多取半文乎。是義田之願，恐終不能償，然予之定計，苟仕宦所入，每年除供奉堂上甘旨外，或稍有盈餘，吾斷不肯買一畝田，積一文錢，必經留為義田之用，此我之定計；望諸弟體諒之！

今年我在京用度較大，借帳不少，八月當為希六及陳體元捐從九品。九月榜後可付照回，十月可到家，十一月可向渠兩家索銀，大約共須三百金，我付此項回家，此外不另附銀也。

率五在永豐，有人爭請，予聞之甚喜，特書手信與渠，亦望其忠信立成。

紀鴻已能行走，體甚壯實，同鄉各家如常。同年毛寄雲於六月念八日丁內艱。陳偉堂相國於七月初二仙逝，病係中痰，不過片刻即歿。河南、浙江、湖北、皆展於九月舉行鄉試，聞江南水災尤甚，恐須再展至十月。各省大災，皇上焦勞，臣子更宜憂惕，故一切外差，皆絕不萌妄想，家中亦不必懸盼。書不詳盡，兄國藩手草。（道光二十九年七月十五日）

致諸弟（奉派較射大臣）

澄侯、溫甫、子植、季洪四位老弟足下：十月初二日接到澄弟八月廿六一書，具悉一切。是日又從岱雲書內，見南省題名錄，三弟皆不與選，為之悵喟！吾家累世積德，祖父及父、叔二人，皆孝友仁厚，食其報者，宜不止我一人，此理之可信也。吾邑從前鄧、羅諸家，官階較大，其昆季子孫，皆無相繼而起之人，此又事之不可必者。

吾近於官場，頗厭其繁俗，而無補於國計民生，惟勢之所處，求退不能，但願得諸弟稍有進步，家中略有仰事之資，即思決志歸養，以行吾素。今諸弟科第略遲，而吾在此間，公私萬事叢集，無人幫照，每一思之，未嘗不作茫無畔岸之想也。

吾現已定計於明年八月，乞假歸省，後年二月還京，專待家中回信，詳明見示。今年父親六十大壽，吾竟不克在家叩祝，悚疚之至！十月初四日，奉旨派作較射大臣，順天武闈鄉試，於初五、六馬箭，初七、八步箭，初九、十技勇，十一發榜，十二覆命，此八日皆入武闈，不克回寓，父親壽辰，並不能如往年辦麵席以宴客也。然予既定計明年還家慶壽，則今年在京，即不稱觴，猶與吾鄉重逢一不重晋十之例相合。

家中分贈親族之錢，吾恐銀到太遲，難於換錢，故前次為書寄德六七叔祖，並辦百褶裙送叔曾祖母，現在廷芳宇尚未起行，大約年底乃可到湖南，若曾希六、陳體元二家，必待照到，乃送錢來，則我家今年窘矣。二家損項，我在京共去京平足紋二百四十一兩六錢，若合南中漕平，則當二百三十六兩五錢，渠送錢若略少幾千，我家不必與之爭，蓋丁酉之冬，非渠煤薑，則萬不能進京也。明年春間，應寄家用之錢，乞暫以曾、陳捐項用之，我上半年只能寄鹿茸，下半年乃再寄銀耳。皇清經解一書，不知取回否？若未取回，可專人去取，蓋此等書，諸弟略一涉獵，即擴見識，不宜輕以贈人也。

明年小考，須送十千，大場又須送十千，此等錢家中有人分領，便是一家之祥瑞。但澄弟須於在省城時，張羅此項，付各考者，乃爲及時。京寓大小平安，紀澤兒已病兩月，近日全愈，今日已上書館矣。紀鴻兒極結實，聲音洪亮異常，僕婢輩皆守舊，同鄉各家，亦皆無恙。鄒墨林尙在我家。張雨農之子闈藝甚佳，而不得售，近又已作文數首，其勇可畏愛也。書不詳盡，寫此畢，即赴武闈，十二始歸寓，餘俟後報，國藩手草。（道光二十九年十月初四日）

致諸弟（寄物，告在闈較射，及江岷樵家遭難事）

澄侯、溫甫、子植、季洪四弟左右：十月初四日發第十七號家信，由摺弁帶交；十七日發第十八號家信，由廷芳宇桂明府帶交，便寄曾希六、陳體元、從九品執照各一紙；歐陽滄溟先生、陳開煦、換執照並批迴各二張；添梓坪叔庶曾祖母百摺裙一條，曾、陳二人九品補服各一副，母親大人耳帽一件，膏藥一千張，眼藥各種，阿膠二斤，朝珠二掛，筆五枝，鍼底子六十個，曾、陳二人各對一付，滄溟先生橫幅篆字一副，計十二月中旬應可到省，存陳岱雲宅，家中於小除夕前二日遣人至省走領可也。芳宇在漢口須見上司，恐難早到，然遇順風，則臘月初亦可到，家中或着人早去亦可。

余於十月初五起至十一止，在闈較射，十七出榜，四闈共中百六十四人，余闈內分中五十二人，向例武舉人武進士覆試，如有弓力不符者，則原閱之王大臣，每人各罰俸半年。今年僅張字闈不符者三名，王大臣各罰俸一年半。余闈幸無不符之人，不然則罰俸半年，去銀近五百金，在京官已視爲切膚之痛矣。寓中大小平安，紀澤兒體已全復，紀鴻兒甚壯實，鄒墨林近由廟內移至我家住，擬明年再行南歸。袁漱六由會館移至虎坊橋。而錢貞齋榜後，本擬南旋，因憤懣不甘，仍寓漱六處教讀。劉鏡清教習已傳到，因丁艱而竟不能補，不知命途之舛，何至於此。凌荻舟近病內傷，醫者言其甚難奏效。黃恕皆在陝差旋，述其與陝撫殊爲冰炭。

江岷樵在浙，署秀水縣事，百姓感戴，編爲歌謠，署內一貧如洗，藩臺聞之，使人私借千金，以爲日食之資，其爲上司器重如此。其辦賑務、辦保甲、無一不合於古。頃湖南報到，新寧被齋匪餘孽煽亂，殺前令李公之闔家，署令萬公亦被戕，焚掠無算，則岷樵之父母家屬，不知消息若何，可爲酸鼻。余於明日當飛報岷樵，令其即行言旋，以赴家難。

余近日忙亂如常，幸身體平安。惟八月家書，曾言及明年假歸省親之事，至今未奉堂上手諭。而九月諸弟未中，想不無抑鬱之懷，不知尙能自爲排遣否？此二端時時罣念，望澄侯詳寫告我。祖父大人之病，不知日內如何？余歸心箭急，實爲此也。

母親大人昨日生日，寓中早麵五席，晚飯三席。母親牙痛之疾，近來家信未曾提及，望下次示知。書不一一，餘俟續具，兄國藩手具。（道光二十九年十一月初五日）

致諸弟（迎養父母叔父）

澄侯、溫甫、子植、季洪四位老弟足下：正月初六日接到家信三函；一係十一月初三所發，有父親手諭，溫弟代書者。一係十二月十八所發，有父親手諭，植弟代書者。一係十二月初三澄侯弟在縣城所發一書，甚爲詳明，使遊子在外，鉅細了然。

廟山上金叔，不知爲何事而可取勝七之數，若非道義可得者，則不可輕易受此。要做好人，第一要在此處下手，能令鬼服神欽，則自然識日進，氣日剛，否則不覺墜入卑汚一流，必有被人看不起之日，不可不愼！諸弟現處極好之時，家事有我一人擔當，正當做個光明磊落神欽鬼服之人，名聲既出，信義既著，隨便答言，無事不成，不必受此小便宜也。

父親兩次手諭，皆不欲予乞假歸省，而予之意甚思日侍父母之側，不得不爲迎養之計。去冬曾以歸省迎養二事，與諸弟相商。今父親手示，不許歸省，則迎養之計更不可緩。所難者，堂上有四位老人，若專迎父母而不迎叔父母，不特予心中不安，即父母心中亦必不安。若四位並迎，則叔母病未全好，遠道跋涉尤艱。予意欲於今年八月初旬，迎父親、母親、叔父、三位老人來京，留叔母在家，諸弟婦細心伺候，明年正月元宵節後，即送叔父回南。我得與叔父相歡聚數月，則我之心安。父母得與叔父同行數千里到京，則父母之心安。叔母在家半年，專僱一人服侍，諸弟婦又細心奉養，則叔父亦可放心。叔父在家，抑鬱數十年，今出外瀟灑半年，又得與侄兒、侄婦、侄孫團聚，則叔父亦可快暢。在家坐轎至湘潭，澄侯先生至潭雇定好船，伺候老人開船後，澄弟即可回家。船至漢口，予遣荊七在漢口迎接，由漢口坐三乘轎子到京，行李婢僕，則用小車，甚爲易辦。求諸弟細商堂上老人，春間即賜回信，至要至要！

李澤顯、李英燦進京，余必加意庇護。八斗冲地，望繪圖與我看，諸弟自侍病至葬事，十分勞苦，我不克幫忙，心甚歉愧！

京師大小平安，皇太后大喪，已於正月七日二十七日滿，脫去孝衣。初八日係祖父冥誕，我作文致祭，即於是日亦脫白孝，以後照常當差。心中萬緒，不及盡書，統容續布。兄國藩手草。（道光三十年正月初九日）

卷五

致諸弟(具奏言兵餉事)

澄、溫、植、洪四弟左右：三月初四發第三號家信，其後初九日，予上一摺，言兵餉事，適於是日皇上以粵西事棘，恐現在彼中者，不堪寄此重託，特放賽中堂前往，以予摺所言甚是。但目前難以舉行，命將摺封存軍機處，待粵西定後，再行辦理。賽中堂清廉公正，名望素著，此行應可迅奏膚功。但湖南逼近粵西，兵差過境，恐州縣不免藉此生端，不無一番蹂躪耳。

魏亞農以三月十三日出都，向予借銀二十兩，既係姻親，又係黃生之姪，不能不借與渠，渠言到家後，即行送交予家，未知果然否？叔父前信要鵝毛管眼藥，並硇砂膏藥，茲付回眼藥百筒，膏藥千張，交魏亞農帶回，呈叔父收存，爲時行方便之用，其摺底付回查收。

澄弟在保定，想有信交劉午峰處，昨劉有信寄子彭，而澄弟書未到，不解何故？已有信往保定去查矣。澄弟去後，吾極思念，偶自外歸，輒至其房；早起輒尋其室，夜或遣人往呼，想弟在路途，彌思我也。書不一一，餘俟續具，兄國藩手草。(咸豐元年三月十二日)

致諸弟(摺奏直諫)

澄侯、溫甫、子植、季洪四位老弟足下：四月初三日發第五號家信，厥後摺差久不來，是以月餘無家書。五月十二摺弁來，接到家中一信，乃四月一日所發者，具悉一切，植弟大愈，此最可喜。京寓一切平安，癬疾又大愈，比去年六月，更無形迹。去年六月之愈，已爲五年來所未有，今又過之，或者從此日退，不復能爲惡矣。皮毛之疾，究不甚足慮，久而彌可信也。

四月十四日考差，題「樂民之樂者，民亦樂其樂」；經文題「必有忍，其乃有濟，有容德乃大」；「賦得濂溪樂處，得焉字」。二十六日余又進一諫疏，敬陳聖德三端，預防流弊，其言頗過激切，而聖量如海，尚能容納，豈漢唐以下之英主所可及哉。余之意，蓋以受恩深重，官至二品，不爲不尊。堂上則誥封三代，兒子則蔭任六品，不爲不榮。若於此時，再不盡忠直言，更待何時乃可建言。而皇上聖德之美，出於天亶，自然滿廷臣工，遂不敢以片言逆耳。將來恐一念驕矜，遂至惡直而好諛，則此日臣工不得辭其咎。是以趁此元年新政，即將此驕矜之機關說破，使聖心日就兢業，而絕自是之萌，此余區區之本意也。現在人才不振，皆謹小而忽於大，人人皆習脂韋唯阿之風，欲以此疏稍挽風氣，冀在廷皆趨於骨鯁，而遇事不敢退縮，此余區區之餘意也。

摺子初上之時，余意恐犯不測之威，業將得失禍福，置之度外。不意聖慈含容，曲賜矜全。自是以後，余益當盡忠報國，不得復顧身家之私。然此後摺奏雖多，亦斷無有似此摺之激直者。此摺尚蒙優容，則以後奏摺，必不致或觸聖怒可知。諸弟可將吾意，細告堂上大人，無以余奏摺不慎，或以戇直干天威爲慮也。父親每次家書，皆教我盡忠圖報，不必繫念家事，余敬體吾父之教訓，是以公爾忘私，國爾忘家，計此後但略寄數百金，償家舊債，即一心以國事爲主，一切升官得差之念，毫不挂於意中。故昨五月初七大京堂考差，余即未往赴考，侍郎之得差不得差，原不關乎與考不與考。上年已酉科，侍郎考差而得者三人，瑞常花沙納張芾是也；未考得者亦三人，靈桂福濟王廣蔭是也。今年侍郎考差者五人，不考者三人。是日題「以義制事，以禮制心論」；詩題「樓觀滄海日，得濤字」。五月初一放雲貴差，十二放兩廣福建三省，名見京報內，玆不另錄。袁漱六考差頗爲得意，詩亦工妥，應可一得以救積困。

朱石翹明府初政甚好，自是我邑之福，余下次當寫信與之。霞仙得縣首，亦見其猶能拔取眞士，劉繼振既係水口近鄰，又送錢至我家，求請封典，義不可辭。但渠三十年四月選授訓導，已在正月廿六恩詔之後，不知尚可辦否？當再向吏部查明，如不可辦，則當俟明年四月升祔恩詔，乃可呈請。若并升祔之時，推恩不能及於外官，則當以錢退還。家中須於近日詳告劉家，言目前不克呈請，須待明年六月，乃有的信耳。澄弟河南、漢口之信，皆已接到，行路之難，乃至於此。自漢口以後，想一路戴福星矣。劉午峰、張星垣、陳穀堂之銀皆可收，劉、陳尤宜受之，不受反似拘泥。然交際之道，與其失之濫，不若失之隘，吾弟能如此，乃吾之所欣慰者也。西垣四月廿九到京，住余宅內，大約八月可出都。此次所寄摺底，如歐陽家、汪家及諸親族，不妨抄送共閱，見余忝竊高位，亦欲忠直圖報，不敢唯阿取容，懼其玷辱宗族，辜負期望也。餘不一一，兄國藩手草。（咸豐元年五月十四日）

致諸弟（擬爲紀澤定婚）

澄侯、溫甫、子植、季洪四位老弟足下：五月十四日發一家信，內有四月廿六日具奏一疏稿，余雖不能法古人之忠直，而皇上聖度優容，則實有非漢唐以下之君所能及者，已將感激圖報之意，於前書內詳告諸弟矣。

五月廿六日，又蒙皇上天恩，兼署刑部右侍郎，次日具摺謝恩，即將余感戴之忱寫出，玆將原摺付歸。日內京寓大小平安，癬疾大好，較去年澄弟在此時更好三倍，頭面竟無踪影，兩腿雖未淨盡，不復足爲患也。同鄉周子佩之母，病體不輕，下身不仁，恐成偏枯。

徐壽蘅放四川主考。湖南放四川者，向極吉利，嘉慶辛酉之楊剛亭先生，庚午之陶文毅，道光甲午之李文恭，乙未之羅蘇溪，有成例矣。鄺鑪青、陳俊臣兩人，皆已來京，陳挈眷而鄺則否，鄺富而陳寒，所爲似相反，然究以挈眷爲是，鄺一、二年亦必悔之耳。林崑圃事，余爲寫知單，得百餘金，合之開弔共二百金，將來可以贍其七十四歲之老母也。漱六望差甚切，未知能如願否？現在已放一半，而實錄館當差人員，尚未放一人。唐鏡海於十八日到京。

廿三日召見，垂詢一切，天顏有喜，極耆儒晚遇之榮。現已召見五次，將來尚可入對十餘次。

羅山前有信來，詞氣溫純，似有道者之言，余已回信一次，頃又有信來，言紀澤未定婚，欲為賀耦庚先生之女作伐，年十二矣，余嫌其小一歲。且耦庚先生，究係長輩，從前左季高與陶文毅公為婚，余嫌其輩行不倫，余今不欲仍蹈其轍，擬敬為辭謝，現尚未作書覆羅山。諸弟若在省見羅山兄，可將余兩層意思，先為道破，余他日仍當回書告知一切。

余近思為紀澤定婚，其意頗急切，夏階平處一說，本可相安，因其與黃子壽為親家，余亦嫌輩行少屈，是以未就。黃茀卿有女年十三，近托袁漱六往求婚，茀卿言恐余升任總督，渠須廻避，不知渠是實意，抑係不願成婚，而託辭以謝也。故現未說定，弟可一一稟告堂上大人。又余意鄉間若有孝友書香之家，不必問其貧富，亦可開親，澄弟盍為我細細物色一遍。然余將同邑各家一想，亦未聞有眞孝友人家也。

余至刑部，日日忙冗異常，迥不與禮部、工部、兵部相同，若長在此部，則不復能看書矣。湖南副主考喬鶴儕，在部頗稱博雅，今年經策，必須講究古茂。曹西垣辦分發，本月可引見，七月可出京。朱石翹明府昨有信來，言澄弟四月底到縣，此次摺弁到京，石翹有信，而澄弟無信，殊不可解？茲有書覆朱，家中封好送去，諸惟心照！餘俟續布，國藩手草。（咸豐元年六月初一日）

致諸弟（成就紀澤親事）

澄侯、溫甫、子植、季洪四位老弟足下：八月初十摺差來京，接張湘紋書，計摺弁當於七月廿外起行，諸弟正在省城，而無家書何也？諸弟發家書交提塘後，往往屢次不帶，或一次帶數封，摺弁殊為可惡！諸弟須設法與提塘略一往還，當面諄託，或稍有濟，否則每次望信，甚悶損人也。

京寓大小平安，前月內人病數日，近已全愈。

曹西垣於八月四日出京，之官安徽；張書齋於十一日出京，之官貴州。

今冬本欲寄銀到家，因澄弟前次書言，公車來京，家中儘可兌銀，是以予不另寄。除凹裏田價外，尙須送親族年例銀五十金，亦宜早早籌畫，共計若干，概向各處公車兌兌，免致年底掣肘。如無處可兌，即須閏八月寄信來京，以便另辦，然不如兌之爲便也。誥軸已經用寶，日內即可發下，九月即可到家。

鄉試題刻於京報上，詩題得䖍字條，出係高宗御製，是題詩中句云：「即此供吟眺，采頻事豁䖍，」一塲中無人知之也。李子彥之文甚好，鏡雲文尙未見。宋湘賓教習已傳到，昨日專人告知。

李石梧身後恩典甚厚，乃七月末，翰林院撰祭文碑文進呈，硃批竟加嚴飭，謂其誇獎過當，詞藻太多，且貶其調度乖方，功過難掩，歷任封疆，尤不足稱云云。飭令翰林院另行改撰，其復撰進呈，遂多貶詞，功名之際，難得終始完全也。

耦庚先生家親事，予頗思成就，一則以耦翁罷官，予亦內有愧心！思借此聯爲一家，以贖予隱微之愆；二則耦翁家教向好，賢而無子，或者其女子必賢。諸弟可爲我細訪羅羅山，下次信來詳告。若女子果厚重，則兒子十七歲歸家省祖父母、叔祖父母時，即可成喜事也。前託在鄉間擇婚，細思吾邑讀書積德之家，如賀氏者，亦實無之，諸弟暫不必昌言耳。餘俟續布，兄國藩手草（咸豐元年八月十三日）

致諸弟（詳述辦理巨盜及公議糧餉事）

澄侯、溫甫、子植、季洪四位老弟足下：八月十七日，接到家信，欣悉一切。左光八爲吾鄉巨盜，能除其根株，掃其巢穴，則我境長享其利，自是莫大陰功。第湖南會匪，所在勾結，往往牽一髮而全身皆動，現在剌軍程公特至湖南，即是奉旨查辦此事。蓋恐粵西匪徒竄竄，一入湖南境內，則楚之會匪，因而竊發也。左光八一起，想倘非亘夥入會者流，然我境辦之，不可過激而生變，現聞其請正紳保舉，改行為良，且可捉賊自效，此是一好機會。萬一不然，亦須相機圖之，不可用力太猛，易發難收也。

公議糧餉一事，果出通邑之願，則造福無量。至於幫錢墊官之虧空，則我家萬不可出力。蓋虧空萬六千兩，須大錢三萬餘千，每都畿須派千串，現在為此說者，不過數大紳士一時豪氣，為此急公好義之言，將來各處分派，仍是巧者強者少出，而討好於官之前；拙者弱者多出，而不免受人之勒，窮鄉殷實小戶，必有怨聲載道者。且此風一開，則下次他官來此，既引師令之借錢辦公為證，又引朱令之民幫墊虧為證，或亦分派民間出錢幫他，反覺無辭以謝，若相援為例，來一官，幫一官，吾邑自此無安息之日。凡行公事，須深謀遠慮，此事若各紳有意，吾家不必攔阻。若吾家倡議，萬萬不可。

且官之補缺，皆有呆法，何缺出輪何班補，雖撫藩不能稍為變動。澄弟在外多年，豈此等亦未知耶！朱公若不輪到班，則雖幫墊虧空，通邑挽留，而格於成例，亦不可行。若已輪到班，則雖不墊虧空，亦自不能不補此缺。間有特為變通者，督撫專摺奏請，亦不敢大違成例。季弟來書，若以朱公之實授與否，全視乎虧空之能墊與否，恐亦不盡然也。曾儀齋若係革職，則不復能穿補子。若係大計休致，則倘可穿。

季弟有志於道義身心之學，余閱其書，不勝欣喜！凡人無不可為聖賢，絕不係乎讀書之多寡，吾弟誠有志於此，須熟讀小學及五種遺規二書。此外各書，能讀固佳，不讀亦初無所損。可以為天地之完人，可以為父母之肖子，不必因讀書而後有所加於毫末也。匪但四六古詩，可以不看，即古文為弟所願學者，而不看亦是無妨。但守小學遺規二書，行一句，算一句，行十句，算十句，賢於記誦詞章之學萬萬矣。

季弟又言願盡孝道，惟親命是聽，此尤足補我之缺憾。我在京十餘年，定省有闕，色笑遠違，寸心之疚，無刻或釋！若諸弟在家，能婉愉孝養，視無形，聽無聲，則余能盡忠，弟能盡孝，豈非一門之祥瑞哉。願諸弟堅持此志，日日勿忘，則兄之志可以稍釋，幸甚幸甚！書不一一，餘俟續具，兄國藩手草。（咸豐元年八月十九日）

致諸弟（勸除牢騷及論邑中勸捐事）

澄侯、溫甫、子植、季洪四弟足下：日來京寓大小平安，癬疾又已微發，幸不為害，聽之而已。湖南榜發，吾邑竟不中一人，沅弟書中，言溫弟之文，典麗矞皇，亦爾被抑，不知我諸弟中將來科名，究竟何如？以祖宗之積累，及父親、叔父之居心立行，則諸弟應可多食厥報。以諸弟之年華正盛，即稍遲一科，亦未遽為過時。特兄自近年以來，事務日多，精神日耗，常常望諸弟有繼起者，長住京城，為我助一臂之力。且望諸弟分此重任，余亦欲稍稍息肩，乃不得一售，使我心中無倚。

蓋植弟今年一病，百事荒廢，場中又患目疾，自難見長。溫弟天分，本甲於諸弟，惟牢騷太多，性情太懶，前在京華，不好看書，又不作文，余即心甚憂之！近聞還家後，亦復牢騷如常，或數月不搦管為文，吾家之無人繼起，諸弟猶可稍寬其責，溫弟則實自棄，不得盡諉其咎於命運。吾嘗見朋友中牢騷太甚者，其後必多抑塞，如吳檟臺、凌荻舟之流，指不勝屈。蓋無故而怨天，則天必不許；無故而尤人，則人必不服。感應之理，自然隨之。溫弟所處，乃讀書人中最順之境，乃動則怨尤滿腹，百不如意，實我之所不解。以後務宜力除此病，以吳檟臺、凌荻舟、為眼前之大戒。凡遇牢騷欲發之時，則反躬自思，吾果有何不足，而蓄此不平之氣，猛然內省，決然去之，不惟平心謙抑，可以早得科名；亦且養此和氣，可以稍減病患。萬望溫弟再三細想，勿以吾言為老生常談，不直一哂也。

王曉林先生在江西為欽差，昨有旨命其署江西巡撫，余署刑部，恐須至明年乃能交卸。袁漱六昨又生一女，凡四女，已殤其二，又喪其兄，又喪其弟，又一差不得，甚矣窮翰林之難當也。

黃麓西由江蘇引見入京，迥非昔日初中進士時氣象，居然有經濟才。

王衡臣於閏月初九引見，以知縣用。後於月底搬寓下窪一廟中，竟於九月初二夜無故遽卒，先夕與同寓文任吾談至二更，次早飯時，訝其不起，開門視之，則已死矣。死生之理，善人之報，竟不可解？

邑中勸捐，彌補虧空之事，余前已有信言之，萬不可勉強勒派。我縣之虧，虧於官者半，虧於書吏者半，而民則無辜也。向來書吏之中飽，上則喫官，下則喫民，名爲包徵、包解，其實當徵之時，則以百姓爲魚肉而吞噬之。當解之時，則以官爲雉媒而播弄之。官索錢糧於書吏之手，猶索食於虎狼之口，再四求之，而終不肯吐，所以積成巨虧，並非實欠在民，亦非官之侵蝕入己也。今年父親大人議定糧餉之事，一破從前包徵、包解之陋風，實爲官民兩利，所不利者，僅書吏耳。即見制臺留朱公，亦造福一邑不小，諸弟皆宜極力助父親大人辦成此事。惟捐銀彌虧，則不宜操之太急，須人人願捐乃可。若稍有勒派，則好義之事，反爲厲民之舉，將來或反爲書吏所藉口，必且串通劣紳，仍還包徵、包解之故智，萬不可不預防也。梁侍御處銀二百，月內必送去，凌宅之二百，亦已兌去，公車來，兌六、七十金，爲送親族之用，亦必不可緩。但京寓近極艱窘，此外不可再兌也。書不詳盡，餘俟續具，兄國藩手草。（咸豐元年九月初五日）

致四弟（自謂宦途風波，思抽身免咎）

澄侯四弟左右：頃接來緘，又得所寄吉安一緘，具悉一切。朱太守來我縣，王劉蔣唐往陪，而弟不往，宜其見怪。嗣後弟於縣城、省城，均不宜多去，處茲大亂未平之際，惟當藏身匿跡，不可稍露圭角於外，至要至要！

吾年來飽閱世態，實畏宦途風波之險，常思及早抽身，以免咎戾。家中一切，有關係衙門者，以不與聞爲

妙。（咸豐六年九月初十日）

致九弟（勸宜息心忍耐為要）

沅浦九弟左右：十二日申刻，代一自縣歸，接弟手書，具審一切。十三日未刻文輔卿來家，病勢甚重，自醴陵帶一醫生偕行，以是瘟疫之證，兩耳已聾，昏迷不醒，間作譫語，皆惦記營中。余將弟已赴營省城可籌半餉等事，告之四、五次，渠已醒悟，且有喜色。因囑其靜心養病，不必罣念營務，余代為函告南省、江省等語，渠亦即放心。十四日由我家雇夫送之還家矣。若調理得宜，半月當可痊愈，復原則尚不易易。陳伯符十二日來我家，渠因負疚在身，不敢出外酬應，欲來鄉為避地計。黃子春官聲極好，聽訟勤明，人皆畏之。弟到省之期，計在二十日，余日內甚望弟信，不知金八佑九，何以無一人歸來，豈因餉來未定，不遽遣使歸與？

弟性褊急似余，恐怫鬱或生肝疾，幸息心忍耐為要。玆趁便寄一緘，托黃宅轉遞，弟接到後，望專人送信一次，以慰懸懸！家中大小平安，諸小兒讀書，余自能一一檢點，弟不必罣心！（咸豐七年九月廿二日）

致九弟（注意綜理密微）

沅浦九弟左右：念二夜燈後，佑九金八歸，接到十五夜所發之信，知十六日已赴吉安，屈指計弟念四日當可抵營，念五、六當專人歸來。今日尚未到家，望眼又復懸懸，吉字中營，尚易整頓否？

古之成大事者，規模遠大，與綜理密微，二者闕一不可。弟之綜理密微，精力較勝於我，軍中器械，其略精者，宜另立一簿，親自記注，擇人而授之。古人以鎧仗鮮明，為威敵之要務，恆易取勝。劉峙衡於火器亦勤於修整，刀矛則全不講究，余曾派褚景昌赴河南採買白蠟桿子，又辦腰刀，分賞各將弁，人頗愛重，弟試留心此事，亦綜理之一端也。至規模宜大，弟亦講求及之。但講闊大者，最易混入散漫一路，遇事顢頃，毫無條理，雖大亦奚足貴。差等不紊，行之可久，斯則器局宏大，無有流弊者耳。頃胡潤之中丞來書賞弟，有曰才大器大四字，余甚愛之，才根於器，良爲知言。

湖口賊舟，於九月八日焚奪淨盡。湖口梅家洲，皆於初九日攻克。三年積憤，一朝雪恥，雪琴從此重遊浩蕩之宇。惟次青尙在坎窞之中，弟便中可與通音問也。潤翁信來，仍欲奏請余出東征，余頃復信，具陳其不宜，不知可止住否？

彭中堂復信一緘，由弟處寄至文方伯署，請其轉遞至京，或弟有書呈藩署，末添一筆亦可。李迪庵近有盟假回籍省親之意，但未接渠手信。渠之帶勇，實有不可及處，弟宜常與通信，殷殷請益。弟在營須保養，體，肝鬱最傷人，余平受累以此，宜和易以調之也。（咸豐七年十月初四日）

致諸弟（暫緩紀澤親事）

澄侯、溫甫、子植、季洪四弟足下：九月廿六日發一家信，想已收到。十月初十日接到家中閏月廿八所發信，及九月初二、九月十四所發各件，十二夜又於陳伯符處接得父親大人閏八月初七所發之信，係交羅羅山手轉寄者。陳伯符者，賀耦庚先生之妻舅也。故羅山託其親帶來京，得此家書四件，一切皆詳知矣。紀澤聘賀家姻事，觀閏八月父親及澄弟信，已定於十月訂盟，觀九月十四澄弟一信，則又改於正月訂請身而此間却有一點挂礙，不得不詳告家中者。京師女流之輩，凡兒女定親，最講究嫡出、庶出之分，內人聞賀家姻事，即託打聽，是否庶出，余以其無從細詢，亦遂置之。昨初十日接家中正月訂盟之音，十一日內人卽親至徐家打聽，知賀女實係庶出，內人卽甚不願，余比曉以大義，以爲嫡出、庶出，何必區別，且父親大人業已喜而應允，豈可復有他議？內人之意，以爲爲夫者，先有嫌妻庶出之意，則爲妻者，更有跼蹐難安之情，日後曲折情事，亦不可不早爲慮及，求諸弟宛轉稟明父母，倘須斟酌，暫緩訂盟爲要！

陳伯符於十月十日到京，余因內人俗意甚堅，即於十二日夜請賀禮庚、陳伯符二人至寓中，告以實情，求伯符先以書告賀家，將女庚不必遠送，俟再商定。伯符已應允明日即發書，十月底可到賀家。但兄前有書回家，親事求父親大人作主，今父親歡喜應允，而我乃以婦女俗見，從而撓惑，甚爲非禮，惟婚姻百年之事，必先求姑媳夫婦相安，故不能不以此層上瀆。即羅山處，亦可將我此信抄送一閱，我初無別見也。夏階平之女，內人見其容貌端莊，女工極精，甚思對之。又同鄉陳奉曾一女，相貌極爲富厚福澤，內人亦思對之。若賀家果不成，則此二處必有一成，明春亦可訂盟，余注意尤在夏家也。

京城及省城訂盟，男家必辦金簪、金環、玉鐲之類，至少亦須花五十金。若父親大人決意欲與賀家成親，則此數者亦不可少。家中現無錢可辦，須我在京中明年交公車帶回，七月間諸弟鄉試晋省之便，再行訂盟，亦不爲晚，望澄弟下次信詳以告我。祖父佛會，既於十月初辦過，則父母、叔父母四位大人，現已即吉，余恐尙未除服，故昨父親生日，外未宴客，僅內有女客二席。十一我四十晋一，則並女客而無之。

朱石樵爲官，竟如此之好，實可佩服！至於銃砂傷其面，尙勇往前進，眞不愧爲民父母。父親大人竭力幫助，洵大有造於我邑，諸弟苟可出力，亦必盡心相扶持。現在粵西未靖，萬一吾楚盜賊有乘間竊發者，得此好官，粗定章程，以後吾邑各鄉，自爲團練，雖各縣盜賊四起，而吾邑自可安然無恙，如秦之桃花源，豈不安樂！須將此意告邑之正經紳耆，自爲守助。

牧雲補廩，煩弟爲我致意道喜。季弟往凹裏教書，不帶家眷最好，必須多有人在母親前，乃爲承歡之道。季洪十日一歸省，亦盡孝之道也。而來書所云：「寡慾多男之理，亦未始不寓乎其中。」甲五讀書，總以背熟經書，常講史鑑爲要，每夜講一刻足矣。季弟看書，不必求多，亦不必求記，但每日有常，自有進境，萬不可厭常喜新，此書未完，忽換彼書耳。兄國藩手草。（咸豐元年十月十二日）

致諸弟（決對紀澤親事）

澄侯、溫甫、子植、季洪四位老弟足下：正月初八，接到十二月初旬父親大人所發二信，皆係在縣城發者，不勝忻慰！紀澤兒定婚之事，予於十二月連發三信，皆言十月十二所發之信，言姨賀女庶出之說，係一時謬誤，自知悔過，求諸弟為我敬告父親大人，仍求作主，決意對成，以諧佳耦。不知此二書俱已到家否？細思賀家簪纓門第，恐聞有前一說，懼其女將來過門受氣，或因此不願對，亦未可知？果爾則澄弟設法往省城，堅託羅羅山、劉霞仙二君，將內人性情，細告賀家，務祈成此親事，不敢陷我於不孝之咎。澄弟與朱堯階成親，余甚歡喜！我朋友最初之交，無過於堯階者，蓋今日姻緣，已定於二十年以前矣。魏家亦我境第一詩書人家，魏棟尙未到京，容當照拂一切也。

植弟買筆事，總在春間寄南，以備科考之用。若科考不在前三名，則不宜考優，無使學政笑我太外行也。關帝覺世經刷五百張，須公車回南，乃可付歸。陰隲文感應篇，亦須公車南去乃可帶。澄弟戒煙，正與阿兄同年，余以壬寅年戒煙，三十二也。澄弟去年亦三十二也。戒酒似可不必，三、兩杯以養血，未始不可，但不宜多耳。

去年帶回父親大人之干尖子皮褂，不知已做成否？若未做，可即做成，用月白緞子為面，今年當更寄白風毛褂回家，敬送與叔父大人。若父、叔二大人同日出門，則各穿一件。若不同出門，則薄寒穿干尖子，盛寒穿白風毛。予官至二品，而堂上大人衣服之少如此，於孝道則未盡，而彌足以彰堂上居家之儉德矣。

京寓大小平安，癬疾未發，文任吾先生於正月六日上學，其人理學甚深，今年又得一賢師。植弟勸我教澤兒學八股，其言甚切至有理。但我意要五經讀完，始可動手，計明年即可完經書，做時文，尙不過滿十四歲，京師教子十四歲開筆者甚多，若三年成篇，十七歲即可作佳文。現在本係廕生，例不准赴小考，擬令照我之樣，廿四歲始行鄉試，實可學做八股者十年，若稍有聰明，豈有不通者哉。若十九二十，即行鄉試，無論萬萬不中，即中得太早，又有何味。我所以決計命其明秋始學八股，廿四始鄉試也。九弟爲我稟告父親大人，實不爲遲，不必罣慮！

余近來常思歸家，今年秋間，實思挈眷南旋，諸弟爲我稟告堂上大人，春間即望一回信。九弟進京之說，暫時不必急急。同鄉諸家如故，餘容後日續寄，兄國藩手草。（咸豐二年正月初九日）

致九弟（遣歸長夫多名）

澄、溫、植三弟左右：澄弟有病，即可不必來此，此間諸事雜亂，澄弟雖來，亦難收拾，不如在家料理一切也。長夫來此者，至六十名之多，澄弟於此等處，不知節省，亦疎略也。茲一概遣歸，僅留十三名在此，如不好，倘須再遣回。

昨夜褚太守帶三營水師，至靖江勦賊，不知能得手否？塔周大勝仗歸來，余賞銀千兩，功牌百張，豬十口，酒五百斤，頗覺鼓舞。現惟鄧湘一營，難於收輯耳，餘不一一。（咸豐四年三月廿五日）

致諸弟（付回奏摺底稿）

澄侯、溫甫、子植、季洪四位老弟左右：十四日先後接到父親大人手諭及洪弟信，具悉一切。靖江之賊，現已全數開去，竄奔下游，湘陰及洞庭皆已無賊，直至岳州以下矣。新牆一帶土匪，皆已撲滅，惟通城、崇陽之賊，尚未勦淨，時時有窺伺平江之意。湘潭之賊，在一宿河以上，被燒上岸者，竄至醴陵、萍鄉、萬載一帶，聞又裹脅多人，不知其盡竄江西，抑仍回湖南瀏平一帶，如其回來，亦易勦也。安化土匪，現就未勦盡，想日內可平定。

吾於三月十八發岳州戰敗請交部治罪一摺，於四月初十日奉到硃批，另有旨；又夾片奏初五鄒國彪被火燒傷，初七大風壞船一条，奉硃批何事機不順若是，另有旨；又夾片奏探聽賊情各條，奉硃批覽，其片已存留軍機處矣。又有廷寄一道，諭旨一道，玆抄錄付回。十二日，會同撫臺提臺，奏湘潭、寧鄉、靖江、各處勝仗敗仗一摺，玆鈔付回，其摺係左季高所爲，又單銜奏靖江戰敗請交部從重治罪一摺，又奏調各員一片，均於十二日發六百里遞去，玆抄錄寄家，呈父、叔大人一閱。

兄不善用兵，屢失事機，實無以對聖主。幸湘潭大勝，保全桑梓，此心猶覺稍安。現擬修整船隻，添招練勇，待廣西勇到，廣東兵到，再作出師之計。而餉項已空，無從設法，艱難之狀，不知所終，人心之壞，處處使人寒心，吾惟盡一分心，作一日事，至於成敗，則不能復較計矣。

魏蔭亭近回館否？澄弟須力求其來，吾家子姪，半耕半讀，以守先人之舊，愼無存半點官氣，不許坐轎，不許喚人取水添茶等事。其拾柴收糞等事，須一一爲之；揷田蒔禾等事，亦時時學之，庶漸漸務本，而不習於淫佚矣。至要至要！千囑萬囑！（咸豐四年四月十四日）

致諸弟（儘可不必來營）

澄侯、溫甫、沅浦、季洪四弟足下：昨寄去一函，諒已收到。十五日接父大人手諭，敬知一切。兄每日黎明看操，現已閱看四日，專看戈什哈及親兵二種，然有所表率，他營亦將興起。父親大人命招湘鄉之原水手，趕緊前赴鄂省下遊。此時所患者，水手易添，船隻難辦；不特衡州新造之船，難以遽就，即在省之船，經屢次風波，屢次戰陣後，亦多有損壞者，修整難以遽畢。且廣西水勇，廣東水兵，皆於五月可到，不得不稍爲等候，整頓成軍，稍有把握，然後揚帆東下。

余近來因肝氣太燥，動與人多所不合，所以辦事多不能成。澄、沅近日肝氣尤旺，不能爲我解事，但爲我添許多脣舌爭端。軍中多一人，不見其益。家中少一人，則見其損。澄侯及諸弟以後儘可不來營，但在家中教訓後輩，半耕半讀，未明而起，同習勞苦，不習驕佚，則所以保家門而免劫數者，可以人力主之，望諸弟慎之又慎也！（咸豐四年四月十六夜書於長沙妙高峰）

致諸弟（廣東水師已到）

澄、溫、沅、洪四弟左右：屢日發家信數次，想已收到。實收換部照，須造清冊一本，大非易事，現命孫閬青經理此事，恐非二十日不能了。縱不能如請咨部功牌冊之精妙，亦不宜太草率也。三月廿二所發一摺，頃於四月廿日，接奉硃批並廷寄，茲照抄送回，呈堂上大人一閱。

廣東水師兵，已於廿一日到一百矣，洋礮亦到百尊。廣西水勇尚未到，衡州所造新船，聞甚不合用，頃有信與蕭可兄，令其略改也。蔭亭兄到館，請其催蔣侯兄速來，並告貴州徐河清、韓超、張禮度，並皆奏調來楚，均五月可到也，餘不一一。（咸豐四年四月廿一日）

致諸弟（不能威猛由於不精明）

澄、沅、洪三弟左右：三十日奉到父親大人手諭及三弟信件，具悉一切。長夫俱留在此，喫上頭飯，每日給錢百文，實無一事可勞其筋力，故不能不略減也。沅弟言我仁愛有餘，威猛不足，澄弟在此時亦常說及，近日友人愛我者，人人說及，無奈性已生定，竟不能威猛，所以不能威猛，由於不能精明，事事被人欺侮，故人得而玩易之也。

甲三之論，甲五之小講，已加批付回，科一、科三、科四之字俱好。科一請安稟，其字畫粗大，頗有乃父之風。季弟在益陽所領錢文，紳士文任吾等已料理清楚。在湘陰時，即在兄處領得實收，兄到岳州，忘告季弟耳。四月初一日與中丞會銜奏請調貴州、廣東兵，茲於廿六日奉到寄諭，抄錄付回，餘不一一。（咸豐四年五月初一日）

致諸弟（鄂兵久無餉銀）

澄、溫、季三弟侍右：初二日接奉寄諭，兄兩次請罪，倘止革職，不加嚴譴。鮑提軍革職，即以塔副將署提軍任。聖鑑之公明，天恩之高厚，實令人感激無地，茲抄錄付回。江釆七於三月自廬州回，初三到省，千辛萬苦，或三日而僅得兩飯，或數夜而不得一眠，亂世行路之難，眞奇難也。

在湖北時，得見魏召亭，光景甚窘，曾與釆五言及，萬一城破，當由大東門去避。湖北官弁兵勇，久無餉銀，眞不堪設想也。召亭家書一件付去，兄身體甚好，樹堂、雲仙、皆來此過節，專待衡州船到，廣西勇到，即配齊東下。塔智亭於初八日先帶陸勇三千餘人，至岳州去，餘不一一。（咸豐四年五月初四日）

致諸弟（長夫皆令回里）

澄、溫、沅、季四弟足下：昨發一信後，羅山即於初三到省。是日二更得信，周鳳山、李輔朝之勇，於廿九在龍陽得三勝仗；念九日夜，終宵鏖戰，不得休息；初一早一戰，即已潰敗。蓋紮營城外沙洲之上，是夜漲水侵入營盤，初一早營內水深尺餘，賊船三面環攻，共二千餘號之多，此時逃出營外，途中無船可渡，淹斃至二、三百人，軍器全失。周、李皆健將，此番大挫，尤焦灼也！

家中長夫春二等，皆不願遠出，茲皆令其回里，其工錢每月三十日，並未扣一日耳，餘不一一。（咸豐四年六月初四日）

致諸弟（廣西水勇到省）

澄、溫、沅、季老弟足下：昨寄一信，言周鳳山、李相堂、龍陽之敗，後接來稟，知周營千一百人中，實傷斃四十人，李營千人中，實斃九十人，尚不爲大挫。

胡詠芝初四由安化至桃源，一路剿賊，周、李即可同去。廣西水勇，李太守帶來，今日到省，若配齊船隻

，尙須十餘日，乃可行也，餘不一一。（咸豐四年六月初四日）

致諸弟（湖北業已失守）

澄、溫、沅、季老弟左右：湖北靑撫臺於今日入省城，所帶兵勇，均不准其入城，在城外二十里紮營，大約不過五、六千人，其所稱難民數萬，在後隨來者，亦未可信。此間供應數目，卽給與途費，令其至荊州另立省城，此實未有之變局也。

鄒心田處，已有札至縣撤委，前胡維峯言鄒心田可勸捐，余不知其卽至堂之兄也。昨接父親大人手諭，始知之，故卽札縣撤之，胡維峯近不妥當，亦必屛斥之。

余去年辦淸泉寧徵義寧宏才一案，其劵已送回家中，請澄弟査出，卽日付來爲要！湖北失守，李鶴人之父，想已殉難；鶴人方寸已亂，此刻無心辦事，日內尙不能起行，至七月初旬，乃可長征耳，餘不一一。

諸弟在家教子姪，總須有勤敬二字，無論治世、亂世，凡一家之中能勤能敬，未有不興者。不勤不敬，未有不敗者，至切至切！余深悔往日未能實行此二字也，千萬叮囑！澄弟向來本勤，但敬不足耳，閱歷之後，應知此二字不可須臾離也。（咸豐四年六月十八日）

致諸弟（令子姪見軍旅）

澄、溫、沅、季四位老弟左右：廿二日彭四到，接父親大人手諭及諸弟來信，欣悉一切。二十日摺差歸，閱京報，袁漱六於五月十三日引見，得御史，十五日，特旨放江蘇蘇州府遺缺知府，渠寫家信回，要其家專人至京，渠有多少事要交代。兄因各捐生事，亦欲造册專人至京，如袁家人去，卽與之同行也。余前摺奏捐事，部議已准，玆抄付回。

廣西水勇，於十八日殺死祁陽勇七人，日內嚴査逞凶下手之犯，必須按律嚴辦。湖北靑撫臺帶來之兵勇，大約二萬金，乃可了事，飢困之後，甚安靜不鬧事也。今擬於七月初六起行，甲三、甲五二人，可令其來省送我。蓋少年之人，使之得見水陸軍旅之事，亦足以長見識。且子姪送我，亦至理之不可少者也，書不一一。（咸豐四年六月廿三日）

致諸弟（述賊人數更多）

澄侯、溫甫、子植、季洪四弟足下：安五至，接到家書，具悉一切。自十八日一戰後，念一日陸路開仗，小有挫衄，諸殿元陣亡，千總劉士宜陣亡，餘兵勇傷亡廿餘人，賊亦殲斃數十人。二十六日賊從湖北糾集悍賊二萬人，由臨湘陸路前來，意欲撲塔周、羅山等之營盤，陸路既得，水路自然失勢，拚死攻撲，滿山滿坑，無非黃旗紅巾，比三月初十人數更多，幸撲山之湘勇得力，將頭起殺退，以後如周鳳山之營，楊名聲之營，亦俱奮勇殺賊，共七、八百名，此股賊來甚多，必有屢次血戰，東南大局，在此數日內可定，如天之福，陸路得獲大勝，水路亦可漸次壯盛也。帶水師者，有戰陣之險，有水波之苦，又有偷營放火之慮，時時提防，殊不放心，幸精神尚好，照料能周耳。霞仙定於本月內還家，渠在省實不肯來見，強之使來，兵凶戰危之地，無人不趨而避之。平日至交如馮樹堂、郭雲仙等，尚不肯來，則其他更何論焉。現除李次青外，諸事皆兄一人經理，無人肯相助者，想諸弟亦深知之也。

甄甫先生去年在湖北時，身旁僅一舊僕，官親、幕友、家丁、書差、戈什哈，一概走盡，此亦無足怪之事。兄現在局勢猶是有為之秋，不致如甄師處之蕭條已甚。然以此為樂地，而請人人肯欣然相從，則大不然也。兄身體如常，癬疾不作，乞禀告父、叔大人，千萬放心！（咸豐四年七月廿七日）

致諸弟（述陸路大獲勝）

澄、溫、植、洪四弟足下：初一日胡二春二維五至接父大人及諸弟手書，具悉一切。自念六日陸路大獲勝仗之後，念八日陸路又大勝，念九日水路大勝，賊自湖北漢黃以下，盡糾其精銳來岳，以與我軍相抗，念八日鏖戰至五個時辰之久，塔軍門匹馬衝突，忽東忽西，全軍士卒，無一人不俯首咋舌，稱爲神勇。

念九日辰刻接仗，塔公打中路，鳳山打西路，羅羅山打東路。羅山之湘勇，此次最爲出力，竟能以少勝多。我軍猛殺則賊退，敗退不過二里，輒迴戈相向，大殺一回，如是者三退三進，湘勇竟能抵住，不忙不亂，至第三次追去，賊亦不敢迴顧矣。周鳳山之勇，楊名聲之勇，皆極勇敢向前，一可當十，是日自辰至申，殺賊共計五百餘人，賊自敗奔，跌巖墜澗死者，其數尚多。

水師於未刻至諶隆磯，適有賊船上來，開礮轟擊，賊舟奔退，乘勝追下，至擂鼓臺，燒賊船約二十餘號，奪獲賊船約二十餘號，殺斃、溺斃之賊，約千餘人，蓋是日凶悍之賊，皆已上岸，每船僅留二、三賊在船，餘皆被擄之水手，一見官兵開礮轟擊，賊與水手，紛紛撲水自溺，故我軍愈得勢也。三十、初一日水師皆出隊擊賊，三十日未甚交鋒，初一日李鶴人一營在前攻剿，擊斷陳鎮軍之舊拖罟船頭桅，斃賊十餘人。陸營經廿六、廿八、九日三次血戰之後，二日內未開仗，現在陸營有六、七分可靠，水營有四、五分可靠，擬再備杉板數十號，小漁划一百號，出隊開仗時，散佈滿河拋擲火毬，以亂賊心，或更有濟。餘不一一，即乞稟告父、叔大人千萬放心！（咸豐四年閏七月初二日）

致諸弟（即日移營前進）

澄侯、溫甫、子植、季洪足下：自初二日陸路連踢賊營，十三夜奪獲馬騾七、八百匹，軍械二千餘件，是夜水師進追四十里，賊船捨命奔逃，初三日又追百餘里，賊棄舟登岸者甚多，初四日追至六溪口，追得賊船十餘號，開礮轟擊，賊僅放數礮抵拒，旋即登岸逃走。我軍入口內支河搜剿，得賊船百數十號，一見我軍關礮圍攻，即紛紛棄舟而去，軍士爭欲搶船，楊載福下令止許焚燒，不許搶奪，遂將百餘船一炬焚之。是夜將士搜河三十里，通宵未睡，次早仍回新堤螺山駐紮。以小划探至金口，皆無賊船，自金口至武昌六十里，不知賊船尚存若干，此番若能乘勝直追下去，武漢竟易收復。可惜我水師尚須添募，船礮亦未齊全，陸路之兵，尚無糧臺隨行，不能遽進。連日北風甚大，亦難東下，風稍息，余即進紮螺山也。玆遣人送回一信，即日移營前進，求堂上大人放心，餘不一一。（咸豐四年閏七月初九日）

致諸弟（述賊不能水戰）

澄、溫、沅、洪四弟左右：兄於初十日開船，十一日巳刻至螺山，去岳州八十里，楊載福、蕭捷山兩營，已下駐紮新堤，去螺山又四十五里；楊、蕭於十一夜入倒口黃介湖內搜剿餘賊，賊僅開十餘礮，即紛紛登岸逃走，各哨官謹遵我不許搶貨之令，將六十餘號空船，一概焚燒，岸上百姓，焚香於辦頂，跪岸上歡迎，呼各勇為青天大人，各勇每見一人如此，即得稱呼，高興之至。倒口湖內既已搜剿，其下六溪口亦經搜剿。金口以上，已無賊蹤，自金口六十里至武昌，尚未探明。

大抵賊於水戰一事，極為無能；渠所用者民船，每放一礮，全身震破，所擄水手，皆不願在賊中久住，又以所擄百姓，令其勉强打槳，勉强扶柁，皆非其所素習，即兩次得我之船，得我之礮，皆我兵勇自先上岸，情願將船礮丟棄與他，是以大敗。若使我兵勇自顧其船，不將船礮送他，渠亦斷不能攏來追我，此屢次打仗，衆勇所親見而熟知者。渠得我之戰船、洋礮，並不作水戰之用，以洋礮搬於岸上紮營，而戰船或鑿沉江心，或自焚以逃，亦未收戰船之用。惟賊中所擅長制勝者，在漁划百餘號，每戰四出圍繞，迷目驚心，此次余亦辦得小漁划百廿號，行走如飛，以後我軍見賊小划，或不致驚慌耳。

衡州捐項，究竟何如？便中可一打聽。永豐大布，厚而不貴，吾意欲辦好帳房五百架，寬大結實，以爲軍士禦天之用。澄弟若可承辦此事，望與堯階細商，即在本邑捐項內支用。餘不一一，望敬稟父親大人，叔父大人，軍中忽忙，不及楷稟也。（咸豐四年閏七月十四日）

致諸弟（宜注重勤敬和更宜注意淸潔戒怠惰）

澄侯、溫甫、子植、季洪四弟足下：久未遣人回家，家中自唐二、維五等到後，亦無信來，想平安也。余於念九日自新堤移營，八月初一日至嘉魚縣，初五日自坐小舟，至牌洲看閱地勢，初七日即將大營移駐牌洲。水師前營、左營、中營，自閏七月念三日駐紮金口，念七日賊匪水陸上犯，我陸軍未到，水軍兩路堵之，搶賊船二隻，殺賊數十人，得一勝仗。羅山於十八、念三、念四、念六等日，得四勝仗，初四發摺，俱詳敘之，茲付回。初三日接上諭廷寄，余得賞三品頂戴，現具摺謝恩，寄諭並摺寄回。

余居母喪，並未在家守制，淸夜自思，跼蹐不安。若仗皇上天威，江面漸次肅淸，即當奏明回籍，事父祭母，稍盡人子之心。諸弟及兒姪輩，務宜體我寸心，於父親飲食起居，十分檢點，無稍疏忽；於母親祭品禮儀，必潔必誠；於叔父處敬愛兼至，無稍隔閡；兄弟姒娣，總不可有半點不和之氣。凡一家之中，勤敬二字，能守得幾分，未有不興，若全無一分，無有不敗。和字能守得幾分，未有不興，不和未有不敗者，諸弟試在鄉間，將此三字於族戚人家，歷歷驗之，必以吾言爲不謬也。

諸弟不好收拾潔淨，比我尤甚，此是敗家氣象，嗣後務宜細心收拾，即一紙一縷，竹頭木屑，皆宜檢拾，以爲兒姪之榜樣。一代疎懶，二代淫佚，則必有晝睡夜坐，吸食鴉片之漸矣。四弟、九弟較勤，六弟、季弟較懶，以後勤者愈勤，懶者痛改，莫使子姪學得怠惰樣子，至要至要！子姪除讀書外，教之掃屋，抹桌櫈，收糞鋤草，是極好之事，切不可以爲有損架子而不爲也。（咸豐四年八月十一日）

致諸弟(自述不願受官，注意勿使子姪驕佚)

澄、溫、沅、季四位老弟左右：念五日著胡二等送家信，報收復武漢之喜。念七日具摺奏捷，初一日制臺楊慰農霈到鄂相會，是日又奏念四夜焚襄河賊舟之捷，初七日奏三路進兵之摺，其日酉刻，楊載福、彭玉麟等，率水師六十餘船，前往下游剿賊，初九日前次謝恩摺，奉硃批到鄂，初十日彭四、劉四等來營，進攻武漢三路進剿之摺，奉硃批到鄂。

十一日武漢克復之摺，奉硃批廷寄諭旨等件，兄署湖北巡撫，並賞戴花翎，兄意母喪未除，斷不敢受官職，若一經受職，則二年來之苦心孤詣，似全為博取高官美職，何以對吾母於地下，何以對宗族鄉黨，方寸之地，何以自安，是以決計具摺辭謝，想諸弟亦必以為然也。

功名之地，自古難居，兄以在籍之官，募勇造船，成此一番事業，名震一時，人之好名，誰不如我，我有美名，則人必有受不美之名者，相形之際，蓋難為情，兄惟謹慎謙虛，時時省惕而已。若仗聖主之威福，能速將江西肅清，蕩平此賊，兄決意奏請回籍，事奉吾父，改葬吾母，久或三年，暫或一年，亦足稍慰區區之心，但未知聖意果能俯從否？諸弟在家，總宜教子姪守勤敬，吾在外，既有權勢，則家中子姪，最易流於驕，流於佚，二字、皆敗家之道也。萬望諸弟刻刻留心，勿使後輩近於此二字，至要至要！

羅羅山於十二日拔營，智亭於十三日拔營，余十五、六亦拔營東下也。餘不一一，乞稟告父親大人、叔父大人萬福金安。（咸豐四年九月十三日）

致諸弟(告戰事情況及聘請明師)

澄侯、溫甫、子植、季洪四位老弟左右：胡二等初一日到營，接奉父大人手諭及諸弟信，具悉一切。兄於二十日在漢口起行，二十一日至黃州，二十二日至堵城，以羊一豕一為文祭吳甄甫師。二十三日過江至武曾縣，二十四在巴河晤郭雨三之弟，知其兄觀亭在山西，因屬邑失守革職。雨三現署兩淮鹽運使，二十九日至蘄州，是月水師大戰獲勝。

初一、初四、初五，陸軍在田家鎮之對岸半壁山大戰獲勝；初九、初十、水師在蘄州開仗小勝；十三日水師大破田家鎮賊防，燒賊船四千餘號，自有此軍以來，陸路殺賊之多，無有過於初四之戰。水路燒船之多，無有過於十三之役。現在前幫已至九江，吾尚駐田家鎮，離九江百五十里，陸路之賊，均在廣濟、黃梅一帶，塔羅於念三日起行往剿，一切軍事之詳，均具奏報之中，茲並抄錄寄回，祈敬呈父親大人、叔父大人一覽。劉一、良五於廿日至田家鎮，得悉家中老幼均安，甚慰甚慰！

魏蔭亭先生既來軍中，父大人命九弟教子姪讀書，而九弟書來堅執不肯，欲余另請明師，余意中實乏明師可以聘請。日內與霞仙及幕中諸君子熟商，近處惟羅研生兄，是我心中佩仰之人。其學問俱有本原，於說文音學輿地，尤其所長，而詩古文辭及行楷書法，亦皆講求有年。吾鄉通經學古之士，以鄒叔續為最，而研生次之，其世兄現在余幕中，故請其寫家信聘研生至吾鄉教讀。

研兄之繼配陳氏，與耦庚先生為聯襟，渠又明於風水之說，並可在吾鄉選擇吉地，但不知其果肯來否？渠現館徐方伯處，未知能辭彼就此否？若果能來，足開吾邑小學之風，於溫甫、子植，亦不無裨益。若研兄不能來，則吾心中別無他人。植弟堅不肯教，則乞諸弟為訪擇一師而延聘焉，為要。甲三、甲五可同一師，不可分開，科一、科三、科四、亦可同師，餘不一一，諸俟續布。(咸豐四年十月廿二日)

致諸弟(帶歸卒歲之資及告軍中聲名極好)

澄侯、溫甫、子植、季洪四位老弟足下：廿五日遣春二、維五歸家，曾寄一函，並諭旨奏摺二冊。廿六日水師在九江開仗獲勝，陸路塔羅之軍，在江北蘄州之蓮花橋，大獲勝仗，殺賊千餘人，廿八日克復廣濟縣城，初一日在大河埔大獲勝仗，初四日在黃梅城外，大獲勝仗，初五日克復黃梅縣城。該匪數萬，現屯踞江岸之小池口，與九江府城相對。塔羅之軍，即日追至江岸，即可水陸夾擊，能將北岸掃除，然後可渡江以剿九江府之賊。自至九江後，即可專夫由武寧以達平江、長沙。

茲因魏蔭亭親家還鄉之便，付去銀一百兩，爲家中卒歲之資，以三分計之：新屋人多，取其二以供用。老屋人少，取其一以供用。外五十兩一封，以送親族各家，即往年在京寄回之舊例也。以後我家光景略好，此項斷不可缺，家中却不可過於寬裕，因處亂世，愈窮愈好。

我現在軍中聲名極好，所過之處，百姓爆竹焚香跪迎，送酒米豬羊來犒軍者，絡繹不絕。以祖宗累世之厚德，使我一人食此隆報，享此榮名，寸心兢兢，且愧且懼！現在但願官階不再進，虛名不再張，常保此以無咎，即是持家守身之道。至軍事之成敗利鈍，此關乎國家之福，吾惟力盡人事，不敢存絲毫僥倖之心，諸弟禀告堂上大人，不必懸念！

馮樹堂前有信來，要功牌百張，茲亦交蔭亭帶歸，望澄弟專差送至寶慶，妥交樹堂爲要。衡州所捐之部照，已交朱峻明帶去，外帶照千張，交郭雲仙，從原奏之所指也。朱於初二日起行，江隆三亦同歸，給渠錢已四十千，今年送親族者，不必送隆三可也，餘不一一。（咸豐四年十一月初七日書於武穴舟中）

致諸弟（軍事愈辦愈難）

前信已封，而春二於廿五到營，接奉父大人手諭及諸弟信，敬悉一切。曾祖生以本境團練派費之事，而必求救於百里之外，以圖免出資費，其居心不甚良善。劉東屏先生接得父大人手書，此等小事，何難一笑釋之，而必展轉辨論，拂大人之意，在尋常人尚不能無介介於中，況大人兼三達尊，而又重以世交，言不見信，焉能不介懷耶！望諸弟曲慰大人之意，大度含容，以頤天和，庶使遊子出外，得以安心治事。所有來往信件，謹遵父諭，即行寄還。

吾自服官及近年辦理軍務，中心常多鬱屈不平之端，每效母大人指腹示兒女曰：「此中蓄積多少閒氣，無處發洩」。其往年諸事，不及盡知。今年二月在省城河下，凡我所帶之兵勇僕從，每次上城，必遭毒罵痛打，此四弟、季弟、所親見者。謗怨沸騰，萬口嘲譏，此四弟、季弟、所親聞者。自四月後，兩弟不在此，景況更有令人難堪者，吾惟忍辱包羞，屈心抑志，以求軍事之萬有一濟。現雖屢獲大勝，而愈辦愈難，動輒招尤。倘賴聖主如天之福，殲滅此賊，吾實不願久居宦場，自取煩惱。四弟自去冬以來，亦屢遭求全之毀，蜚來之謗，幾於身無完膚，想宦途風味，亦深知之而深畏之矣。溫弟、季弟來書，常以保舉一事，疑我之有吝於四弟者，是亦不諒我之苦衷也。

甲三從師一事，吾接九弟信，辭氣甚堅，即請研生兄，以書聘之，今尚未接回信，然業令其世兄兩次以家信催之，斷不可更有變局。學堂以古老坪為妥，研兄居馬托鋪鄉中，亦山林寒苦之士，決無官場習氣。至甲三天分本低，若再以全力學八股試帖，則他項學業，必全荒廢，吾決計不令其學作八股也。曾兆安、歐雖鈺，皆已保舉教官，日內想可奉旨。（咸豐四年十一月廿七日）

致諸弟（水師陷入內河）

澄侯、溫甫、子植、季洪四位老弟足下：久未專使回家，想家中極為懸念！王芝三等到營，得悉家中大人福安，闔宅平善，甚慰甚慰！我軍自破田家鎮後，滿擬九江不日可下，不料叛賊堅守，屢攻不克。分羅山湘營至湖口，先攻梅家洲堅壘，亦不能克，而士卒力戰於槍礮如雨之中，死傷甚衆。蓋陸路銳師，倏變為鈍兵矣。

水師自至湖口，屢獲大勝，苦戰經月，傷亡亦復不少。臘月十二日，水師一百餘號，輕便之船，精銳之卒，衝入湖口小河內，該逆頓將水卡堵塞，在內河者不能復出，在外江之老營船隻，多笨重難行，該逆遂將小划乘夜放火，燒去戰船民船四、五十號之多，廿五日又被小划偷襲，燒去搶去各船至二、三十號之多，以極盛之水師，一旦以百餘號好船，陷入內河，而外江水師，遂覺無以自立，兩次大挫，而兄之座船被失，一軍耳目所在，遂覺人人惶愕，各船紛紛上駛，自九江以上之隆平、武穴、田家鎮，直至蘄州，處處皆有敗船，且有棄船而逃者。糧臺各所之船，水手盡行逃竄，此等情景，殊難為懷。現率殘敗之水師，駐紮九江城外官牌夾，兄住羅山陸營之內，不知果能力與此賊相持否？

兄於廿五日蒙恩賞穿黃馬掛，並頒賜貂皮黃馬掛一件，四喜班指一個，白玉巴圖魯翎管一個，小刀一把，火鐮一個，廿六夜蒙恩賞福字一幅，大小荷包三對，又有奶餅菓食等件，頒到軍營。廿五夜之變，將班指翎管小刀火鐮失去，茲遣人送回黃馬掛一件，福字一幅，荷包三對。兄船上所失書籍、地圖、上諭、奏章及家書等件，甚為可惜！而兩年以來，文案信件如山，部照實收攻牌賬目，一併失去，尤為可惜！莘田叔解戰船來，離大營止少一、二日，竟不能到，軍家勝敗，本屬無常，而數年辛苦，難補涓埃，未免心結。廿九日羅山率湘勇渡江，剿小池口之賊，又見挫敗，士氣愈損。現惟力加整頓，挽回元氣，不審能如意否？茲遣長夫自江西送信回家，當無梗阻，書不一一，諸惟心照，即祈代稟堂上大人不必罣念！（咸豐五年正月初二日）

致諸弟（至江西整頓戰船）

澄侯、溫甫、子植、季洪老弟足下：初二日遣人送信回家，想節後可到。

初四日大風擊壞戰船三十餘號，水師自十二日百餘輕便之舟，二千精銳之卒，陷入內湖，外江老營，兩次被賊用小划燒襲，業已不能自立，終日惶惶，如坐針氈。又復遭此大風，遂至數開赴上游武漢等處，桅折桿擢，多不堪戰，不知回至上游，果尙足以禦賊否？

兄因小舟陷入江西內河者，皆向來能戰之船，不甘遽棄之無用之地，必須親至江西整頓；即於十二日自九江起行，十六日至江西省城，官紳相待甚好，在內之百餘船，尙皆完好，兩加大船數十號，另成一軍，即足自立。羅山所帶湘勇，自二十九日挫敗後，現在淘汰整頓，認眞操練。塔公所帶之兵勇，亦日日操練，將來兄在江西另成之水軍，由湖口打出，與塔、羅相依護，其外江新回武漢之水師，如果能重整勁旅，則兩路會合攻擊；如不能重整勁旅，則我專治內河之水師，亦自能獨立不懼。江西物力尙厚，供我水陸兩軍口糧，大約足支八個月。

兄身體甚好，惟左腰有寒氣作痛，癬疾亦尙未愈，想皆不久可痊。家中長夫，相住甚遠，軍中危地，恐小有差失，反爲不妙。且送信行走極緩，在營又無事可幹，玆盡遣回家。以後若有家信，即用湘鄉縣官封，發至江西南昌府署中，可以必到，兼可速到，不似長夫專送之遲延也。愼勿再令長夫來營，兵凶戰危，我境之人，俱未歷過險難。莘田叔此次行二十里，竟不能見我之面，受盡千驚萬苦，實實可憫！嗣後族戚有願至營者，相勸不必前來，至要至要！書不一一，諸惟心知，其不詳者，長夫自能面述耳。（咸豐五年正月十八日書於江西省城）

致諸弟（認眞操練水師）

澄侯、溫甫、子植、季洪四弟足下：久未接家信，想堂上大人安康，家中老幼清吉，爲慰！自北省再陷，兄處一軍，反在下游，進退兩難。在內湖之水師，兄在江西駐紮兩月，造船添勇，已有頭緒，現在船近二百號，勇逾三千人，認眞操練，可成勁旅。兄於十三日出省登舟，郭雲仙於十六日到營，會莘田、易敬臣兄弟於十五日到營，羅雲皐於初旬到營，事機不順，而來者偏衆，可見鄉間窮苦也。陽陵雲初旬歸去，余送途費八兩。魏蔭亭尚未歸。塔軍門尚紮九江。羅山於初十日進勦廣信饒州之賊。李次青忽然高興帶勇，於十一日起行赴南康府，實非其所長也。

余辦內湖水師，即以鄱陽湖爲巢穴，間或出江勦賊，亦不過以三分之一，與賊鏖戰。勦上游則在九江、武穴、田家鎮處游弋，不出湖口二百里之外，利則交戰，不利亦退回鄱陽湖巢穴之內。勦下游則在彭澤、望江、安慶等處游弋，亦不出湖口二百里之內，利則交戰，不利則亦退鄱陽湖巢穴之內。如此辦理，則上游武漢之賊，與下游金陵之賊，中間江路，被我兵梗阻一段，其勢不能常通，亦足以制賊之命。特上游金口等處，我軍戰船，無人統領，常不放心耳。

近日吾鄉人心慌亂否？去年遷避，終非善策。如賊竄上游岳、常等處，謠言四起，總以安居不遷爲是。季洪弟儘可不必教書，宜在家中讀書。沅弟要方望溪姚姬傳文集，霞仙已代爲買得，可用心細看，能閱過一遍，通加圈點，自不患不長進也。紀澤兒記性平常，不必力求背誦，但宜常看生書，講解數遍，自然有益。八股文試帖詩，皆非今日之急務，儘可不看不作。史鑑略熟，宜因而加功看朱子綱目一遍爲要。紀鴻亦不必讀八股文，徒費時日，實無益也。修身齊家之道，無過陳文恭公五種遺規一書，諸弟與兒姪輩皆宜常常閱看。吾之衣服有在家者，可交來人即日送營，特袍掛不宜帶來，餘皆可送也。諸不一一，惟祈心照！(咸豐五年三月二十日在江西省城七里港舟中書)

致諸弟(讀書不必求熟)

澄、溫、沅、洪四弟足下：二十五日春二維五來營，接家書數件，具悉一切。乘敗仗之時，兵勇搶劫糧臺，此近年最壞風氣，向帥營中屢屢見之，而皆未懲辦。兄奏明將萬瑞書即行正法，奉旨嚴飭駱中丞即行正法，聞駱中丞不欲殺之，將附片奏請開釋，近日意見不合，辦事之難如此。

吾癬疾大發，幸精神尚足支持。羅山在廣信府大獲勝仗，殺賊三、四千，塔軍門在九江平安。紀澤兒讀書，記性平常，讀書不必求熟，且將左傳禮記於今秋點畢，以後聽兒之自讀自思，勤惰成敗，兒當自省而圖自立焉。吾與諸弟惟思以身垂範，而教子姪不在誨言之諄諄也，即候近祺。（咸豐五年三月廿六日）

致諸弟（營中需才孔亟）

澄、溫、沅、季四位賢弟左右：於十六日在南康府接父親手諭，及澄、沅兩弟紀澤兒之信，係劉一送來，二十日接澄弟一信，係林福秀由縣送來，具悉一切。

余於十三日自吳城進紮南康；水師右營、後營、嚮道營，於十三日進紮青山；十九日賊帶礮船五、六十號，小划船百六十號，前來撲營，鏖戰二時，未分勝負。該匪以小划二十餘號，又自山後攢出，襲我老營。老營戰船，業已全數出隊，僅坐船水手數人，及僱民船水手，皆逃上岸，各戰船哨官見坐船已失，遂爾慌亂，以致敗挫。幸戰船礮位，毫無損傷，猶為不幸中之大幸。且左營定湘營尚在南康，中營尚在吳城，是日未與其事，士氣依然振作，現在六營三千人，同泊南康，與陸勇平江營三千人相依護，或可速振軍威。現在余所統之六軍：塔公帶五千人在九江，羅山帶三千五百人在廣信一帶，次青帶平江營三千人在南康，業已成為三枝，人數亦不少。趙玉班帶五百湘勇來此，若獨成一枝，則不足以自立。若依附塔軍，依附羅軍，則去我仍隔數百里之遠。若依附平江營，則氣類不合，且近來口糧，實難接濟。玉班之勇，可不必來，玉班一人獨來，則營中需才孔亟，必有以位置之也。

蔣益澧之事，唐公如此辦理甚好，密傳其人家詳明開導，勒令繳出銀兩，足以允我人心，面面俱圓，請藾翁即行速辦。但使探驪得珠，即輕輕著筆，亦可以速辦矣。

此間自水師小挫後，急須多辦小划以勝之，但乏能管帶小划之人，若有實能帶小划者，打仗時並不靠他衝陣，只要開仗時，在江邊攛出攛入，眩賊之眼，助我之勢，即屬大有裨益。吾弟若見有此等人，或趙玉班能薦此等人，即可招募善駕小划之水手一百餘人來營。馮玉珂所繳水勇之槍銀，及各項應繳之銀，可酌用爲途費也。

余在營平安，精神不足，惟癬疾未愈，諸事未能一一照管，小心謹慎，冀盡人事，以聽天命。諸不詳盡，俟續布。（咸豐五年四年二十日書於南康城外水營）

致諸弟（打單眼銃數竿）

澄、溫、沅、季四弟左右：二十二日齊三昂十到營，奉到父親大人手諭，並沅弟一信。廿三日接澄弟在縣官封一信，乃三月二十五日所發，比齊三等之信遲十六日。

水師自十九日小挫，日內未開仗。聞都昌有賊船，派船二十號前往搜勦，廿二日燒船八十餘號，廿三日燒三十餘號，皆賊所擄之民舟也。李次青所帶之平江陸勇，現紮南康，護衛水師。魏蔭亭回衡招小划水勇，請黼可卿同辦。

吾鄉有三眼銃，亦有單眼銃，響振山谷。吾意單眼銃，若裝子彈於內，盡可打賊。鄉間用木削尖，往往打得四、五十丈遠，請澄弟在吾鄉打單眼銃數竿，用硬木爲把，試裝銅拍小石之類於內，是否可打半里路遠，如其合用，即可多打數十竿，或百竿，交魏蔭亭之水勇帶來，其錢由兄營寄回。

兄近日身體尙好，惟火氣甚旺，癬疾未愈。莘田在營，安靜謹慎，馮玉珂亦穩實也。餘不一一，容俟續具。（咸豐五年四月廿五日）

致諸弟（難以打出湖口）

澄侯、溫甫、子植、季洪四位老弟足下：春二維五來營，接奉父親大人手諭，並諸弟信函，敬悉一切。此聞自五月十三日水戰獲勝後，三十日該逆七十餘舟，上犯至青山一帶，我軍出隊迎敵，又獲勝仗，奪回余去年所坐之拖罟船外，又奪賊戰船五隻，軍心為之一振。六月初七日、初九夜兩次風暴，營中壞船十餘號，應修整者二十餘號。

十三日派人至南康對岸之徐家埠，水陸搜勦；其地去湖口縣七十里，賊匪督率土匪，在該處收糧，誅求無度，民不聊生。因派水陸六百人搜勦前往，眞賊十餘，率土匪三百人，與我軍接仗，僅開兩排槍，該匪卽敗竄。追奔十餘里，焚賊館十餘所，焚輜重船百餘隻，擊斃十餘人，生擒七人。十四收隊回南康，十五日水師至湖口，探看賊營情形，該匪堅匿不出。迨我軍疲乏將歸，逆船突出大戰，我軍未約定開戰，人心忙亂，遂致挫敗。被該匪圍去長龍船一號，杉板船二號，三船共陣亡五十人，受傷二十餘人，軍士之氣，為之一減。今年內河水師，共開四仗，兩勝兩敗，湖口一關，竟難遽行打出，不勝焦灼！塔軍門在九江，十三日打一勝仗，殺賊三百餘人，亦無益於大局也。

自義寧州失守，不特江西省城戒嚴，而湖南亦有東顧之憂。蓋義寧與平江、瀏陽接壤，賊思由此路窺伺長沙。羅山現回江西省，擬卽日進攻義寧，以絕兩省腹心之患。若能急急克復，則桑梓有安枕之日。否則三面受敵，湖南亦萬難支持，大亂之弭，豈盡由人力，亦蒼蒼者有以主之耳。

余癬疾未愈，用心尤甚，夜不成寐，常恐耿耿微忱，終無補於國事。然辦一日事，盡一日心，不敢片刻稍懈也。陳竹伯中丞，辦理軍務，不愜人心，與余諸事亦多齟齬，凡共事和衷，最不易易。澄弟倘在外辦公事否？宜以余為戒，杜門不出，謝却一切。余食祿已久，不能不以國家之憂為憂，諸弟則盡可理亂不聞也。子姪輩總宜教之以勤，勤則百弊皆除，望賢弟留心！卽問四位老弟近好。（咸豐五年六月十六日）

致諸弟（調彭雪琴來江）

澄侯、溫甫、子植、季洪四位老弟左右：劉朝相來營，得植弟手書，具悉一切。內湖水師自六月十五日開仗後，至今平安。本擬令李次青帶平江勇，渡鄱陽湖之東，與水師會攻湖口，奈自六月底至今十日，大風不克東渡，初四日風力稍息，平江勇登舟，甫經解纜，狂飆大作，旋即折回，弁勇衣被帳棚，寸縷皆濕，天意茫茫，正未可知，不知湖口之賊，運數不宜遽滅乎？抑此勇渡湖，宜致敗挫，故特阻其行，以全此軍乎？現擬俟月半後，請塔軍渡湖會勦。

羅山進攻義寧，聞初四日可止界上，初五、六日當可開仗。湖南三面用兵，駱中丞請羅山帶兵回湘，業經入奏，如義寧能攻破，恐羅山須回湖南，保全桑梓，則此間又少一枝勁旅矣。內湖水師，船礮俱精，特少得力營官，現調彭雪琴來江，當有起色。

鹽務充餉，是一大好事，惟浙中官商，多思專利，邵位西來江，會議已有頭緒，不知渠回浙後，彼中任事人能允行否？舍此一籌，則餉源已竭，實有坐困之勢。東安土匪，不知近日如何？若不犯邵陽界，則吾邑尚可不至震驚。帶軍之事，千難萬難，澄弟帶勇至衡陽，溫弟帶勇至新橋，幸託平安。嗣後總以不帶勇為妙。吾閱歷二年，知此中搆怨之事，造孽之端，不一而足，恨不得與諸弟當面一一縷述之也。

諸弟在家，侍奉父親，和睦族黨，盡其力之所能為。至於團練帶勇卻不宜。澄弟在外已久，諒知吾言之具有苦衷也。寬二弟去年下世，未寄奠分，至今歉然於心，茲付回銀廿兩，為寬二弟奠金，望送交任尊叔夫婦手收。

植弟前信言身體不健，吾謂讀書不求强記，此亦養身之道。凡求强記之者，尚有好名心橫亙於方寸，故愈不能記。若全無名心，記亦可，不記亦可，此心寬然無累，反覺安舒，或反能記一、二處，亦未可知。此余閱歷語也，植弟試一體驗行之。餘不一一，即問近好。（咸豐五年七月初八日）

致諸弟(陸軍勢已不支)

澄侯、溫甫、子植、季洪老弟足下：十四日良五、彭四回家，寄去一信，諒已收到。嗣羅山於十六日回剿武漢，霞仙亦即同去，近接武昌信息，知李鶴人於八月初二日敗挫，金口陸營，被賊蹋毀，胡潤芝中丞，於初八日被賊蹋破奓山陸營，南北兩岸陸軍皆潰，勢已萬不可支，特水師尚足自立。

楊彭屯紮沌口，計羅山一軍，可於九月初旬抵鄂，或者尚有轉機。即鄂事難遽旋轉，而羅與楊彭水陸依護，防禦於岳鄂之間，亦必可固湘省北路之藩籬也。內湖水師，自初八日以後，迄未開仗，日日操練。次青尚紮湖口，周鳳山尚紮九江，俱屬安謐。

葛十一於初八日在湖口陣亡，現在尋購尸首，尚未覓得，已奏請照千總例賜卹，將來若購得尸骸，當為之送柩回里；如不可覓，亦必醵金寄卹其家。此君今年大病數月，甫經全愈，尚未復元，即行出隊開仗，人勸之勿出，堅不肯聽，卒以力戰捐軀，良可傷憫，可先告知其家也。

去年臘月廿五夜之役，監印官潘兆奎與文生葛榮冊，同坐一船，均報陣亡，已入奏請卹矣。頃潘兆奎竟回至江西，云是夜遇漁船撈救得生，則葛元五或尚未死，亦未可知，不知其家中有音耗否？

癬疾稍愈，今年七、八兩月最甚，諸事廢弛，餘俟續布，順問近好。(咸豐五年八月廿七日書於南康軍中)

致諸弟(喜九弟得優貢)

澄侯、溫甫、子植、季洪四位老弟足下：廿六日王如一朱梁七至營，接九月初二日家書，廿九日劉一彭四至營，又接十六日家書，具悉一切。沅弟優貢喜信，此間廿三日彭山屺接家信，即已聞之，廿七日得左季高書，始知其實，廿九日得家書乃詳也。沅弟寄信在省，來江西大營甚便，何以無一字報平安耶？十月初當可回家，為父親叩祝大喜。各省優貢朝考，向例在明年五月，沅弟可於明年春間進京。若由浙江一途，可便道由江西至大營兄處聚會。吾有書數十箱在京，無人照管，沅弟此去，可經理一番。

自七月以來，吾得聞家中事，有數件可爲欣慰者：溫弟妻妾，皆有夢熊之兆，足慰祖父母於九京，一也。家中婦女，大小皆紡紗織布，聞已成六、七機；諸子姪讀書尙不懶惰，內外各有職業，二也。闔境豐收，遠近無警，此間兵事平順，足安堂上老人之心，三也。今又聞沅弟喜音，意吾家高曾以來，積澤甚長，後人食報，更當綿綿不盡，吾兄弟年富力强，尤宜時時內省，處處反躬自責，勤儉忠厚，以承先而啓後，互相勉勵可也。

內湖水師，久未開仗，日日操練，夜夜防守，頗爲認眞。周鳳山統領九江陸軍，亦尙平安。李次青帶平江勇三千在蘇垣渡，去湖口縣十里，頗得該處士民之歡心。茶陵州土匪，聞竄擾江西之蓮花廳，永新縣境內，吉安人心震動，頃已調平江勇六百五十人前往勦辦，又派水師千人往吉防堵，河道或可保全。

余癬疾迄未愈，幸精神尙可支持。王如一等來，二十四日始到，余怒其太遲，令其即歸，發途費九百六十文，家中不必加補，以爲懶惰者戒。寬十在營住一個月，打發銀六兩，途費四千。羅山於十四日克復崇陽後，尙無信來。羅研山兄於今日到營，紀澤、紀鴻、登九峯山詩，文氣俱順，且無猥瑣之氣，將來或皆可冀有成立也，餘不一一。（咸豐五年九月三日書於屛風水營）

致諸弟（擬添募五百人）

澄侯、溫甫、子植、季洪老弟足下：十月初一日寬十等歸，寄一函，縣城專差來，又寄一家信，想已收到。營中日內如常，周鳳山九江陸軍三千餘人，尙屬整頓。次青在湖口，因分去千三百人往勦吉安，刻擬添募五百人以厚兵力。吉安之事，聞周臬台帶千人已至，或足以資勦辦。

羅山在羊樓峒廿六獲勝後，尙無嗣音。玆因春二患病，維五送之還家，復寄數行，以慰堂上老人懸念。羅山在岳鄂間，軍間單弱，余甚不放心家中。上面衡、郴，下面岳、平，均多可虞！望多送信幾次來大營也。（咸豐五年十月十九日書於屏風水營）

致諸弟（鹽務籌餉有二）

澄侯、溫甫、子植、季洪四位老弟左右：十月廿八日寬十等到營，接奉父親大人手諭，紀澤兒稟件，及姪兒、外甥等壽詩，具悉一切。澄弟在朱亭帶勇，十八、九可以撤營，欣慰之至！兵凶戰危，一經帶勇，則畏縮趨避之念，決不可存。兵端未息，恐非一、二年所能掃除淨盡，與其從事之後，而進退不得自由，不如早自審度，量力後入，想諸弟亦必細心籌畫也。

南康水師，念八日開仗一次，失長龍船一號，九江陸軍相持如故。次青在湖口亦未必開仗，黃莘農先生今歲爲我兵辦理軍輸，已解者六十餘萬兩，未收者尙有二十餘萬。水陸兵勇自入江西境內，已用口糧百餘萬，此項捐款，實爲大宗。

目下捐款將次用畢，莘翁又接辦鹽務，鹽務之可以籌餉者有二端：一則四月間奏請浙鹽三萬引現在陸續運行，大約除成本外，可獲淨利十萬兩；一則於江西饒州、吳城、萬安、新城、四處設卡，私鹽過境，酌抽稅課，大約每月得銀亦可萬餘兩。若此兩擧，剋期辦齊，則明年軍餉，竟可無慮，黃司寇之爲功於我軍者大矣。浙江鹽務，先須成本十餘萬，現請郭雲仙往浙一行，張羅本錢，雖未必有濟，姑試圖之。

羅山自入湖北內境，克復崇、通後，忽有濠頭堡之竄，旋於念六日、初三日兩獲大勝，軍威大振。僞北王、僞翼王、俱上犯岳、鄂之後，楚事孔亟，乃十月初二日廬州克復，賊殺近萬，官兵可即日擣安慶，上游之賊，均須回救安省，韋、石二逆，或俱退回下游。兩湖之事，此日必可漸鬆，此吾省之福，而亦國家之厚澤。冥冥中巧爲布置，使悍賊不得逞志於兩湖也。

兄身體如常，癬疾未愈，昨日係先妣七旬晋一冥壽，軍中不得備禮以祭，負罪滋深。莘翁自省來營，商議鹽事，軍中亦無盛饌款之，故未將冥壽之事告之也，餘不一一。（咸豐五年十一月初四日書於南康水營）

致諸弟（細述鄂贛軍情）

澄侯、溫甫、子植、季洪四位老弟左右：去年臘月初二，遣胡二、佑七送家信，中途遇賊，搶去銀兩等件，仍回南康大營，嗣後未專人回家，想父親、叔父及家中老幼懸望之至。以瑞臨尙未克復，長夫視爲畏途，故遲遲也。自周鳳山至江西省城，人心爲之安定。十二月初四日大戰樟樹鎭，殺賊千餘，軍威頗振，其時即應留賊之浮橋，星夜修造，次日渡河，攻勦臨江，必可得手。周鳳山不敢渡河，而移勦上游六十里之新淦，失此機會，於是省城各大吏，有請其移兵吉安救援，以解重圍者；有欲其上勦峰江者；有求其留守新淦者；遷延商榷，遂踰二旬。

周鳳山以水師孤紮樟鎭，恐致疏虞，派辰勇、常勇八百人，至樟護衛水師。正月初二日，賊匪渡河來撲，辰、常二勇，人少敗挫，傷亡二百餘人，幸初三日大獲戰勝，軍威復振。蓋賊匪於初二日得勝後，即上竄新淦撲周鳳山之營，而周鳳山於初二日開仗後，亦速回樟樹，爲辰、常二勇之援，中途遇於瓦山，大戰，殺賊千餘，奪馬七十餘匹，軍械鍋帳無算。初七日彭雪琴水師又獲勝仗，折賊浮橋，奪賊新舟，水陸兩軍，目下仍緊扼樟鎭，江西省城，可保無虞。

青山至南康、湖口水陸各營，自臘月初三青山戰勝後，未經開仗。李次青帶平江勇駐湖口，訓練不懈，日有起色。惟望羅山在湖北克復武漢，周、彭在樟鎭克復瑞臨，大局方有轉機耳。

余身體如常，癬疾十愈八、九，高雲亭於去年十月初二、三來營，診視癬疾，但云可治，並未開方，去後寄二方來，云須服一百帖，今已服六十帖，大有效驗，不知果可斷根否？茲將二方抄回一覽。此間並湖北軍情，有寄羅山觀察一函，亦抄回一覽。茲專人由義寗、平江、長沙回家，不知可無梗阻否？年終奉聖恩賜福字一方，大小荷包三對，食物三件，於正月十六日接到。茲將軍機處原咨抄回，其賜件暫不敢寄，俟道途肅清，再行嵩送。去臘初旬之函，茲一併附呈。餘不一一，即問近好。（咸豐六年正月十八日書於南康水營）

致諸弟（述吉安府失守）

澄侯、溫甫、子植、季洪四位老弟左右：正月十九日發去家信，交王發六、劉照一送回，又派戈什哈、蕭玉振同送，想日內可到。正月三十日、二月一日，連接澄侯在長沙所發四信，具悉一切。唐四、景三等正月所送之信，至今尚未到營。

江西軍事，日敗壞而不可收拾。周鳳山臘月四日，攻克樟樹，不能乘勢進取臨江，失此機會。在新淦遷延十餘日，正月五日復回樟鎮，因浮橋難成，未遽渡勦臨江，吉安府城，已於二十五日失守矣。周臬司、陳太守等堅守六十餘日，而外援不至，城破之日，殺戮甚慘。

偽翼王石達開自臨江至吉安視戰，既破吉郡，自回臨江，而遣他賊分攻贛州，以通粵東之路，如使贛郡有失，則江西之西南五府，盡為賊有。北路之九南饒，本係屢經殘破之區，九江早為賊據，而僅東路數府耳。羅山觀察久攻武昌，亦不得手，現經飛函調其回江救援，但道途多梗，不知文報可達否？劉印渠一軍，聞湘省將籌兩月口糧，計二月啟行，不知袁州等處，果能得手否？

余在南康，身體平安，癬疾已好十之七。青山陸軍，正月十八日攻九江城一次，殺賊百餘人。水師於二十九打敗仗一次去戰舟六號。湖口陸軍於初一日打勝仗一次，殺賊七、八十人。省城官紳，請余晉省，就近調度，余以南康水陸不放心，尚未定也。

紀澤兒定三月念一日成婚，七日即回湘鄉，尚不爲久。諸事總須節省，新婦入門之日，請客亦不宜多，何者宜豐，何者宜儉，總求父親大人酌定之。紀澤兒授室太早，經書尚未讀畢，上溯江太夫人來嬪之年，吾父亦係十八歲，然常就外傅讀書，未久就擱。紀澤上繩祖武，亦宜速就外傅，愼無虛度光陰。聞賀夫人博通經史，深明禮法，紀澤兒至岳家，須緘默寡言，循循規矩，其應行儀節，宜詳問諳習，無臨時忙亂，爲岳母所鄙笑。少庚處以兄禮事之，此外若見各家同輩，宜格外謙謹，如見尊長之禮。

新婦始至吾家，教以勤儉，紡織以事縫紉，下廚以議酒食，此二者，婦道之最要者也。孝敬以奉長上，溫和以待同輩，此二者，婦道之最要者也。但須教之以漸。渠係富貴子弟，未習勞苦，皆由漸而習，則日變月化，而遷善不知；若改之太驟，則難明有恆，凡此祈諸弟一一告之。江西各屬告警，西路糜爛，子植若北上，宜走樊城，不宜走浙江，或暫不北上亦可。優貢例在禮部考試，隨時皆可補考，余昔在禮部，閱卷數次，熟知之也。（咸豐六年二月初八日書於南康）

致諸弟（瑞州屢獲大勝）

澄侯、沅浦、季洪老弟足下：七月之季，遣劉一、安五回家，寄呈家書，想已得達。溫弟之病，日見痊愈，因盛暑行軍，過於勞苦，又誤服大黃太多，故到省後，以溫補而始奏效，再調養半月，即可復原，仍回瑞州也。

瑞郡官軍屢獲大勝，軍威日振，賊勢日蹙。惟聞僞翼王石達開自鄂中東下，爲李迪安所敗，或當來援瑞州，不免大戰數場，果能創此巨憝，獻俘北闕，則江省全局立轉，破竹之勢，易於著手耳。

七月下旬，有引豐敗匪，勾結江閩之交界邊錢會匪，連陷南豐、新城、瀘溪、貴谿、弋陽等縣，河口一鎭，廣信府城，十分危急！幸浙江防兵之在玉山者，逾境來援，信郡尚保無恙。一波特起，全省震盪，現抽撥次青撫州軍中四千人，往剿河口，未審能迅速撲滅否？閩兵尚在建昌，兵多賊少，克復久稽。粵兵在贛，得保要郡，差强人意。畢金科在饒州，彭雪琴在吳城，均尚平安。

前三月間，澄弟在長沙兌李仲雲家銀二百兩，刻下營中實無銀可撥，只得仍在家中籌還。前年所買衡陽王家州之田，可仍賣出，以田價償李家之債可也。

余身體平安，癬疾略發，尚不甚爲害。（咸豐六年八月十八日）

致九弟（催周鳳山速來）

沅浦九弟足下：十七日李觀察遞到家信，係沅弟在省城所發者。黃南兄勸捐募勇，規復吉安，此豪傑之舉也。南路又來此一枝勁兵，則賊勢萬不能支。金田老賊，癸甲二年北犯者，既已隻輪不返，而曾天養、羅大綱之流，亦頻遭殛誅。現存悍賊，惟石達開、韋俊、陳玉成數人，奔命於各處，實有日就衰落之勢。所患江西民風柔弱，見各屬並陷，遂靡然以爲天覆地坼，不復作反正之想，不待其迫脅以從，而甘心蓄髮助賊，希圖充當軍師旅帥，以訛索其鄉人，擄掠郡縣村鎮，以各肥其私囊，是以每戰動盈數萬人，我軍爲之震駭。若果能數道出師，擒斬以萬千計，始則江西從逆之民有悔心，繼則廣東新附之賊生疑貳，而江西之局勢必轉，粵賊之衰象亦愈見矣。

南袁能於吉安一路，出師合瑞，兄已列爲三路，是此間官紳士民所禱祀以求者也。即日當先行具奏。沅弟能隨南翁以出，料理戎事，亦足增長識力。南翁能以赤手空拳幹大事，而不甚著聲色，弟當留心倣而傚之。夏憩兄前亦欲辦援江之師，不知可與南兄同辦一路否？渠係簪纓巨族，民望所歸，又奉特旨援江，自不能不速圖集事。惟與南兄共辦一枝，則衆擎易舉。若另籌一路，則獨力難成。沅弟若見憩翁，或先將鄙意道及，余續有信奉達也。

周鳳山現在省城，余飛札調之來江，蓋欲令渠統一軍，峙衡龍一軍，一紮老營，一作游兵，不知渠已接札否？望沅弟催之速來，其現在袁州之伍化蛟、黃三淸，本係渠部曲，可令渠帶來也。（咸豐六年九月十七日）

致四弟（宜常在家侍父並延師事）

澄侯四弟左右：胡二等來，知弟不在家，出看本縣團練。吾兄弟五人，皆出外帶勇，季居三十里外，弟又常常他出，遂無一人侍奉父親膝下。溫亦不克遄歸侍奉叔父，實於論語遠遊喜懼二章之訓相違。現余令九弟速來瑞州，與溫並軍，庶二人可以更番歸省。澄弟宜時常在家，以盡溫淸之職，不宜干預外事，至囑至囑！李次青自撫州退保崇仁，尙屬定靜，惟敗勇之自撫回省者，日內在中丞署中，鬧請口糧，與三年艾一村之局相似，實爲可慮！

明年延師，父大人意欲請曾香海，甚好甚好。此君品學兼優，吾所素佩，弟可專人作書往聘，稍遲旬日，吾再手緘請之。其館金豐儉，則父大人酌定，吾自營寄歸可也。（咸豐六年十月初三日）

致九弟（不可久頓城下）

沅浦九弟左右：初六日覆去一緘，言弟與夏黃、周軍並赴吉安，刻計尙未達也。初八日接來信，因次青撫州之挫，請撥周軍先至瑞州，中丞李兄慨然允許。周軍當以初二日成行，斯誠不失救拯飢溺迫切之忱。第余初六日業許援吉之行，初七日令周岐山還湘，歸併鳳營，亦以赴吉告之，不得因弟一信駱公一咨而遽變成說也。且夏黃可憂而分爲我籌餉，溫沅可與岐觀摩而奮興，弟與夏黃不來，而周軍獨來，難合瑞成之圍，徒增籌餉之慮，殊非余本意也。玆以書達季高，悉遵渠之初指，送各批與梧岡，令其同赴吉安。如梧已行至瀏、萬，可寄書令其折回醴陵小駐，以待弟至而同行也。周岐山自撫州敗後回湘，軍無鍋帳，弟可商之季翁籌給之。到吉後，約以半月爲率，即速出擊，作游兵馳剿各處，不可頓城下。若事機順手，兄弟年內相見，則幸耳。(咸豐六年十月初九日)

致九弟(急來瑞州更替)

沅浦九弟左右：初十日覆緘，並周梧岡批稟，諒得速達。十二日接初三來緘，藉悉近狀。黃夏與周同赴吉安，既盡於昨書所云，十一日附片奏請此軍頒發執照二千張，俾黃夏勸捐稍得應手，茲趁來卒帶往。至札飭裕時兄接收捐款，專濟此軍一節，黃夏若果來瑞州，非中丞與季公初意，亦即非司道時石諸公僉同之議，强人所曲從吾說，不得不設法將捐款羅歸此軍，今既全數赴吉，則季公當能主持其事，捐款自爲此軍支用，不必更由余處下札，又多一重斧鑿痕也。至入吉以後，或速行掣動，或久頓城下，亦難預決。惟沅浦則以半月爲率，急來瑞州，俾溫甫得以更替歸省，此則家庭要事，弟當與南翁、憩翁堅確訂約者耳。

(咸豐六年十月十三日)

致四弟(不宜常常出門聯姻不必富室名門)

澄侯四弟左右：初六俊四等來營，奉到父大人諭帖，並各信件，得悉一切。弟在各鄉看團閱操，日內計已歸家，家中無人，田園荒蕪，堂上定省多闕，弟以後總不宜常常出門，至囑至囑！

羅家姻事，暫可緩議。近日人家一入宦途，即習於驕奢，吾深以爲戒。三女許字，意欲擇一儉樸耕讀之家，不必定富室名門也。

楊子春之弟，四人捐官者，吾於二月念一日具奏，聞部中已議准，部照概交南撫，子春曾有函寄雪琴，似已領到執照者，請查明再行佈聞。

長夫在大營，不善抬轎，余每月出門，不過五、六次，每出則搖擺戰栗，不合脚步。茲僅留劉一、胡二、盛四及新到之俊四、聲六在此，餘俱遣之歸籍。以後卽雇江西本地轎夫，家中不必添派也。此間軍務，建昌府之閩兵，昨又敗挫，而袁州克復，大局已轉，儘可放心，十月內餉項亦略寬裕矣。（咸豐六年十一月初七日）

致九弟（軍餉可望充裕）

沅浦九弟左右：初六日俊田等至，接廿八夜來緘，具悉廿五日業經拔營，軍容整肅，至以為慰！吉安殷富，甲於江西，又得官紳傾城輸助，軍餉自可充裕。周梧岡一軍同行，如有銀錢，宜分多潤寡，無令已肥而人獨瘠。梧岡闇於大局，不能受風浪者，紮營放哨，巡更發探，打仗分仗，究係宿將，不可多得。主事匡汝諧在吉安招勇起團，冀圖襲攻郡城。聞湖南援吉之師，將別出一枝，起而相應，若與弟軍會合，宜善待之。袁州既克，劉肅等軍，當可進攻臨江，六起與普劉在瑞，聲威亦可日振。弟與夏黃諸兄到吉安時，或宜速行抽動，或宜久頓不移，亦當相機辦理。若周軍與桂茶諸軍，足以自立，弟率湘人助剿來江，兄弟年內相見，則余之所欣慰者也。軍事變幻無常，每當危疑震撼之際，愈當澄心定慮，不可發之太驟，至要至囑！（咸豐六年十一月初七日）

致四弟（看書不必一一求熟）

澄侯四弟左右：二十八日由瑞州營遞到父大人手諭，並弟與澤兒等信，具悉一切。六弟在瑞州辦理一應事宜，尚屬妥善，識見本好，氣質近亦和平。九弟治軍嚴明，名望極振，吾得兩弟為幫手，大局或有轉機。次青在貴谿尚平安，惟久缺口糧，又敗挫之後，至今尚未克整頓完好。雪琴在吳城，名聲尚好，惟水淺不宜舟戰，時時可慮。

余身體平安，癬疾雖發，較之以往在京師，則已大減。幕府乏好幫手，凡奏摺書信批稟，均須親手為之，以是不免有延擱耳。余性喜讀書，每日仍看數十頁，亦不免拋荒軍務，然非此則更無以自怡也。紀澤看漢書，須以勤敏行之，每日至少亦須看二十頁，不必惑於「在神不在多」之說。今日半頁，明日數頁，又明日就擱間斷，或數年而不能畢一部，如煮飯然，歇火則冷，小火則不熟，須用大柴大火，乃易成也。

甲五經書已讀畢否？須速點速讀，不必一一求熟，恐因求熟之一字，而終身未能讀完經書。吾鄉子弟，未讀完經書者甚多，此後當力戒之。諸外甥如未讀完經書，當速補之，至囑至囑！（咸豐六年十一月廿九日）

致九弟（恐哨勇不老練）

沅浦九弟左右：元旦接去臘廿五日來函，初九又接除夕一函，均已閱悉。「待賊遠出，庶可邀截，痛加剿洗」一節，及「但求固守營壘，以俟各軍之至」等語，均係吾弟近日閱歷有得之言，吾亦於稟中批示矣。水師辦成，先燒江中賊船，自是絕接濟之一法，第哨勇恐未能老練，或以利器資敵，慎之慎之！錢漕一稟，批語宜乾淨斬截，此事急應由地方官以全力主持，乃爲切，實不然，恐吾批愈結實，而人愈疑貳，此等處頗費斟酌，望吾南公壹志徑行，不恤其他。余擬日內赴瑞州軍營，吉安之行，必須至瑞後，乃能定議。（咸豐七年正月十一日）

致九弟（軍事尙隱尙詭）

沅浦九弟左右：十八日烏山途次，接弟十一日所發一緘，具悉一切。兄於十七日卯刻出省，十八日至奉新，紳耆款留二日，廿一日率吳竹莊之彪營等四千人，同來瑞州，擬於東北隅紮一大營，則四面合圍，接濟不斷，聲息可通，或易得手。近日省中因探報撫州之賊，意圖內犯，人心頗涉驚惶，而饒州畢都司一軍，因畢於初二日在景德鎭敗挫，不知下落，其老營紛紛潰散，饒防自隳，岌岌可危！

福將軍於腊月三十日至廣信，十三日坐舟赴省，月內應可抵章門。圍城之法，紮營不宜太近，一則開仗之勢太蹙；一則軍事尙隱尙詭，不宜使敵人絲毫畢知也。余所刻寶收，日內另專人送南翁處。南翁已復省垣，軍事當不至掣肘也。（咸豐七年正月二十二日）

致九弟（宜全神注陸路）

沅浦九弟左右：二十四日耑人至，接來信，知接戰獲勝，水師雖未甚如意，然已奪船數號，亦尙可用。水師自近日以來，法制大備，然其要全在得人，若不得好哨好勇，往往以利器資寇，弟處以全副精神注陸路，以後不必兼籌水師可也。

用紳士不比用官，彼本無任事之職，又有避嫌之念，誰肯挺身出力以急公者；貴在奬之以好言，優之以廩給，見一善者，則痛譽之，見一不善者，則渾藏而不露一字，久久不善者勸，而善者亦潛移而默轉矣。吾弟初出辦事，而遂揚紳士之短，且以周梧岡之閱歷精神爲可佩，是大失用紳士之道也，戒之愼之！余近發目疾，不能作字，率佈數行，諸惟心照。（咸豐七年正月廿六日）

致九弟（戒浪戰）

沅浦九弟左右：前信言率率出隊之弊，關係至重。凡與賊相持日久，最戒浪戰；兵勇以浪戰而玩，玩則疲，賊匪以浪戰而猾，猾則巧，以我之疲，敵賊之巧，終不免有受害之一日。故余昔在營中，誡諸將曰：「寧可數月不開一仗，不可開仗而毫無安排算計」。此刻吉安營頭太多，余故再三諄囑。

重九所發之摺，十二日奉到硃批，玆抄付一覽。聖意雖許暫守禮廬，而仍不免有後命，進退之際，權衡實難也。（咸豐七年十月十五日）

致九弟（必須細偵賊情）

沅浦九弟左右：在吉安紮營，離城不宜太近。蓋地太逼，則賊匪偷營，難於防範；奸細混入，難於查察；節太短，則我軍出隊，難於分股；一經紮近之後，再行退遠，則少餒士氣，不如先遠為之愈也。牽率出隊之弊，所以難於變革者。蓋此營出隊之時，未經知會彼營，一遇賊匪接仗，或小有差挫，即用令箭飛請彼營前來接應，來則感其相援，不來則怨其不救，甚或並未差挫，並未接仗，亦以令箭報馬，預請他營速來接應，習慣為常，視為固然。既恐惹人之怨憾，又慮他日之報復，於是不敢不去，不忍不去。夫戰陣呼吸之際，其幾甚微，若盡聽他營之令箭，牽率出隊，一遇大敵，必致誤事。弟思力革此弊必須與各營委曲說明，三令五申，又必多發哨探，細偵賊情，耳目較各營為確，則人皆信從，而前弊可除矣。（咸豐七年十月十六日）

致九弟(交人料理文案)

沅浦九弟左右：十一月初二日，春二、甲四歸，接廿四夜來書，具悉一切。弟營中事機尙順，家中大小欣慰。帥逸齋之叔號小舟者，於初二日來，攜有張六琴太守書緘，具告逸齋死事之慘。余具奠金五十兩，交小舟為渠赴江西之旅資；又作書寄雪琴，囑其備戰船至廣西，迎護逸齋之眷口，由浙江來；又備舟至省城，迎逸齋與其姪之靈柩於南康；會齊同出湖口，由湖口段窰至黃梅帥宅，不過數十里耳。前此仙舟先生墓門，被賊掘毀，余曾寄書潤芝中丞，蓮舫員外，籌銀三、四百兩，為修葺之資，此次小舟歸里，可一併妥為安厝，少有餘資，即以贍濟逸齋之眷口，然亦極薄，難以自存矣。

東鄉敗挫之後，李鎮軍、周副將、均退守武陽渡，聞耆中丞緘致長沙，請夏憩亭募勇數千，赴江應援，不知確否？自洪、楊內亂以來，賊中大綱紊亂，石達開下顧金陵，上顧安慶，未必能再至江西，即使果來赴援，亦不過多裹烏合之卒，悍賊實已無幾，我軍但稍能立脚，不特吉安力能勝之，即臨江蕭軍，亦自可勝之也。

胡爵之將於初十日回省，家中以後不必請書啓朋友。韓升告假回家，余文案尚繁，不可無一人料理，望弟飭王福於臘月初回家交代後，即令韓升回省度歲。韓於正初赴吉營，計弟處有四十日無人經營文案，即交彭椿年一手料理，決無疎失。韓升與王福二人，皆精細勤敏，無所軒輊。凌蔭廷於日內赴雪琴處，若弟處再須好手，亦可令凌赴吉也。（咸豐七年十一月初五日）

致九弟（訓練注重講辨）

沅浦九弟左右：二十四日王得一歸，接十六日信，具悉一切。以後有信，仍以耑人送歸爲妥，只須一人，不必兩人，擇捷足如曾正七之類，更可迅速。鄧先生於初七日專人來訂今冬上學，因迎其十五入館。甲三於十八開課，廿三廿二改課文甚細心。甲五眼睛，近日已好十分之七、八，右目能認寸大字，左目則能讀小注，每日靜坐二次，以助藥力之不及。鄧先生向來亦多病，得力於靜坐者深也。

弟所寄各件，代普將請餉，代黃太守上稟，均係顧全大局，即使上官未必批准，亦不失緩急相顧之道。請獎一稟，尚欠妥洽。湘後營一軍，不知從何處籌餉，即寶營亦自難支持，弟辭總理之任，極是極是。帶勇本係難事，但弟當約旨卑思，毋好大，毋欲速，管轄現有之二萬人，寧可減少，不可加多。口糧業得一半，此外有可設法更好，即涓滴難求，亦自不至於脫巾潰散。但宜極力整頓，不必常以欠餉爲慮也。

打仗之道，在圍城之外，節太短，勢太蹙，無變化，只有隊伍整齊，站得穩而已。欲靈機應變，出奇制勝，必須離城甚遠，乃可隨時制宜。凡平原曠野開仗，與深山窮谷開仗，其道迥別。去吉城四十里，凡援賊可來之路，須令哨長、隊長、輪流前往該處，看明地勢，小徑小溪，一邱一窪，細細看明，各令詳述於弟之前，或令繪圖呈上，萬一有出隊迎戰之時，則各哨隊皆已了然於心。古人憂學之不講，又曰明辨之。余以爲訓練兵勇，亦須常講常辨也。家中四宅平安，不必掛念！（咸豐七年十一月廿五日）

致九弟（述無恆的弊病及帶勇之法）

沅浦九弟左右：十二日正七有十歸，接弟信，備悉一切。定湘營既至三曲灘，其營官成章鑑，亦武弁中之不可多得者，弟可與之款接。來書謂意趣不在此，則興會索然，此却大不可。凡人作一事，便須全副精神，注在此一事，首尾不懈，不可見異思遷，做這樣，想那樣，坐這山，望那山，人而無恆，終身一無所成。我生平坐犯無恆的弊病，實在受害不小。當翰林時，應留心詩字，則好涉獵他書，以紛其志。讀性理書時，則雜以詩文各集，以歧其趨。在六部時，又不甚實力講求公事。在外帶兵，又不能竭力專治軍事。或讀書寫字，以亂其志意，坐是垂老而百無一成。即水軍一事，亦掘井九仞而不及泉，弟當以為鑒戒。現在帶勇，即埋頭盡力，以求帶勇之法，早夜孳孳，日所思，夜所夢，舍帶勇以外，則一概不管。不可又想讀書，又想中舉，又想作州縣，紛紛擾擾，千頭萬緒，將來又蹈我之覆轍，百無一成，悔之晚矣！

帶勇之法，以體察人才為第一；整頓營規講求戰守次之。得勝歌中各條，一一皆宜講求。至於口糧一事，不宜過於憂慮，不可時常發稟，弟營既得楚局每月六千，又得江局每月二、三千，便是極好境遇。李希庵十二來家，言迪庵意欲幫弟餉萬金，又余有浙鹽贏餘萬五千兩在江省，昨鹽局耑丁前來稟詢，余囑其解交藩庫充餉。將來此款，或可酌解弟營，但弟不宜指請耳。

餉項既不勞心，全副精神，講求前者數事，行有餘力，則聯絡各營，款接紳士，身體雖弱，卻不宜過於愛惜。精神愈用則愈出，陽氣愈提則愈盛，每日作事愈多，則夜間臨睡愈快活。若存一愛惜精神的意思，將前將却，奄奄無氣，決難成事。凡此皆因弟興會索然之言而切戒之者也。弟宜以李迪庵為法，不慌不忙，盈科後進，到八、九個月後，必有一番回甘滋味出來。

余生平坐無恆流弊極大，今老矣，不能不教誡吾弟吾子。鄧先生品學極好，甲三八股文有長進，亦山先生亦請鄧改文。亦山教書嚴肅，學生甚爲畏憚，吾家戲言戲動積習，明年當與兩先生盡改之。鎭江瓜洲，同日克復，金陵指日可克。厚庵放閩中提督，已赴金陵會剿，准其專摺奏事，九江亦即日可復，大約軍事在吉安撫建等府結局，賢弟勉之！吾爲其始，弟善其終，實有厚望。若稍參以客氣，將以斁志，則不能爲我爭氣也。營中哨隊諸人，氣尙完固否？下次祈書及。（咸豐七年十二月十四日）

致九弟(慚對江西紳士)

沅浦九弟左右：十九日亮一等歸，接展來函，具悉一切。臨江克復，從此吉安當易爲力，弟黽勉爲之。大約明春可復吉郡，明夏可復撫建，凡兄所未了之事，弟能爲他了之，則余之愧憾可稍減矣。

余前在江西，所以鬱鬱不得意者，第一不能干預民事；有剝民之權，無澤民之位，滿腹誠心，無處施展。第二不能接見官員；凡省中文武官僚，晉接有稽，語言有察。第三不能聯絡紳士；凡紳士與我營款愜，則或因而獲咎。坐是數者，方寸鬱鬱，無以自伸。然此只坐不宜駐紮省垣，故生出許多煩惱耳。弟今不駐省城，除接見官員一事，無庸議外，至愛民聯紳二端，皆宜實心求之。

現在餉項頗充，凡抽釐勸捐，決計停之。兵勇擾民，嚴行禁之。則吾夙昔愛民之誠心，弟可爲我宣達一、二。吾在江西，各紳士爲我勸捐八、九十萬，未能爲江西除賊安民。今年丁憂，奔喪太快，若恝然棄去，置紳士於不顧者，此余之所悔也。若少遲數日，與諸紳往復書問乃妥。弟當爲余彌縫此闕，每與紳士書札往還，或接見暢談，具言江紳待家兄甚厚，家兄抱媿甚深等語。

就中如劉仰素、甘子大二人，余尤對之有媿。劉係余請之帶水師，三年辛苦，戰功日著，渠不負吾之知，而吾不克始終與共患難。甘係余請之管糧台，委曲成全，勞怨兼任，而余以丁憂遽歸，未能爲渠料理前程。此二人皆余所慚對，弟爲我救正而補苴之。余在外數年，吃虧受氣，實亦不少，他無所慚，獨慚對江西紳士，此日內省躬責己之一端耳。

弟此次在營，境遇頗好，不可再有牢騷之氣。心平志和，以迓天休，至囑至囑！承寄回銀二百兩，收到。今冬收外間銀數百，而家用猶不充裕，然後知往歲余之不寄銀回家，不孝之罪，上通於天。四宅大小平安，余日內心緒少佳，夜不成寐。蓋由心血積虧，水不養肝之故，春來當好爲調理。（咸豐七年十二月廿一日）

致九弟（公文不可疏懶）

沅浦九弟左右：初七、初八連接二信，具悉一切。亮一去時，信中記封有報銷摺稿，來信未經提及，或未得見耶？廿六早地孔轟倒城垣數丈，而未克成功，此亦如人之生死，早遲時刻，自有一定，不可强也。總理既已接札，則凡承上起下之公文，自不得不照申照行，切不可似我疏懶，置之不理也。

余生平之失，在志大而才疏，有實心而乏實力，坐是百無一成。李雲麟之長短，亦頗與我相似，如將赴湖北，可先至余家一敘再往。潤公近頗綜核名實，恐亦未必投洽無間也。

近日身體略好，惟回思歷年在外辦事，愆咎甚多，內省增咎，飲食起居，一切如常，無勞廑念！今年若能爲母親大人另覓一善地，教子姪略有長進，則此中豁然暢適矣。弟年紀較輕，精力略勝於我，此際正宜提起全力，早夜整刷。昔賢謂：「宜用猛火煮，慢火溫」，弟今正用猛火之時也。

李次青之才，實不可及，吾在外數年，獨覺慚對此人，弟可與之常通書信，一則稍表余之歉忱，一則凡事可以請益。余京中書籍，承漱六專人取出，帶至江蘇松江府署中，此後或易搬回。書雖不可不看，弟此時以營務爲重，則不宜常看書。凡人爲一事，以專而精，以紛而散，荀子稱：「耳不兩聽而聰，目不兩視而明」；莊子稱：「用志不紛，乃凝於神，」皆至言也。（咸豐八年正月十一日）

卷六

致九弟(待人注意眞意與文飾順便周濟百姓)

沅浦九弟左右：十二日安五來營，寄一家信，諒已收到。治軍總須脚踏實地，克勤小物，乃可日起而有功。凡與人晋接周旋，若無眞意，則不足以感人。然徒有眞意，而無文飾以將之，則眞意亦無所托之以出。禮所稱：「無文不行」也。余生平不講文飾，到處行不動，近來大悟前非，弟在外辦事，宜隨時斟酌也。聞我水師糧台，銀兩尙有盈餘，弟營此時不闕銀用，不必往解。若紳民中實在流離困苦者，亦可隨便周濟。兄往日在營，艱苦異常，當初不能放手作一事，至今追憾。若弟有宜周濟之處，水師糧台，尙可解銀二千兩前往。應酬亦須放手辦，在紳士百姓身上，尤宜放手也。(咸豐八年正月十四日)

致九弟(周濟受害紳民)

沅浦九弟左右：二十七日接弟信，幷廿二史二十七套；此書十七史係汲古閣本，宋遼金元係宏簡錄，明史係殿本，較之兄丙申年所購者，多明史一種，餘略相類，在吾鄉已極爲難得矣。吾前在京，亦未另買有全史，僅添買遼金元明四史，及史漢各佳本而已，宋史至今未辦，蓋闕典也。

吉賊決志不竄，將來必與潯賊同一辦法，想非夏末秋初，不能得手，弟當堅耐以待之。迪庵去歲在潯，於開濠守壘之外，間亦讀書習字。弟處所掘長濠，如果十分可靠，將來亦有閒隙，可以偷看書籍，目前則須極力講求濠工巡壘也。

周濟受害紳民，非泛愛博施之謂。但偶遇一家之中，殺害數口者，流轉遷徙，歸來無食者，房屋被焚，棲止靡定者，或與之數千金，以周其急。先星岡公云：「濟人須濟急時無」。又云：「隨緣佈施，專以目之所觸爲主」。卽孟子所稱是乃仁術也。若目無所觸，而泛求被害之家而濟之，與造冊發賑一例，則帶兵者專行沽名之事，必爲地方官所識，且有挂一漏萬之慮，弟之所見，深爲切中事理。余係因昔年湖口紳士受害之慘，無力濟之，故推而及於吉安，非欲弟無故而爲沽名之舉也。（咸豐八年正月廿九日）

致九弟（勉其帶勇須耐煩）

沅浦九弟左右：十四日接弟初七夜信，得知一切。貴溪緊急之說確否？近日消息何如？次青非常之才，帶勇雖非所長，然亦有百折不回之氣，其在兄處，尤爲肝膽照人，始終可感。兄在外數年，獨慚無以對渠，去臘遣韓升至李家省視其母，略送儀物。又與次青約成姻婚，以申永好。目下兒女兩家，無相當者，將來渠或三索得男，弟之次女三女，可與訂婚，兄信已許之矣。在吉安望常常與之通信，專人往返，想十餘日可歸也。但得次青生還，與兄相見，則同甘苦患難諸人中，尚不至留莫大之抱歉耳。

昔耿恭簡公謂居官以耐煩爲第一要義，帶勇亦然。兄之短處在此，屢次諄諄教弟亦在此。二十七日來書有云：「仰鼻息于傀儡羶腥之輩，又豈吾心之所樂」。此已露出不耐煩之端倪，將來恐不免於齟齬。去歲握別時，曾以懲余之短相箴，乞無忘也。

李雨蒼於十七日起行赴鄂，渠長處在精力堅强，聰明過人；短處卽在舉止輕佻，言語易傷，恐潤公亦未能十分垂青。溫甫弟於十一日起程，大約三月半可至吉安也。（咸豐八年二月十七日）

致九弟（論長傲多言爲凶德致敗者）

沅浦九弟左右：初三日劉福一等歸後來信，藉悉一切。城賊圍困已久，計不久亦可攻克，惟嚴斷文報，是第一要義，弟當以身先之。家中五宅平安，余身體不適，初二日住白玉堂，夜不成寐。

溫弟何日至吉安，古來言凶德致敗者，約有二端：曰長傲，曰多言。丹朱之不肖，曰傲，曰嚚頌，即多言觀也。歷代名公鉅卿，多以此二端敗家喪身。余生平頗病執拗，德之傲也，不甚多言，而筆下亦略近乎嚚頌，靜中默省我之愆尤，處處獲戾，其源不外此二者。溫弟略與我相似，而發言尤爲尖刻。凡傲之凌物，不必定以言語加人，有以精神氣凌之者矣，有以面色凌之者矣。溫弟之神氣，稍有英發之姿，面色間有蠻很之象，最易凌人。凡中心不可有所恃，心有所恃，則達乎面貌。以門第言，我之物望大減，方且恐爲子弟之累；以才識言，近今軍中鍊出人才頗多，弟等亦無過人之處，皆不可恃。只宜抑然自下，一味「言忠信，行篤敬」，庶幾可以遮護舊失，整頓新氣，否則人皆厭薄之矣。

沅弟持躬涉世，差爲妥洽。溫弟則談笑譏諷，要強充老手。猶不免有舊習，不可不猛省，不可不痛改。余在軍多年，豈無一節可取，只因傲之一字，百無一成，故諄諄教諸弟以爲戒也。（咸豐八年三月初六日）

致九弟（願共鑒誡長傲多言二弊）

沅浦九弟左右：二十四日胡二等歸，接弟十三日書，具悉一切。所譽兄之善處，雖未克當，然亦足以自怡。兄之鬱鬱不自得者，以生平行事，有初鮮終。此次又草草去職，致失物望，不無內疚。

長傲多言二弊，歷觀前世卿大夫興衰，及近日官場所以致禍福之由，未嘗不視此二者爲樞機，故願與諸弟共相鑒誡。弟能懲此二者，而不能勤奮以圖自立，則仍無以興家而立業。故又在乎振刷精神，力求有恆，以改我之舊轍，而振家之丕基。弟在外數月，聲望頗隆，總須始終如一，毋怠毋荒，庶幾於弟爲初旭之升，而於兄亦代爲桑榆之補，至囑至囑！

次青奏赴浙江，令人閱之生氣，以次青之堅忍，固宜有出頭之一日，而詠公亦可謂天下之快人快事矣。弟勸我與左季高通書問，此次暫未暇作，准於下次寄弟處轉遞。此亦兄長傲一端，弟既有言，不敢遂非也。

（咸豐八年三月廿四日）

致九弟（注重平和二字）

沅浦九弟左右：春二、安五歸，接手書，知營中一切平善，至爲欣慰！次青二月以後，無信寄我，其眷屬至江西，不知果得一面否？弟寄接到胡中丞奏伊入浙之稿，未知是否成行？頃得耆中丞十三日書，言浙省江山、蘭溪、兩縣失守，次青前往會剿，是次青近日聲光，亦漸漸膾炙人口。廣信、衢州兩府不失，似浙中終無可慮，未審近事究竟如何？

廣東探報，言洋人有船至上海，亦恐其爲金陵餘孽所攀援，若無此等意外波折，則洪、楊股匪，不患今歲不平耳。九江竟尚未克，林啓榮之堅忍，實不可及。聞麻城防兵，於三月十日小挫一次，未知確否？弟於次青、迪庵、雪琴等處，須多通音問，余亦略有見聞也。

兄病體已愈十之七、八，日內並未服藥，夜間亦能熟睡，至子正以後則醒，是中年後人常態，不足異也。

湘陰吳貞階司馬，於念六日來鄉，是厚庵囑其來一省視，次日歸去。

余所奏報銷大概規模一摺，奉硃批該部議奏，戶部旋於二月初九日覆奏，言曾國藩所擬，尙屬妥協云云。至將來需用部費，不下數萬。聞楊、彭在華陽鎮抽釐，每月可得二萬，係雪琴督同凌蔭廷、劉國斌、經紀其事，其銀歸水營楊、彭兩大股分用。余偶言可從此項下設法籌出部費，貞階力贊其議，想楊、彭亦必允從。此款有著，則余心又少一牽挂矣。

溫弟丰神較峻，與兄之伉直簡澹，雖微有不同，而其難於諧世，則殊途而同歸，余常用爲慮。大抵胸中抑鬱，怨天尤人，不特不可以涉世，亦非所以養德；不特無以養德，亦非所以保身，中年以後，則肝腎交受其病。蓋鬱而不暢則傷木，心火上爍則傷水，余今日之目疾，及夜不成寐，其由來不外乎此。故於兩弟時時以平和二字相勗，幸勿視爲老生常談，至囑至囑！

親族往弟營者，人數不少，廣廈萬間，本弟素志。第善覘國者，觀賢哲在位，則卜其將興。見冗員浮雜，則知其將替。善覘軍營亦然，似宜略為分別。其極無用者，或厚給途費，遣之歸里，或酌賃民房，令住營外，不使軍中有惰慢喧嘩之象，庶為得宜。至頓兵城下，為日太久，恐軍氣漸懈，如雨後已弛之弓，三日已腐之饌，而主者晏然不知其不可用，此宜深察者也。附近百姓，果有騷擾情事否？此亦宜深察者也。（咸豐八年三月三十日）

致九弟（宜以求才為急）

沅浦九弟左右：四月初五日得一等歸，接弟信，得悉一切。兄回憶往事，時形交悔，想六弟必備述之。弟所勸譬之語，深中機要，素位而行一章，比亦常以自譬。只以陰分素虧，血不養肝，即一無所思，已覺心慌腸空，如極餓思食之狀，再加以憧擾之思，益覺心無主宰，怔悸不安。

今年有得意之事兩端：一則弟在吉安，聲名極好，兩省大府及各營員弁，江省紳民，交口稱頌，不絕於吾之耳。各處寄弟書，及弟與各處稟牘信緘，俱詳實妥善，犂然有當，不絕於吾之目。一則家中所請鄧、葛二師，品學俱優，勤嚴並著；鄧師終日端坐，有威可畏，文有根柢，而又曲合時趨，講書極明正義，而又易於聽受。葛師志趣方正，學規謹嚴，小兒等畏之如神明。此二者，皆余所深慰，雖愁悶之際，足以自寬解者也。

第聲聞之美，可恃而不可恃。兄昔在京中，頗著清望，近在軍營，亦獲虛譽。善始者不必善終，行百里者半九十里。譽望一損，遠近滋疑。目下名望正隆，務宜力持不懈，有始有卒。治軍之道，總以能戰為第一義，倘圍攻半歲，一旦被賊沖突，不克抵敵，或致小挫，則令望隳於一朝。故探驪之法，以善戰為得珠，能愛民為第二義，能和協上下官紳為三義。願吾弟兢兢業業，日慎一日，到底不懈，則不特為兄補救前非，亦可爲吾父增光泉壤矣。

精神愈用而愈出，不可因身體素弱，過於保惜。智慧愈苦而愈明，不可因境遇拂，遽爾摧阻。此次軍務，如楊、彭、二李、次青輩，皆係磨鍊出來。即潤翁羅翁，亦大有長進，幾於一日千里。獨余素有微抱，此次殊乏長進，弟營趁此番識見，力求長進也。

求人自輔，時時不可忘此意。人才至難，往時在余幕府者，余亦平等相看，不甚欽敬，洎今思之，何可多得。弟當常以求才爲急，其闒冗者，雖至親密友，不宜久留，恐賢者不願共事一方也。余自四月來，眠與較好，近讀杜佑通典，每日二卷，薄者三卷，惟目力極劣，餘尚足支持。（咸豐八年四月初九日）

致九弟（述憑壕對擊之法及捐銀作祭費）

沅浦九弟左右：十四日胡二等歸，接弟初七夜信，具悉一切。初五日城賊猛撲，憑壕對擊，堅忍不出，最爲合拍。凡撲人之壕，撲人之牆，撲者客也，應者主也，我若越壕而應之，則是反主爲客，所謂致於人者也。我不越壕，則我常爲主，所謂致人而不致於人者也。穩守穩打，彼自意興索然。峙衡好越壕擊賊，吾常不以爲然，凡此等悉心推求，皆有一定之理。迪庵善戰，其得訣在「不輕進不輕退」六字，弟以類求之可也。洋船至上海、天津，亦係恫嚇之常態。彼所長者，船礮也，其所短者路極遠，人極少，若辦理得宜，終不足患。報銷奏稿，及戶部覆奏，當日即緘致諸公，依弟來書之意，將來開局時，擬即在湖口水次。蓋銀錢所張小山、魏召亭、李復生諸公，多年親友，該所現存銀萬餘兩，即可爲開局諸公用費，及部中使費，六君子不必皆到此局，但得伯符小泉，二人入場，即可了辦。若六弟在潯較久，則可至局中照護周旋。若六弟不在潯陽，則弟克吉後，回家一行，仍須往該局爲我照護周旋也。至戶部承書說定費資，目下筠仙在京，似可辦理。將來胡蓮舫進京，亦可幫助。筠仙頃有書來，言弟名遠震京師，盛名之下，其實難副，弟須愼之又愼！玆將原書，抄送一閱。

家中四宅，大小平安，兄夜來漸能成寐。先大父先太夫人，尙未有祭祀之費，溫弟臨行，捐銀百兩，余以劉國斌之贈，亦捐銀百兩，弟可設法捐貲否？四弟、季弟，則以弟昨寄之銀兩，提百金爲二人捐款，合當業二處，每年可得穀六、七十石，起祠堂，樹墓表，尙屬易辦。吾精力日衰，心好古文，吾知其意而不能多作，日內思爲三代考妣作墓表，慮不克工，亦尙憚於動手也。

先考妣祠宇，若不能另起，或另買一宅作住屋，卽以腰裏新宅爲祠，亦無不可。其天家賜物，及宗器祭器等，概藏於祠堂，庶有所歸宿。將來京中運回之書籍，及家中先後置書，亦貯於祠中。吾生平不善收拾，爲咎甚鉅，所得諸物，隨手散去，至今追悔不已。然趁此收拾，亦尙有可爲。弟收拾佳物，較善於諸昆從，此益當細心檢點，凡有用之物，不宜拋散也。（咸豐八年四月十七日）

致九弟（勸捐銀修祠堂）

沅浦九弟左右：五月二日，接四月廿三寄信，藉悉一切。城賊於十七早，廿日、廿二夜，均來撲我濠，如飛蛾之撲燭，多滅幾次，受創愈甚，成功愈易。惟日夜巡守，刻不可懈，若攻圍日久，而仍令其逃竄，則咎責匪輕。弟既有統領之名，自須認眞查察，比他人尤爲辛苦，乃足以資董率。

九江克復，聞撫州亦已收復，建昌想亦於日內可復。吉賊無路可走，收功當在秋間，較各處獨爲遲滯。弟不必慌忙，但當穩圍穩守，雖遲至冬間克復亦可，只求不使一名漏洩耳。若似瑞臨之有賊外竄，或似武昌之半夜潛竄，則雖速亦爲人所詬病。如九江之斬刈殆盡，則雖遲亦無後患。願弟忍耐謹愼，勉卒此功，至要至要！

余病體漸好，尙未全愈，夜間總不能酣睡，心中糾纏，時憶往事，愧悔憧擾，不能擺脫。四月底作先大夫祭費記一首，玆送賢弟一閱，不知尙可用否？此事溫弟極爲認眞，望弟另謄一本，寄溫弟閱看。此本仍便中寄回，蓋家中抄手太少，別無副本也。

弟在營所寄銀回，先後均照數收到。其隨處留心，數目多寡，斟酌妥善。余在外未付銀寄家，實因初出之時，默立此誓，又於發州縣信中，以「不要錢不怕死」六字，明不欲自欺之志，而令老父在家，受盡窘迫，百計經營，至今以爲深痛！弟之取與，與塔、羅、楊、彭、二李諸公相仿，有其不及，無或過也。儘可如此辦理，不必多疑。

頃與叔父各捐銀五十兩，積爲星岡公，余又捐二十兩於輔臣公，三十兩於竟希公矣。若弟能於竟公、星公、竹亭三世，各捐少許，使修立三代祠堂，即於三年內可以興工，是弟有功於先人，可以蓋阿兄之愆矣。修祠或腰裏新宅，或於利見齋另修，或另買田地，弟意如何，便中復示。公費則三代共之，此余之意也。

初二日接溫弟信，係在湖北撫署所發。九江一案，楊李皆賞黃馬褂，官胡皆加太子少保，想弟處亦已聞之。溫弟至安黃，與迪庵相會後，或留營，或進京，尙未可知？弟素體弱，比來天熱，尙耐勞苦否？至念至念！羞餌滋補，較善於藥，良方甚多，較善於專服水藥也。（咸豐八年五月初五日）

致九弟（喜保同知花翎）

沅弟左右：昨信書就未發，初五夜王六等歸，又接弟信，報撫州之復，他郡易而吉安難，余固恐弟之焦灼也。一經焦燥，則心趣少佳，辦事不能妥善，余前年所以廢弛，亦以焦躁故爾。總宜平心靜氣，穩穩辦去。余前言弟之職，以能戰爲第一義，愛民第二，聯絡各營將士，各省官紳爲第三。今此天暑，因弟體素弱，如不能兼顧，則將聯絡一層稍爲放鬆，即第二層亦可不必認眞，惟能戰一層，則刻不可懈。目下濠溝究有幾道？其不甚可靠者，尙有幾段？下次詳細見告。

九江修濠六道，寬深各二丈，吉安可仿爲之否？弟保同知花翎，甚好甚好，將來克復府城，自可保升太守。吾不以弟得官階爲喜，喜弟之吏才更優於將才，將來或可勉作循吏，切實做幾件施澤於民之事，門戶之光也，阿兄之幸也。（咸豐八年五月初六日）

致九弟（克終爲貴）

沅浦九弟左右：正七歸，接一信，啓五等歸，又接一信。正七以瘧故，不能遽回營；啓五求爲營新後始去，茲另遣人送信至營，以慰遠廑。

三代祠堂，或分或合，或在新宅，或另立規模，統俟弟復。由吉歸家料理，造祠之法，亦聽弟與諸弟爲之，落成後，我作一碑而已。

余意欲王父母父母改葬後，將神道碑立畢，然後或出或處，乃可惟余所欲。目下在家，意緒極不佳，回思往事，無一不愧悔，無一不褊淺，幸弟去秋一出，而江西、湖南，物望頗隆，家聲將自弟振之，滋可欣慰！「靡不有初，鮮克有終，」望弟慎之又慎，總以克終爲貴。家中四宅，大小平安，念三四大水，縣城永豐，受害頗甚，我境幸平安無恙。

弟寄歸之書，皆善本，林氏續選古文雅正，雖向不知名，亦通才也。如有大學衍義衍義補二書，可買者買之。學問之道，能讀經史者爲根柢。如兩通兩衍義及本朝兩通，萃六經諸史之精，該內聖外王之要若能熟此六書，或熟其一、二，即爲有本有末之學。家中現有四通，而無兩衍義，祈弟留心！

弟目下在營，不可看書，致荒廢正務。天氣炎熱，精神有限，宜全用於營事也。余近作賓興堂記，抄稿寄閱，久荒筆墨，但有間架，全無神意，愧甚愧甚！（咸豐八年五月三十日）

致九弟（赴浙辦理軍務）

沅浦九弟左右：初一日專人至吉營送信，初二夜接弟來信，論敬字義甚詳，兼及省中奏請援浙事，勸余起復；是日未刻，郭意城來家，述此事駱中丞業出奏矣。初三日接奉廷寄，飭卽赴浙辦理軍務，與駱奏適相符合。駱奏廿五日發，寄諭廿一日自京發也。聖恩高厚，令臣下得守年餘之喪，又令起復，以免避事之責，感激之忱，匪言可喻。玆定於初七日起程，至縣停一日，至省停二、三日，恐驛路迂遠，擬由平江義寧以至吳城，其張運蘭、蕭啓江諸軍，約至河口會齊，將來克復吉安以後，弟所帶吉字營，卽由吉東行至常山等處相會。

先大夫少時，在南嶽燒香，抽得一籤云：「雙珠齊入手，光彩耀杭州」。先大夫嘗語云：「吾諸子當有二人官浙」，今吾與弟赴浙剿賊，或已兆於五十年以前乎。此次之出，約旨卑思，脚踏實地，但求精而不求濶。目前張、蕭二軍，及弟與次青二軍，已不下萬人，又擬拾船過常玉二山，略帶水師千餘人，足敷剿辦。此外在江各軍，有餉則再添，無餉則不添，望弟爲我斟酌商辦。

辦文案者，彭椿年最爲好手，現請意城送我至吳城，或至玉山，公牘私函，意城均可辦理。請仙屏卽日回至吳城，與我相會。其彭椿年、王福二人，弟隨留一人，酌派一人來兄處當差，亦至吳城相會。余若出大道，則由武昌下湖口以至河口；若出小徑，則由義寧、吳城以至河口。許、彭等至吳城，聲息自易通也。應辦事宜，及往年不合之處，應行改弦者，弟一一熟思，詳書告我。（咸豐八年六月初四日）

致九弟（述自長沙起行）

沅浦九弟左右：十七日接弟一緘，知弟小有不適，比已全愈否？至念至念！余十九日自長沙起行，夜宿青汕望，二十夜宿土星港，二十一宿岳州，二十二宿新隄，阻風半日，南風太久，恐北風不難遽止也。

弟封還余寄耆公一書，而另以一封附去，所論皆正大之至。弟能如是見理眞確，兄復何患哉。惟吳某曾以一緘分訴於余，余許為之關白，復書去僅二日，而自背其說，亦有未妥，當更詳之耳。弟前後兩信所言皆極當，特余精力甚倦，不克力行，日日望弟來助我也。（咸豐八年六月廿三日自新隄舟中發）

致九弟（述武昌撫署）

沅浦九弟左右：在岳州曾寄一緘，不知到否？余於廿二日到新隄，廿四至武昌，寓胡中丞署內，商議一切，應酬數日，初一日可赴下游。李迪庵十九日自武昌赴麻城，廿五日拔營自蘄水前進，已約其在巴河等候會晤。巴河在黃州下四十里，去鄂垣二百廿里也。浙中之賊，次青六月初八寄胡中丞信言，衢州解圍，江山常山，玆已收復，不知其盡竄閩中，抑係分擾浙東，看來浙事亦易了耳。

余身體平安，到湖口時，大約在七月初八、九，自家起行至岳，皆値諳暑，近數日稍涼，略覺漸爽，從此新秋益涼，或可日就安泰。弟七月上旬有信，可專人送至吳城饒州等處。（咸豐八年六月廿七自武昌撫署發）

致九弟（過潯祭塔公祠）

沅浦九弟左右：久未接弟安報，不知近狀何如？余在蘭溪發一信，由湖北寄左季翁轉致，不知得到否也？初九日與迪希別，十一日至九江，一祭塔公祠。十二日至湖口，厚庵近日體氣稍遜，雪琴則神采奕奕，在湖口，新修水師昭忠祠，土木之工，一一皆親手經營，囑余奏明。迪庵在九江修塔公祠，亦囑余一奏，余擬會楊、李銜奏之。迪庵又欲於湘鄉立忠義祠，亦將一會奏也。

胡中丞之太夫人，於十一日辰刻仙逝，水陸數萬人，皆仗胡公以生以成，一旦失所依倚，關係甚重，余擬送幛一聯一，銀二百，皆書余與溫、沅名。玉班兄丁艱，弟如何致情，望速示。（咸豐八年七月十四日自湖口水營發）

致四季弟（注重種蔬養魚猪等事）

季澄兩弟左右：兄於十二日到湖口曾發一信，不知何時可到？胡蔚之奉江西耆中丞之命，接我晋省，余因於二十日，自湖口開船入省，楊厚庵送至南康，彭雪琴徑送至省，諸君子用情之厚，罕有倫比。浙中之賊，聞已全省肅清，余到江，與耆中丞省定，大約由湖口入閩。

家中種蔬一事，千萬不可怠忽。屋門首塘中養魚，亦有一種生機，養猪亦內政之要者。下首臺上新竹，過伏天後有枯者否？此四者可以覘人家興衰氣象，望時時與朱見四兄熟商。見四在我家，每年可送束脩錢十六千，余在家時，曾面許以如延師課讀之例，但未言明數目耳。季弟生意頗好，然此後不宜再做，不宜多做，仍以看書爲上。余在湖口，臥病三日，近已全愈，但微咳嗽，癬疾久未愈，心血亦虧甚，頗焦急也。久不接九弟之信，極爲懸系，見其初九日與雪琴一信，言病後元氣未復，想比已全痊矣。（咸豐八年七月廿一日自江西省河下發）

致九弟（擬優保李次青）

沅浦九弟左右：八月初一日，羅逢元專丁歸，接得廿四日信，知弟病漸痊愈復元，自長沙開船後，四十一日不接弟手書，至是始一快慰。而弟信中所云：「先一日曾專人送信來兄處者」，則至今尚未到，不知何以躭擱若是？余廿五日自江西開船，廿六日至瑞洪，廿八日就謝弁之便，寄信與弟。八月初二日至安仁，初四日至貴溪，王人瑞、張凱章及蕭浚川之弟蕭啓源，均在此相候。初六、七可至湖口，沈幼丹、李次青良覿不遠矣。

閩省浦城之賊，於七月上旬、中旬，出犯江西，圍廣豐、玉山兩城，次青以一軍分守兩縣，各力戰五、六日夜，逆賊大創，解圍以去，現在廣信地方，次青勛名大著，民望亦孚，浙撫晏公，於全浙肅清案內，保舉次青以道員記名，遇有江西道員缺出，請旨簡放，將來玉山守城案內，余亦當優保之。苦盡回甘，次青今日得蕪境矣。

玉山之賊，竄至復興婺源一帶，將歸併於皖南蕪湖，余至湖口，擬留蕭軍守湖口，而自率張王朱品佐吳國佐進剿圍之，崇安賊勢日亂，倘或易於得手。（咸豐八年八月初四日）

致九弟（望來幫辦一切）

沅浦九弟左右：接弟信，知體氣尚未全愈，弟素體弱，大黃攻伐之品，非弟所堪，而誤服之後，則復原較難。吉安克後，病當全去，元神尙虧，可至家中將養一月，仍來兄處幫辦一切，或帶勇，或不帶，或多帶，或少帶，須聽弟之自便，但不可不來幫我。

我近來精神日減，此次之出，惡我者拭目以觀其後效；好我者關心而慮其失墜。意城在此幫助，頗稱水乳，手筆亦能曲達人意，但約定至玉山後，卽當別去，專望弟來照料一切，外和軍旅，內檢瑣務，大小人才，悉心體察，庶可補余之短，弟決不可懷一不來之見也。

胡潤之中丞太夫人之處，余作輓聯云：「武昌居天下上游，看郎君新整乾坤，縱橫掃蕩三千里；陶母爲女中人傑，痛仙馭永辭江漢，感泣悲歌百萬家」。胡家聯句必多，此對可望前五名否？成章鑑極好，阿兄又當自詡眼力之不謬。（咸豐八年八月初六日）

致九弟（述捐餉增學額）

沅浦九弟左右：八月十四日寄信，略言李次青捐餉增廣學額一事；玆特將稿專人送吉，細思吾弟若撤散各勇，則必給予現銀，以欠餉報捐，必非撤勇之所願，而此事又在當辦之例。現在長、善、陰、瀏、潭、醴六邑，皆已增至十名，湘鄉捐銀，不如六邑之多，此後自不能補捐。平江以勇丁欠餉，而捐府縣學額至十五名，湘鄉何不仿行之，必須賢弟仍帶勇不撤，多則一年，少則半載，此事必成無疑。弟之不願帶勇者，以久病體弱也。吾之不强弟以多帶全部勇來者，一則恐弟獨統一部，另紮一營盤，不克在幕內幫辦一切；一則恐餉項不繼，愈久愈難也。

近來因學額一事，反覆細思，若不趁此捐務未竣，皇恩浩蕩之時，協力辦成，將來即捐銀十萬、二十萬，欲求增一名學額，恐不可得。湘鄉近年帶勇剿賊，立功各省極美，而廣額反不如長、善、陰、瀏、潭、醴、平江之多，不得謂非闕典。弟病後雖體弱，然回家養息兩月，儘可復原，一張一弛，精神自可提振得起。吉安克復，或先送五百人來，或先送千人來，其餘各勇，或令休息兩月，將來隨弟同出；或竟行撤散，均聽弟自行斟酌。總之弟宜速到，爲阿兄計，並爲學額計也。餉項本極艱窘，然只好放開手，使開膽，復瞻前顧後，畏首畏尾，吾弟以爲何如？（咸豐八年八月十七日）

致九弟（喜聞克吉安信）

沅浦九弟左右：二十二日未刻接書至，知吉安於中秋夜克復，欣慰之至！自弟從軍以來，變故多出，危疑困乏，極難下手。弟內治軍旅，外和官紳，應酬周密，調理精嚴，卒能致此成功。余在江西數年，寸功未就，得弟隱忍成業，增我光華不少。

余至弋陽，已發兩信，張凱章十八日至安仁，十九日大戰獲勝，克復安仁縣城，殺老長毛悍賊四千餘人，閩之賊當以此枝爲最兇，二十日凱章收隊。吳翔岡追至萬年，與賊接仗，先勝後挫，劉隱霞殉難，幫辦死者三人，李雨蒼尚無下落，景德鎮現尚有賊，我軍爲所牽制，目下尚難入閩。看來弟歸不可久住，宜速來幫我也。（咸豐八年八月廿二日）

致九弟（望即來營小住）

沅浦九弟左右：吳翔岡萬年之挫，查明實亡三十八人，幫辦劉隱霞之死，老湘勇人人痛之。余輓以聯句云

：「五載共干戈，地下知心王壯武；萬年歆俎豆，沙場歸骨馬文淵。」此外軍械失者甚少。翔岡廿五日收隊，廿六日來弋陽，一見余，即於廿七日拔營。張吳廿七日自貴溪拔營，約廿九、三十日至陳坊聚齊，由雲際關入閩也。聞吉安竄賊攻陷宜、崇二邑，余軍行至陳坊時，再行察看。如建昌危急，或分兵往勦，亦未可知。然余職辦閩省軍務，未敢再遲也。張、蕭各軍，病者甚多，半係瘧疫，許仙屏亦病，現留弋陽，不能從行。

次青、意誠皆有假歸之意，余強留之；實則意誠本約至玉山歸去，不願入浙、閩，乃其初議。次青五年未歸，思母極切，亦至情耳。弟若可速歸速出，則望於十一月中旬到營，以便於次青歸去過年。若目下不克速歸，到家後不克速出，則請即日來營一次，小住二十日，俾次青得於九月歸省亦好，兩者在弟酌之。弟與次、意三人者，有兩人在余營，則余案無留牘矣。（咸豐八年八月廿七日）

致四弟季弟（述零匪難奏功）

澄侯、季洪兩弟左右：張凱章廿四日拔營後，中途各勇夫患病者極多，在資福橋小住調養，日內尚未入閩，閩中賊勢亦漸鬆矣。北路洋口之賊，已被周天培擊破，僅存順昌股匪，數不滿萬；南路汀州之賊，亦極散漫，所慮零匪，不成大股，此勦彼竄，難於奏功耳。

江北賊勢復熾，張軍門自金陵帶兵渡江，於九月十六日克復揚州，大局尚可保全。天津夷務，聞和局已定，出銀六百萬，與該夷作軍資，見諸閩督來咨，餘條尚未盡悉，想廣州亦將退出矣。余身體平安，自九弟來此，日增兇快，營中疾病尚多，冬令氣斂，當漸愈耳。（咸豐八年十二日初三日）

致九弟（當報近日軍情）

沅浦九弟左右：十二日解纜，聞可行六十里，甚慰！至許灣後，當順適矣。

余十二日游麻源，較麻姑山稍勝，日內當發一摺，報近日軍情，聲明暫駐建昌，不遽東也。溫弟處復信，十四日始行，江北六合，江南溧水，均於九月十八日失守。沈幼丹信言金陵大營，退紮白兎鎭江一帶，頃接何制軍十月初三咨，無和帥移營之說，想不確也。黃東山太守十三日病故，余擬飭各處湊賻千金，以五百辦後事，及歸櫬貴州之資；以五百周其妻子。應侯新太守到，呼應乃靈耳。（咸豐八年十月十五日）

致諸弟（宜兄弟和睦貴行孝道又實行勤儉二字）

澄侯、季洪、沅浦老弟左右：十七日接澄弟初二日信，十八日接澄弟初五日信，敬悉一切。三河敗挫之信，初五日因家中尙無確耗，且縣城之內，毫無所聞，亦極奇矣。九弟於念二日在湖口發信，至今未再接信，實深懸系！幸接希庵信，言九弟至漢口後有書與渠，且專人至桐城三河訪尋下落，余始知沅浦弟安抵漢口。而久無來信，則不解何故？豈余近日別有過失，沅弟心不以爲然耶！當初聞三河凶報，手足急難之際，即有微失，亦當將皖中各事，詳細示我。

今年四月，劉昌儲在我家請乩，乩初到，即判曰：「賦得偃武修文，得閒字」，（字謎敗字）余方訝敗字不知何指，乩判曰：「爲九江言之也，不可喜也」，余又訝九江初克，氣機正盛，不知何所爲而云然，乩又判曰：「爲天下，卽爲曾宅言之」。由今觀之，三河之挫，六弟之變，正與「不可喜也」四字相應，豈非數皆前定耶！然禍福由天主之，善惡由人主之。由天主者，無可如何，只得聽之；由人主者，盡得一分算一分，撐得一日算一日，吾兄弟斷不可不洗心滌慮，以求力挽家運。

第一貴兄弟和睦。去年兄弟不和，以致今冬三河之變。嗣後兄弟當以去年爲戒，凡吾有過失，澄沅洪三弟各進箴規之言，余必力爲懲改；三弟有過，亦當互相箴規而懲改之。

第二貴體孝道。推祖父母之愛，以愛叔父；推父母之愛，以愛溫弟之妻妾兒女，及蘭、蕙二家。又父母墳域，必須改葬，請沅弟作主，澄弟不必固執。

第三要實行勤儉二字。內間妯娌，不可多講鋪張；後輩諸兒，須走路，不可坐轎騎馬；諸女莫太嬾，宜學燒茶煮飯；書蔬魚豬，一家之生氣；少睡多做，一人之生氣，勤者，生動之氣，儉者，收斂之氣，有此二字，家運斷無不興之理。余去年在家，未將此二字切實做工夫，至今愧憾，是以諄諄言之。（咸豐八年十一月廿三日）

致諸弟（溫甫尸無下落）

澄侯、沅浦、季洪三弟左右：初一日接澄弟信，知王四等於初十日到家，尚未接六弟確耗也。沅浦初九日在長沙所發之信，廿五日接到，甚慰甚慰！此次江行之速，爲從來所未有，在滿口所發之信，至今尚未接到。沅弟抵家後，不得溫甫實信，不知如何憂傷。吾派人至江北，至今未歸，沅弟所派三人，至三河桐城訪查者，想亦無眞實下落，已矣，尚何言哉。

吾去年在家，以小事爭競，所言皆錙銖細故，洎今思之，不値一笑。負我溫弟，卽愧對我祖我父，悔恨何及！當極九作文數首，以贖余愆，求沅弟寫刻石碑，沅弟字有秀骨，宜日日臨帖作大楷，凡余文概請沅弟寫之，紐田刻之，亦足少攄我心中抑鬱愧悔之懷。

余近日體尙平安。張凱章初二日拔營赴景德鎭，吳翔岡初四日起行，吾於新正亦當移營進紮鄱陽、彭澤等處，與水師相聯絡，卽可爲江北之聲援。蕭軍現赴南贛，賊蹤已遠，大約回廣東矣。如江閩一律肅淸，明歲並帶蕭軍至九江兩岸也。付回銀一百兩，寄送親戚本家，另開一單，不知可否？（咸豐八年十二月初三日）

致諸弟(述溫弟事變及家庭不可說利害話)

澄侯、沅浦、季洪老弟左右：十五日接澄沅冬月念九、三十兩函，得悉叔父大人於二十七日患病，有似中風之象。吾家自道光元年，即處順境，歷三十餘年，均極平安。自咸豐年來，每遇得意之時，卽有失意之事，相隨而至。壬子科，余典試江西，請假歸省，即聞先太夫人之訃；甲寅冬，余克武漢田家鎮，聲名鼎盛，腊月念五甫奉黃馬褂之賜，是夜即大敗，衣服文卷，蕩然無存；六年之冬，七年之春，兄弟三人，督師於外，瑞州合圍之時，氣象甚好，旋即遭先大夫之喪；今年九弟克復吉安，譽望極隆，十月初七，接到知府道銜諭旨，初十即有溫弟三河之變。此四事，皆吉凶同域，憂喜並時，殊不可解？現在家中尚未妄動，妥愼之至。余之意，則不免皇皇，所寄各處之信，皆言溫弟業經殉節矣，究欠妥愼，幸尚未入奏，將來擬俟湖北奏報後，再行具疏也。家中亦俟報到日，乃有舉動，諸弟老成之見，賢於我矣。

叔父大人之病，不知近狀何如？玆專法六歸送鹿茸一架，即沅弟前次送我者；此物補精血，遠勝他藥，或者有濟。迪公筱石之尸，業經收覓，而六弟無之，倘有一線生理，若其同盡，則六弟遺骸，必去迪不遠也。

沅弟信言：「家庭不可說利害話，」此言精當之至，足抵萬金。余生平在家在外行事，尚不十分悖謬，惟說些利害話，至今愧悔無極。(咸豐八年十二月十六日)

致諸弟(述六弟遺骸未尋得)

澄侯、沅浦、季洪老弟閣下：十五日接叔父患病之信，十六日專王法六送鹿茸回家，限年內趕到，十七早接澄弟兩信，沅弟一信，叔父病勢已愈，大幸大幸！

溫弟之事，日內計已說破，不知叔父與溫弟婦能少節哀否？溫弟婦治家最賢，而賦命最苦，不知天理何以全不可憑。

十八夜接希庵信，知六弁沅弟所派已回，皆未尋得，而迪菴遺骨，於初一日已搬至霍山縣。同一殉節，而又有幸有不幸若此。

余又專五人去尋，中有二人，係賊中逃出者，言必可至三河故壘；其三人則楊名聲、楊鎭南、張淦也。能尋得遺蛻，尙是不幸中之一幸，否則吾何面見吾祖考妣及考妣於地下哉。（咸豐八年十二月二十日）

致諸弟（述起屋造祠堂及改葬之注意點又述寫字之法）

澄侯、沅浦、季洪三弟左右：王四等來，得知叔父大人病勢稍加，得十三日優卹之旨，不知何如？頃又接十九日來函，知叔父病已略愈，欣慰欣慰！然溫弟靈柩到家之時，我家祖宗有靈，能保得叔父不添病，六弟婦不過節烈，猶爲不幸中之一幸耳。

此間兵事，凱章在景德鎭相持如故，所添調之平江三營，寶勇一營，均已到防，或可隱紮浚川，在南康之多城墟，打一勝仗，奪僞印四十三顆，僞旗五百餘面，皆解至建昌，甚爲快慰！惟石達開尙在南安一帶，悍賊亦多，不知究竟掃蕩否？吉中營以後常不離余左右，沅弟儘可放心。

起屋造祠堂，沅弟言外間訾議，沅弟自任之。余則謂外間之訾議不足畏，而亂世之兵變，不可不慮！如江西近歲，凡富貴大屋，無一不焚，可爲殷鑒。吾鄉僻陋，眼界甚淺，稍有修造，已駭聽聞，若太閎麗，則傳播招尤，苟爲一方首屈一指，則亂世恐難倖免，望弟再斟酌於豐儉之間，妥善行之。

改葬先人之事，將求富求貴之念，消除淨盡。但求免水蟻，以妥先靈；免凶煞，以安後嗣而已。若存一絲求富求貴之念，則必爲造物鬼神所忌。以吾所見所聞，凡已發之家，未有續尋得大地者。沅弟主持此時，務望將此意拿得穩，把得定，至要至要！

紀澤姻事，以古禮言之，則大祥後可以成婚；以吾鄉舊俗言之，則除靈道場後可以成婚。吾因近日賦勢尙旺，時事難測，頗有早辦之意。紀澤前兩禀，請心壺抄奏摺，儘可行之。吾每月送脩金二兩，應抄之奏，不知家中有底稿否？抄一篇，可寄目錄來一查，注明日月。

紀澤之字，較之七年二、三月間，遠不能逮，大約握筆宜高能握至管頂者爲上，握至管頂之下寸許者次之，握至毫以上寸許者，亦尙可習，若握近毫根，則難寫好字，亦不久必退，且斷不能寫好字，吾驗之於已身，驗之於朋友，皆歷歷可驗。紀澤以後宜握管略高，縱低亦須隔毫根寸餘；又須用油紙摹帖，較之臨帖勝十倍。

沅弟之字，不可拋荒。溫弟哀辭墓志，及王考妣考妣神道碑之類，余作就後，均須沅弟認眞書寫。賓興堂記首段未愜，徒日內改就，亦須沅弟寫之。沅弟雖憂危忙亂之中，不可廢習字工夫。親戚中雖有漱六雲仙善書，余因家中碑板，不擬倩外人書也。（咸豐九年正月十一日）

致諸弟（奏溫甫殉難事）

澄侯、沅甫、季洪老弟左右：初十日接胡中丞信，迪庵及溫弟已奉旨優卹。迪公飾終之典，至隆極渥，其靈柩廿五日到湖北，廿六日宣讀恩旨，廿九請官中堂題主，正月初三日起行還湘，備極哀榮。溫弟與之同一殉難，而遺骨莫收，氣象迥別，予於十一日具摺奏溫弟殉難事，蓋至是更無生還之望矣，慟哉！家中此刻已宣佈否？若尙未宣佈，則請更秘一月，待二月間，楊鎭南等歸來，我摺亦奉批轉來，如實尋不得，則招魂具衣冠以葬。余上無以對祖考妣及考妣，下無以對姪兒女，自古皆有死，死節尤爲忠義之門，奕世有光，本無所憾，特以骸骨未收，不能不抱憾於終古。

沅弟近日出外看地否？溫弟之事，雖未必由於墳地風水，然而八斗屋後及周壁沖三處，皆不可用。子孫之心，實不能安，千萬設法，不求好地，但求平安。洪夏之地，余心不甚願，一則嫌其經過之處，山嶺太多；一則既經爭訟，恐非吉壤，地者鬼神造化之所秘惜，不輕予人者也。人力所能謀，只能求免水蟻凶煞三事，斷不能求富貴利達，明此理，絕此念，然後能尋平穩之地；不明此理，不絕此念，則並平穩者亦不可得。沅弟之明，諒能了悟，余在建倘平安，惟心緒鬱悒，不能開懷，殊褊淺耳。（咸豐九年正月十三日）

致諸弟（尋獲溫甫弟遺骸）

澄侯、沅浦、季洪三弟左右：廿七日亥刻，接胡潤公專丁來信，知溫甫弟忠骸，業經尋獲，是猶不幸中之一幸；惟先軫喪元，又幸中之一大不幸。計胡中丞亦必有專信，另達舍間。

沅弟此時自不便遽出，應覓地兩所，一面改葬先考妣，一面安厝溫弟。潤公待我甚厚，溫弟靈櫬歸舟，想必妥為照料，吾即派楊名聲等三弁送湘鄉也。墓誌銘作就，再專丁送歸。（咸豐九年正月二十八日）

致諸弟（邑中須有團練）

澄侯、沅浦、季洪三弟左右：自接沅弟十七日在省一信，至今七日未接長沙嗣音，不知耒陽、常寧、安仁、衡州近狀何如？至為懸系！團練之法，余向不以為然，而我邑此次卻須有團練，以壯聲威，望澄弟盡心為之，無以我言為典要。此間新招三千餘人，余星煥等長寧勇千人，於初一日到營；張子衡平江勇千三百人，已將到齊；凌蔭廷接帶之義營千人，俱紮貴谿，俟練妥後，即日亦當來老營；惟彭山屺之兵未到。到齊時，老營共七千餘人，將卒皆躍躍欲試，氣象頗好，似堪一戰，惜無好統領臨陣指麾之耳。

湘勇之在江者，多有回援湖南之意，吾令浚川由吉安回茶陵，已去二札一批，至今尚未回信，又派吳翔岡回援，翔岡之營，雖交凌蔭廷，尚留四百人，合新招之三百人，亦差足成軍，王鈐峯、張凱章稟請回援，此時景鎮未克，礙難撤退，廿四日鎮賊撲凱章所轄之祥字營，一擊即退，凱軍近日已穩，但難期克復耳。

我日來鬱悶之懷，雖不能免，然癬疾已愈十分之八、九，辦事精神，亦較六年略好，往年心中悔愧之事，與官場不和之事，近亦次第消融而彌縫之。惟七年在家，度量太小，說話太鄙，至今悔之，此外方寸尙泰然也。（咸豐九年三月初三日）

致諸弟（湖南協餉停解）

澄侯、沅浦、季洪三弟左右：溫弟靈櫬於初十到縣，十五可到家，至以爲慰！又幸叔父能親筆寫字，得紀壽引見恩旨後，必可日就康强，尤爲家庭之福。

凱軍在景德鎭相持如故，十三日打一小勝仗，十六日二更，賊放火僞遁以誘我，我軍亦未受其害，老營氣象如常。湖南每月協餉三萬，因有事停解，余以蕭軍之二萬五千餘，請其發給，亦差足相當，吉營望沅弟甚切，四月能來爲妙。澄弟身常勞苦，心常安逸，最善最善。

余近日事亦平順，以心血大虧，故多憂疑，恆用自警。沅弟勸我規模宜闊，我可勉而幾也；其謂處事宜決斷，則尙有未能。用情之厚薄，惟李家賻儀略厚，以渠以蠢濟我軍已二萬餘金，不可無以酬之，此外亦循舊規耳。（咸豐九年三月二十三日自撫州軍中發）

致四弟（述近況）

澄侯四弟左右：今年以來，賢弟實在勞苦，較之我在軍營，殆過十倍，萬望加意保養祁陽之賊，或可不竄湘鄉，萬一竄入，亦係定數，余已不復懸系。余自去年六月再出，無不批之稟，無不復之信，往來之嫌隙尤悔，業已消去十分之七、八，惟辦理軍務，仍不能十分盡職，蓋精神不足也。賢弟聞我近日在外，尙有錯處，不妨寫信告我。余派委員伍華瀚在衡州坐探，每二日送信一次，家中若有軍集報營，可由衡城交伍轉送也。（咸豐九年五月初六日）

致四弟(以壽序作格言)

澄侯四弟左右：蕭浚川又至寶慶，大局當不足慮。賊至十萬之多，每日需米食千石，需子藥數千斤，渠全無來源，糧米搶盡，斷無不去之理，可不須大勝仗也。沅弟啓行後，日日大雨，甚爲辛苦。

余右目紅痛，不能寫小字，前因賢弟夫婦四十壽辰，思寫紅紙屏一幅寄賀，即將平日所稱之祖父勤儉孝友書蔬魚豬等語，述寫一篇，爲壽序也可，爲格言也可，玆因目疾，倘未及辦，待下次再寄也。

叔父處前年以大事未辦壽屏，明年叔母五十晋一，擬請潄六、筠仙爲之，弟意以爲何如？在界嶺等處，弟亦太辛苦，須常常服補藥，保養身體，孝之大端也。(咸豐九年五月二十四日)

致四弟(責晏起)

澄侯四弟左右，賀常四到營，接弟信，言早起太晏，誠所不免。去年住營盤，各營皆畏愼早起，自臘月二十七移寓公館，早間稍晏，各營皆隨而漸晏，未有主帥晏而將弁能早者也。猶之一家之中，未有家長晏而子弟能早者也。

沅弟在景德鎭，辦事甚爲穩靠，可愛之至。惟據稱悍賊甚多，一時恐難克復，官兵有勁旅萬餘，決可無疑。季弟在湖北，已來一信，胡詠帥待之甚厚，家中儘放心。家中讀書事，弟宜常常留心，如甲五科三等，皆須讀書，不失大家子弟風範，不可太踈忽也。(咸豐九年六月初三日)

致四弟(述奉防蜀之旨)

澄侯四弟左右：寶慶久被長圍所困，心殊懸懸。景德鎭於十四日克復，十五日派隊跟追，聞浮梁賊尚未退，不知該逆別有詭計否？沅弟追賊約三日，回營後，即謀來撫，將歸里爲改葬事也。

前奉防蜀之旨，頃已復奏，言兵力太單，難以入蜀，且景德鎭未克，不能遽行抽動等因，已於十八日拜發，其時不知景鎮之卽復也。目下之計，大約帶兵由長沙上泝至荊州、宜昌等處，防賊佔荊、宜，則兩湖俱難措手，若諭旨必令赴蜀，則須添至二萬餘人，太少無益也。（咸豐九年六月十八日）

致四弟九兩弟（必須略置墓田）

澄沅兩弟左右：寶慶解圍，團勇當撤，賊竄祁、衡，吾邑遂可弛防。予在湖口住十日，八月初一日至潯陽，耽擱二日，因阻風不克成行，好在上游無事，賊不入蜀，余行雖遲滯，尚不誤事。日內守風此間，可遊覽廬山近處勝境，朱品隆等各營，已由陸路先至黃州，季弟奉胡中丞札，募勇千人，聞初四日自黃州起行歸湘，吉字中營之餉，到黃州再派人起解，如已開船前來，則不起解亦可。

先考妣改葬之期已近，果辦得到否？須略置墓田，令守墓者耕之。凡墓下立雙石柱，方柱圓首，柱高而遠，不刻字者，謂之華表。柱矮而刻字者，謂之闕。四柱平立，上有橫石二條，謂之坊。凡神道碑有上覆以亭者，有左右及後面皆以磚石貼砌，上蓋圓筒瓦者，有露立全無覆蓋者，三者隨弟斟酌。要之上用螭首，下用龜趺，則一定之式，不可改易。

公卿大夫之家，有隆禮者，於墓門之南，立墓表碑，又於極南處，立神道碑；稍簡者，僅立一碑，二者聽弟斟酌。要之宜立於墓門之外，江西立於墳堆之趾，湖南立於羅儓之頭，蓋非古法，不可學也。

至築墳結頂，上年周壁沖，結沖最合古法，今京師王公貝勒及品官之家，墳塋多用此式，勿以其爲吾鄉所創見駭聞而不用也。吾之所見如此，望弟細心詳酌。吾於祖父墳墓祠廟，皆未盡心，實懷隱疚，今沅弟能力辦之，澄弟能玉成之，爲先人之功臣，卽爲余彌此缺憾，且慰且感！余此次在外，專了從前未了之事，而彌縫過失，亦十得七、八耳。（咸豐九年八月初五日自九江舟次發）

致四弟（述楚軍難北征及湖南樊鎮一案）

澄侯四弟左右：沅弟到營，得聞家事之詳，近日婚嫁兩事，均已完畢，可少休息。

吾於二十八日自黃州歸，接奉寄諭，以湖北大舉征皖，恐其驅賊北竄，吾細察湘勇膽柔，實難北征，一渡淮水，共食麥麵，天氣苦寒，必非湘人所能耐，擬於日內復奏，陳明楚軍所以不能北行之故。

湖南樊鎮一案，駱中丞奏明湖南歷次保舉，一秉至公，並將全案卷宗，封送軍機處。皇上嚴旨詰責，有「屬員慫恿，劣幕要挾」等語，並將原奏及原案發交湖北，原封未動。從此湖南局面，不能無小變矣。

余身體平安，惟目疾久不全愈，精神意興，日臻老態，所差堪自信者，看書看稿，猶能精細深入。每日黎明即起，不敢隳祖父之家風，足以告慰。（咸豐九年十月初四日自巴河軍次發）

致四弟九弟（述捻匪之猖獗）

澄溫、沅浦兩弟左右：自余於巴河拔營，沅浦於次日登舟，計此信到家，沅弟亦抵里門矣。余拔營後，長行七日，十一月初三日至黃梅，駐紮城外，距太湖百二十里。賊約三、四千，被我兵萬五千人，四面環圍，城賊極為窮蹙，所慮者，四眼狗率黨來援，或有變動，否則太湖年內可克。

余暫駐黃梅邑，細察地勢，再行前進。日內癬疾大作，目亦極蒙，幸精神如常，每日竭力支撐，不甚懈怠。河南捻匪，日益猖獗，皖南寧國，屢次敗挫，六合大營，被四眼狗攻陷，揚州近又被圍，氣機殊未轉耳。（咸豐九年十一月初三日）

致四弟九弟（頗慮統將乏人）

澄侯、沅浦兩弟左右：十五日接弟信，知沅弟初一日移新宅，賀賀。吾弟以孝友之本，立宏大之規，氣魄遠勝阿兄，或者祖父之澤，得吾弟而門乃大乎。

日內警報頻聞，援賊四眼狗糾合捻匪龔瞎子，帶五、六萬人來援，鮑超紮小池驛禦之，已至太湖之前四十里。蔣之純紮龍家涼亭，多都護紮新昌，相去各十里內外。廿二日開仗，我軍先獲大勝，窮追二十里，多因遇伏而小挫。太湖城外，留唐義渠一軍三千四百人，太形單薄，余派前幫十營六千人，前往助紮，派朱雲巖、李申夫統領，不知前敵多、鮑等軍，果站得住否？余在宿松，身邊僅四千三百人，除吉中吉字之外，均不甚可恃，心殊焦灼！蕭浚川奉旨調赴黔蜀，希庵亦以母病不來，統將乏人，不知所以爲計。余癬疾大發，爲十餘年所僅見，夜不成寐，幸溫書未甚間斷耳。

（咸豐九年十二月廿四日）

致四弟九弟（問新屋形狀及述賊包圍鮑營）

澄侯、沅浦兩弟左右：除夕接兩弟家書，并紀澤兒一禀，欣悉家中四宅平安，惟叔父病未全愈，至以爲念！沅弟移居後，新屋氣象，則尙宏敞，不知居之適意否？凡屋有取直光者，有取斜光者，有取反光者，聞新屋極高，而天井不甚闊，則所取皆直光矣？未申以後，內室尙不黑暗否？裝修及製品，殊不易易，頗有頭緒否？余在此望沅弟來甚切，而恐弟應辦之事，皆未辦妥，不敢遽催也。

多、鮑、蔣三軍，自臘月廿二大戰後，賊於廿四、六等日，包圍鮑營，廿七日遂長圍鮑營，層層包裹，霆左營四面皆合，水米文報不通，幸定心堅守數日，廿九日賊解圍，少退五里以外。除夕日多都護另派精選前營，紮於霆左營之壘，而令霆左營弁勇暫入鮑之中軍，休息數日，從此前敵應稍安穩。

余自去冬以來，癬疾大發，目蒙異常，而應辦之事，未甚間斷。新年軍事緊急，少爲將息，除公事外，不敢多作一事也。

紀澤兒所論八分，不合古義，至欲來營省視，余亦思一見，沅弟來時，可帶紀澤來展謁一次，住營一月，專人送歸。（咸豐十年正月初四日）

致四弟九弟（述克復太湖縣）

澄沅兩弟左右：多都護於二十五日出隊誘賊，業已破賊三壘，賊以大隊猛撲，多部敗退，賊追十里，唐、蔣各部，齊出接應，鮑亦猛進，多亦回殺，賊遂大敗，凶悍者傷亡二、三千人。廿六日我軍乘勝進攻，五軍出滿隊，凡萬八千人，排列而進，破賊壘六十餘座，壘內火藥甚多，草棚甚密，火球所著，登時轟發，狂風旋轉，巨火燭天，山谷之間，人馬倉卒難逃，多被傷死，牲糧衣物，一炬焦土，殺賊亦實有三、四千人。僅有三壘未破，四眼狗於是夜逃去，三壘亦逃，太湖縣之賊亦逃，即將城池克復。此次大捷，實足寒賊胆而快人心，沅弟雖不在營，而中軍義字兩營，連破賊壘，亦極有功。季弟在太湖克復一城，志亦少紓，特此轉告，俾沅弟放心可也。（咸豐十年正月廿八日）

致四弟九弟（痛悉叔父去世）

澄侯、沅浦兩弟左右：接來信，痛悉叔父大人於十九日戌刻去世，哀痛曷極！自八年十一月，聞溫弟之耗，叔父即說話不圓，已慮其以憂傷身。叔父生平，外面雖處順境，而暗中亦極鬱抑，思之傷心。此次一切從豐，兩弟自有權衡。喪禮以哀爲主，次以肅靜爲主，余於聞訃之第二日，進公館設位成服，擬素食七日，素服十四日，仍行撤靈入營。

季弟擬請假回籍，余囑其來宿松靈前行禮。沅弟不敢再求愜意，自是知足之言。但濕氣一層，不可不詳密，若濕氣太重，人或受之，則易傷脾。凡屋高而天井小者，風難入，日亦難入，必須設法祛散濕氣，乃不生病，至囑至囑！（咸豐十年二月初八日）

致四弟九弟（聞克復杭城信及囑不必添營）

澄侯、沅浦兩弟左右：自初十日聞浙江被圍之信，十三日聞失守之信，寸心焦灼，全軍爲之驚擾。一則恐有援浙之行；二則大局一壞，一木難支。所謂一馬之奔，無一毛而不動，一舟之覆，無一物而不沉也。茲幸於十八日接張筱浦先生來信，杭城於三月三日克復，欣慰無極！特耑人馳告家中，亦以慰陳作梅將母之懷。

前有信囑沅弟來營，或酌募一、二營帶來。茲浙事既已平定，即不必添營。沅弟信中，意於今冬謀爲蟬蛻之計，尤可不必再行添募。蓋凡勇皆服原募之人，不甚服接帶之人。多一營頭，則蟬蛻時多一番糾結也。

（咸豐十年三月十九日）

致四弟九弟（論進補藥及必須起早）

澄侯、沅浦兩弟左右：接家信，知叔父大人，已於三月二日安厝馬公塘。兩弟於家中兩代老人養生送死之事，備極敬誠，將來必食報於子孫。聞馬公塘山勢平衍，可決其無水蟻凶災，尤以爲慰！澄弟服補劑而大愈，幸甚幸甚！吾平生頗講求惜福二字之義，近來補藥不斷，且蔬菜亦較奢，自愧享用太過，然亦體氣太弱，不得不爾。胡潤帥、李希庵、常服遼參，則其享受更有過於余者。家中後輩子弟，體弱學射，最足保養，起早尤千金妙方，長壽金丹也。（咸豐十年三月廿四日）

致四弟九弟（尋地必求愜意）

澄侯、沅浦兩弟左右，沅弟既與作梅意見相合，家中尋地，可留梅公多住一、二月，以必得爲期。改葬本非好事，然既已屢改，則必求愜意而後止。余非欲求地以徼富貴者，惟作梅以三千里外至吾鄉，千難萬難，不可錯過。澄弟所跋對聯，甚爲妥洽，服補藥雖多，仍當常常靜坐，不可日日外出。一則保養身體，一則教訓子侄，至囑至囑！

此間至今未得進兵，實爲遲滯。希庵至多公處，與之暢談，針芥契合，相得益彰，大約數日後即可移營，進逼桐城、懷寧矣。浙江克復後，皖南又大震動，河南捻匪上竄，陝西及樊城戒嚴，四眼狗近擣全椒，思解金陵之圍。余身體平安，癬疾皆在腿以下，本是空閒地方，任其騷擾可也。（咸豐十年閏三月十四日）

致四弟（治家八字訣）

澄侯四弟左右：念七日接弟信，欣悉合家平安。沅弟是日申刻到，又得詳問一切，敬知叔父臨終，毫無抑鬱之情，至爲慰念！

余與沅弟論治家之道，一切以星岡公爲法，大約有八字訣，其四字卽上年所稱書蔬魚猪也，又四字則曰早掃考寶：早者，起早也；掃者，掃屋也；考者，祖先祭祀，敬奉顯考王考曾祖考，言考而妣可該也；寶者，親族鄰里，時時周旋，賀喜弔喪，問疾濟急。

星岡公常曰：「人待人，無價之寶也」。星岡公生平於此數端，最爲認眞，故余戲述爲八字訣曰：「書蔬魚猪，早掃考寶」也。此言雖涉諧謔，而擬卽寫屏上，以祝賢弟夫婦壽辰，使後世子孫，知吾兄弟家教，亦知吾兄弟風趣也，弟以爲然否？（咸豐十年閏三月廿九日）

致四弟（述蘇錫失守信）

澄侯四弟左右：前寄一緘，想已入覽。近日江浙軍事大變，自金陵大營潰散，退守鎭江，旋退保丹陽，廿九日丹陽失守，張國樑陣亡，四月初五日和雨亭將軍何根雲制軍退至蘇州，初十日無錫失守，十三日蘇州失守。

目下浙江危急之至，孤城新復，兵無餉，又無軍火器械，賊若再至，亦難固守，東南大局，一旦瓦裂，皖北各軍，必有分援江、浙之命，非胡潤帥移督兩江，卽余往視師蘇州，二者苟有其一，則目下三路進兵，大局不能不變。抽兵以援江浙，又恐顧此而失彼，賊若得志於江浙，則江西之患，亦近在眉睫間。吾勸意湖南將能辦之兵力，出至江西，助防江西之北岸，免致江西之糜爛，使湖南專防東南，則勞費多而無及矣。不知以吾言為然否？

左季高在余營住二十餘日，昨已歸去。余尚肯顧大局，沅弟、季弟、新圍安慶，正得勢得機之際，不肯舍此而他適，余則聽天由命，或皖北，或江南，無所不可，死生早已置之度外，但求臨死之際，寸心無可愧憾，斯為大幸！家中之事，望賢弟力為主持，切不可日趨於奢華，子弟不可學大家口吻，動輒笑人之鄙陋，笑人之寒村，日習於驕縱而不自知，至戒至囑！余本思將書蔬魚豬早掃考寶八字，作一壽屏，為賢弟夫婦生日賀，因匆匆尚未作就。余目疾近日略好，有言早洗面水泡洗二刻即效，比試行之，諸請放心。（咸豐十年四月廿四日）

致四弟（囑紀澤來省覲）

澄侯四弟左右：余擬於十五日起行，帶兵渡江，駐紮徽州、池州、二府境內。其九弟所帶之萬人，現紮安慶城外者，仍不撤動，蓋以公事言之，余雖駐南岸，仍當以北岸為根本。有胡中丞在北岸主持一切，又有多禮堂、李希庵及沅弟三支大軍，則北岸穩，湖北穩，袁公之軍亦穩。余在南岸，亦可倚北為聲援也。以私事言之，則余為地方官，若僅帶一胞弟在身邊，則好事未必見九弟之功，壞事必專指九弟之過，嫌隙之際，不可不慎！

余定帶鮑鎮超之霆字營六千人，朱品隆二千人，及現在宿松之馬步二千人，合萬人先行，餘在湖南陸續調集招募，足成三萬之數。左季高現奉旨以四品京堂候補襄辦余處軍務，所有應在湖南招募等事，即咨請季翁在湘料理。近日得浙江王中丞信，蘇州之賊，尚未至浙境，浙江省城，有杭州將軍瑞，欽差大臣張，及王中丞三人，應可保全，但使保得浙江，保得江西，則此後尚可挽回全局。

紀澤兒若來省覲，則由長沙，或坐戰船，或坐民船，直下湖北，以至湖口東流，余紮營當在東流附近之地方，長江之險，夏月風濤無定，每遇極熱之時，須防暴風之至。下晚灣泊宜早，來往一月，即令其速歸也。望弟諭紀澤沿途謹慎，不必求快。（咸豐十年五月初四日）

致四弟（述營中諸務叢集）

澄弟左右：五月四日接弟緘，「書蔬魚豬，早掃考寶」，橫寫八字，下用小字注出，此法最好，余必遵辦，其次序則「改爲考寶早掃，書蔬魚豬」。

目下因拔營南渡，諸務叢集，蘇州之賊已破，嘉興淳安之賊已至績溪，杭州、徽州，十分危急，江西亦可危之至。余赴江南，先駐徽郡之祁門，內顧江西之饒州，催張凱章速來饒州會合，又札王梅春募三千人進紮撫州，保江西即所以保湖南也。又札王人樹仍來辦營務處，不知七月間可趕到否？若此次能保全江西兩湖，則將來仍可以克復，安危大局，所爭只在六七八九數月。澤兒不知已起行來營否？弟爲余照料家事，總以儉字爲主，情意宜厚，用度宜儉，此居家鄉之要訣也。（咸豐十年五月十四日）

致九弟（述楊光宗不馴）

沅弟、季弟左右：出隊以護百姓收穫，甚好。與吉安散耕牛籽種，用意相似，吾輩不幸生當亂世，又不幸而帶兵，日以殺人爲事，可爲寒心！惟時時存一愛民之念，庶幾留心田以飯子孫耳。

楊鎭南之哨官楊光宗，頭髮橫而盤，吾早慮其不馴，楊鎭南不善看人，又不善斷事，弟若看有不妥洽之意，即飭令仍回兄處，兄另撥一營與弟換可耳。

吾於初十日至歷口，十一日擬行六十里，趕至祁門縣，十二日先太夫人忌辰，不欲紛紛迎接應酬也。寧國府一軍，緊急之至，吾不能撥兵往援，而擬少濟之以餉，亦地主之道耳。（咸豐十年六月初十日）

致季弟（講求將略品行學術）

季弟左右：頃接沅弟信，知弟接行知，以訓導加國子監學正銜，不勝欣慰！官階初晉，雖不足爲吾季榮，惟弟此次出山，行事則不激不隨，處位則可高可卑，上下大小，無人不翕然悅服，因而凡事皆不拂意，而官階亦由之而晉，或者前數年抑塞之氣，至是將暢然大舒乎。易曰：「天之所助者，順也；人之所助者，信也。」我弟若常常履順思信如此，名位豈可限量哉。

吾湖南近日風氣，蒸蒸日上，凡在行間，人人講求將略，講求品行，並講求學術。弟與沅弟既在行間，望以講求將略爲第一義，點名看操等粗淺之事，必躬親之。練胆料敵等精微之事，必苦思之。品學二者，亦宜以餘力自勵。目前能做到湖南出色之人，後世即推爲天下罕見之人矣，大哥豈不欣然哉。

沅弟以陳米發民夫挑濠，極好極好。此等事弟等儘可作主，兄不吝也。（咸豐十年六月廿七日）

致沅弟季弟（囑文輔卿二語）

沅弟季弟左右，探報閱悉，此路並無步撥，即由東流建德驛夫送祁，建德令已死，代理者新到，故文遞遲延。弟以後要事，須專勇送來，三日可到，或逢三八專人來一次，每月六次，其不要緊者，仍由驛發來，則兄弟之消息常通矣。

文輔卿辦釐金甚好，現在江西釐務，經手者皆不免官氣太重，此外則不知誰何之人，如輔卿者，能多得幾人，則釐務必有起色。吾批二李詳文云：「須冗員少而能事者多，入款多而坐支者少。」又批云：「力除官氣，嚴裁浮費。」弟須囑輔卿二語，無官氣，有條理，守此行之，雖至封疆不可改也。有似輔卿其人者，弟多薦幾人更好。甲三起行時，溫弟婦甚好，此後來之變態也。（咸豐十年六月廿八日）

致沅弟季弟（隨時推薦正人）

沅弟季弟左右：輔卿而外，又薦意卿、柳南二人，甚好。柳南之篤慎，余深知之，意卿諒亦不凡。余告筱輔觀人之法，以有操守而無官氣，多條理而少大言爲主。又囑其求潤帥左郭及沅薦人，以後兩弟如有所見，隨時推薦，將其人長處短處，一一告知阿兄，或告筱荃，尤以習勞苦爲辦事之本。引用一班能耐勞苦之正人，日久自有大效。

季弟言出色之人，斷非有心所能做得，此語確不可易，名位大小，萬般由命不由人，特父兄之教家，將帥之訓士，不能如此立言耳。季弟天分絕高，見道甚早，可喜可愛。然辦理營中小事，教訓弁勇，仍宜以勤字作主，不宜以命字諭衆。

潤帥先幾陳奏，以釋群疑之說，亦有函來余處矣。昨奉六月二十四日諭旨，實授兩江總督，兼授欽差大臣，恩眷方渥，儘可不必陳明，所慮者，蘇常淮揚，無一支勁兵前往，位高非福，恐徒爲物議之張本耳。余好出汗，沅弟亦好出汗，似不宜過勞。（咸豐十年七月初八日）

致九弟季弟（以勤字報君，以愛民二字報親）

沅弟季弟左右：兄膺此鉅任，深以爲懼，若如陸、阿二公之前轍，則貽我父母羞辱；即兄弟子侄，亦將爲人所侮，禍福倚伏之幾，竟不知何者爲可喜也。默觀近日之吏治人心，及各省之督撫將帥，天下似無戡定之理，吾惟以一勤字報吾君，以愛民二字報吾親，才識平庸，斷難立功，但守一勤字，終日勞苦，以少分宵旰之憂：行軍本擾民之事，但刻刻存愛民之心，不使先人積累，自我一人耗盡，此兄之所自矢者，不知兩弟以爲然否？願我兩弟亦常常存此念也。

沅弟多置好官，遴選將才二語，極爲扼要。然好人實難多得，弟爲留心采訪，凡有一長一技者，兄斷不敢輕視。謝恩摺今日拜發，寧國日內無信，聞池州楊七麻子將往攻寧，可危之至。（咸豐十年七月十二日）

致九弟季弟（問軍中柴米足否）

沅弟季弟左右：接專丁來信，下游之賊，漸漸蠢動，九月當有大仗開。此賊慣技，好於營盤遠遠包圍，斷我糧道，弟處有水師接濟，或可無礙，不知多、李二營何如？有米有柴，可濟十日半月否？賊雖多，善戰者究不甚多，禮希或可禦之。弟既掘長濠，切不可過濠打仗，勝則不能多殺賊，敗則不能收隊也。營中柴尙多否？煤已開出否？

紅單船下去後，吾擬札陳舫仙辦大通釐金，以便弟就近稽査，聞該處每月可二萬餘串也。

魏柳南宜辦釐乎？宜作吏乎？弟密告我。潘意卿何時可到，此間需才極急，浙事岌岌，請援之書如麻，次青今日到祁門，其部下十四、五可到。

季弟所言諸枉，聆悉，當一一錯之，不姑息也。（咸豐十年八月初七日）

致九弟（北援不必多兵）

沅弟左右：安慶決計不撤圍，江西決計宜保守，此外或棄或取，或抽或補，合衆人之心思共謀之。北援不必多兵，但即吾與潤帥二人中有一人遠赴行在，奔問官守，則君臣之義明，將帥之識著，有濟無濟，聽之可也。（咸豐十年九月十四日）

致九弟（告戰事爲天雨所阻）

沅弟左右：接來緘，知營牆及前後濠皆倒，良深焦灼，然亦恐是挖濠時不甚得法，若容土覆得極遠，雖雨大，不至仍倒入濠內，庶稍易整理。至牆子則無不倒坍，不僅安慶耳。徽州之賊，竄浙者，十之六、七，在府城及休寧者，聞不過數千人，不知確否？

連日雨大泥深，鮑、張不能進勦，深爲可惜。季高尙在樂平，余深恐賊竄入江西腹地，商之季高，無遽入皖，季高亦以雨泥不能速進也。

潤帥謀皖已大半年，一切均有成竹；而臨事復派人救援六安，與吾輩及希庵等之初議，全不符合。槍法忙亂，而弟與希庵皆有驕矜之氣，玆爲可慮。希庵論事，最爲穩妥，如潤帥有槍法忙亂之事，弟與希婉陳而切諫之。弟與希之矜氣，則彼此互規之，北岸當安如泰山矣。（咸豐十年九月廿一日）

致九弟季弟（戒傲惰二字）

沅弟季弟左右：沅弟以我切責之緘，痛自引咎，懼蹈危機，而思自進於謹言愼行之路，能如是，是弟終身載福之道，而吾家之幸也。季弟信亦平和溫雅，遠勝往年傲惰氣象。

吾於道光十九年十一月初二日，進京散館，十月二十八日早侍祖父星岡公於階前，請曰：「此次進京，求公教訓。」星岡公曰：「爾之官是做不盡的，爾之才是好的，但不可傲（滿招損，謙受益），爾若不傲，更好全了」。遺訓不遠，至今尙如耳提面命。今吾謹述此語，誥誡兩弟，總以除傲字爲第一義。唐虞之惡人，曰丹朱傲，曰象傲，桀紂之無道，曰强足以拒諫，辯足以飾非，曰謂已有天命，謂敬不足行，皆傲也。吾自八年六月再出，卽力戒傲字，以儆無恆之弊。近來又力戒惰字，昨日徽州未敗之前，次青心中不免有自是之見，旣敗之後，余益加猛省，大約軍事之敗，非傲卽惰，二者必居其一；巨室之敗，非傲卽惰，二者必居其一。余於初六所發之摺，十月初可奉諭旨，余若奉旨派出，十日卽須成行，兄弟遠別，未知相見何日，惟願兩弟戒此二字，並戒後輩，當守家規，則余心大慰耳。（咸豐十年九月廿四日）

致九弟季弟（謝給紀澤途費）

沅弟季弟左右：日內不知北岸賊情何如？至爲系念！季弟賜紀澤途費太多，余給以二百金，實爲不少；余在京十四年，從未得人二百金之贈。余亦嘗以此數贈人。雖由余交遊太寡，而物力艱難，亦可概見。余家後輩子弟，全未見過艱苦模樣，眼孔大，口氣大，呼奴喝婢，習慣自然，驕傲之氣，入於膏肓而不自覺，吾深以爲慮！前函以傲字箴規兩弟，兩弟猶能自省惕；若以傲字誥誡子姪，則全然不解。蓋自出世來，祇做過大，並未做過小，故一切茫然，不似兩弟做過小，吃過苦也。（咸豐十年十月初四日）

致九弟季弟（告軍事失利）

沅弟季弟左右：接信知北岸日內尚未開仗，此間鮑張於十五日獲勝，破萬安街賊巢，十七日獲勝，破休寧東門外二壘，鮑軍亦受傷百餘人，正在攻剿得手之際，不料十九日未刻，石埭之賊，破羊棧嶺而入新嶺，桐林嶺同時被破，張軍前後受敵，全局大震，比之徽州之失，更有甚焉。余於十一日親登羊棧嶺，爲大霧所迷，目無所睹，十一日登桐林嶺，爲大雪所阻，今失事恰在此二嶺，豈果有天意哉。

目下張軍最可危慮，其次則祁門老營，距賊僅八十里，朝發夕至，毫無遮阻，現講求守壘之法，賊來則堅守以待援師，倘有疎虞，則志有素定，斷不臨難苟免。

回首生年五十餘，除學問未成，尚有遺憾外，餘差可免於大戾。賢弟教訓後輩子弟，總當以勤苦爲體，謙遜爲用，以藥驕佚之積習，餘無他囑。（咸豐十年十月二十日）

致四弟（述剿賊情形及憂心子弟驕奢佚）

澄侯四弟左右：此間於十九日，忽被大股賊匪竄入羊棧嶺，去祁門老營，僅六十里，人心大震，幸鮑、張兩軍，於念日、念一日，大戰獲勝，克復黟縣，追賊出嶺，轉危爲安。此次之險，倍於八月廿五徽州失守時也。現賊中僞侍王李世賢，僞忠王李秀成，僞輔王楊輔清，皆在徽境，與兄作對。僞英王陳玉成在安慶境，與多禮、沅季作對。軍事之能否支持，總在十月、十一月內見大分曉。

甲三十月初六至武穴，此時計將抵家，余在外無他慮，總怕子姪習於驕奢佚三字，家敗離不得個奢字，人敗離不得個佚字，討人嫌離不得個驕字，弟切戒之！（咸豐十年十月廿四日）

致四弟（述戰事並教子姪以謙勤）

澄侯四弟左右：自十一月來，奇險萬狀，風波迭起，文報不通者五日，餉道不通者二十餘日；自十七日唐桂生克復建德，而皖北沅季之文報始通。自鮑鎭廿八日至景德鎭，賊退九十里，而江西饒州之餉道始通。若左、鮑二公，能將浮梁、鄱陽等處之賊，逐出江西境外，仍從建德竄出，則風波漸平，而祁門可慶安穩矣。余身體平安。此一月之驚恐危急，實較之八月徽寧失守時險難數倍。余近年在外，問心無愧，死生禍福，不甚介意。惟接到英法美各國通商條款，大局已壞，令人心灰。玆付回二本，與弟一閱，時事日非，吾家子姪輩，總以謙勤二字爲主，戒傲惰，保家之道也。（咸豐十年十二月初四日）

致四弟（不信醫藥僧巫和地師）

澄侯四弟左右：接弟手書，具悉弟病日就痊愈，至慰至幸！惟弟服藥過多，又堅囑澤兒請醫調治，余頗不以爲然。吾祖星岡公在時，不信醫藥，不信僧巫，不信地師，此三者，弟必能一一記憶。今我輩兄弟亦宜略法此意，以紹家風。今年做道場二次，禱祀之事，聞亦常有，是不信僧巫一節，已失家風矣。買地至數千金之多，是不信地師一節，又與家風相背。至醫藥則合家大小老幼，幾於無人不藥，無藥不貴，迨至補藥喫出毛病，則服涼藥攻伐之；陽藥喫出毛病，則服陰藥清潤之，輾轉差誤，非大病大弱不止。弟今年春間，多服補劑，夏末多服涼劑，冬間又多服清潤之劑，余意欲勸弟少停藥物，專用飲食調養。澤兒雖體弱，而保養之法，亦惟在愼飲食，節嗜慾，斷不在多服藥也。

洪家地契，洪秋浦未到場押字，將來恐仍有口舌。地師僧巫二者，弟向來不甚深信，近日亦不免爲習俗所移，以後尙祈卓識堅定，略存祖父家風爲要！天下信地信僧之人，曾見有家不敗者乎。北菓公屋，余無銀可捐，已亥冬，余登山踏勘，覺其渺茫也。（咸豐十年十二月廿四日）

致四弟（教去驕惰）

澄侯四弟左右：腊底由九弟處寄到弟信，具悉一切。弟於世事，閱歷漸深，而信中不免有一種驕氣。天地間惟謙謹是載福之道，驕則滿，滿則傾矣。凡動口動筆，厭人之俗，嫌人之鄙，議人之短，發人之覆，皆驕也。無論所指未必果當，卽使一一切當，已爲天道所不許。吾家子弟，滿腔驕傲之氣，開口便道人短長，笑人鄙陋，均非好氣象。賢弟欲戒子弟之驕，先須將自已好議人短，好發人覆之習氣，痛改一番，然後令後輩事事警改。欲去驕字，總以不輕非笑人爲第一義；欲去惰字，總以不晏起爲第一義。弟若能謹守星岡公之八字，三不信，又謹記愚兄之去驕去惰，則家中子弟，日趨於恭謹而不自覺矣。（咸豐十一年正月初四日）

致四弟（戒不輕非笑人）

澄侯四弟左右：弟言家中子弟，無不謙者，此卻未然。凡畏人不敢妄議論者，謙謹者也。凡好譏評人短者，驕傲者也。諺云：「富家子弟多驕，貴家子弟多傲。」非必錦衣玉食，動手打人，而後謂之驕傲也。但使志得意滿，毫無畏忌，開口議人短長，卽是極驕極傲耳。

余正月初四日信中，言戒驕字，以不輕非笑人爲第一義，望弟常常猛省，並戒子弟也。（咸豐十一年二月初四日）

致九弟季弟（宜以靜字勝賊）

沅、季兩弟左右：官相旣已出城，則希庵由下巴河南渡以救省城，甚是矣。希庵旣已南渡，狗逆必回救安慶，風馳雨驟，經過黃梅、宿松，均不停留，直由石牌以下集賢關，此意計中事也。

凡軍行太速，氣太銳，其中必有不整不齊之處，惟有一靜字可以勝之。不出隊不喊吶，槍礮不能命中者，不許亂放一聲，穩住一、二日，則大局已定，然後函告春霆，渡江援救，并可約多軍三面夾攻，吾之不肯令鮑軍預先北渡者，一則南岸處處危急，賴鮑軍以少定人心；二則霆軍長處甚多，而短處正坐少一靜字。若狗賊初回集賢關，其情切於救城中之母妻眷屬，拚命死戰，鮑軍當之，勝負尚未可知。若鮑公未至，狗賊有輕視弟等之心，而弟等持以謹靜專一之氣，雖危險數日，而後來得收多、鮑夾擊之效，却有六、七分把握。吾兄弟無功無能，俱統領萬衆，主持劫運，生死之早遲，冥冥者早已安排妥貼，斷非人謀計較所能及，只要兩弟靜守數日，則數省之安危，胥賴之矣，至囑至要？（咸豐十一年二月廿二日）

致四弟（教子弟以三不信及八本）

澄侯四弟左右：上次送家信者，三十五日即到，此次專人四十日未到，蓋因樂平、饒州一帶有賊，恐中途繞道也。自十二日克復休寧後，左軍分出八營，在於甲路地方小挫，退紮景鎮，賊幸未跟踪追犯，左公得以整頓數日，銳氣尚未大減，目下左軍進剿樂平、鄱陽之賊，鮑公一軍，因撫建吃緊，本調渠赴江西省，先顧根本，次援撫建。因近日鄱陽有警，景鎮可危，又暫留鮑軍，不遽赴省。胡宮保恐狗逆由黃州下犯安慶，沅弟之軍，又調鮑軍救援北岸，其祁門附近各嶺，廿三日又被賊破兩處。

數月以來，實屬應接不暇，危險迭見，而洋人又縱橫出入於安慶、湖口、湖北、江西等處，并有欲來祁門之說，看此光景，今年殆萬難支持。然余自咸豐三年冬以來，久已以身許國，願死疆埸，不願死牖下，本其素志，近年在軍辦事，盡心竭力，毫無愧怍，死即瞑目，毫無悔憾。

家中兄弟子姪，惟當記祖父之八個字，曰：「考寶早掃，書蔬魚豬」。又謹記祖父之三不信，曰：不信地師，不信醫藥，不信僧巫。余日記冊中，又有八本之說，曰：讀書以訓詁爲本，作詩文以聲調爲本，事親以得歡心爲本，養身以戒惱怒爲本，立身以不妄語爲本，居家以不晏起爲本，作官以不要錢爲本，行軍以不擾民爲本。此八本者，皆余閱歷而確有把握之論，弟亦當教諸子姪謹記之。無論世之治亂，家之貧富，但能守星岡公之八字，與余之八本，總不失爲上等人家。余每次寫家信，必諄諄囑咐。蓋因軍事危急，故預告一切也。

余身體平安。營中雖欠餉四月，而軍心不甚渙散，或尚能支持，亦未可知，家中不必懸念！（咸豐十一年二月廿四日）

致九弟（陸路萬難多運）

沅弟左右：余於十九日未刻，由休寧回至祁門，接弟十六日夜信，不勝焦慮之至。弟處日內援賊，將由梅宿而至桐城，廬江等賊，亦將大有舉動，乃以余前緘辦米之故，尚須分心辦南岸糧運事件，兄實不安之至。兄十一日信，言弟收三萬金，或酌量爲我辦米數千石，其時未聞東征局三萬有改解南岸之說，更未聞賊由梅宿竄下安慶之說也。厥後接弟信，東征局餉改解南岸，即思酌改爲北二南一。玆聞上游之賊，由梅宿竄懷，決計改爲北二南一。其南一之數，不必遽買多米，請先買千石，試運一次看何如，第一次不過運百石而已。口袋千個，已嫌太多，難於買辦，弟乃欲辦八千個，則是誤會兄意，陸運千難萬難，豈有一次運至千石之理。兄忙亂之中，公牘私函，俱欠細思，弟則但求竭力爲之，亦未細思也。

總之，援賊若未至石牌集賢關一帶，則弟試爲我運米一次，以百石爲率，或不運米而運火繩鉛子亦可。援賊若至，則弟可全不管南岸。其經理之人，則東流以張小山爲主；桃樹店以姚秋浦爲主，弟切不可令盛南表弟到東建。盛南是弟處最得力之人，援賊若到安慶，盛南可爲弟代一半之勞也，千萬千萬。兄已派人往東建，囑盛南速歸矣。（咸豐十一年三月十九日）

致九弟（論人力與天事）

沅弟左右：接來書，具悉一切。昨日雨小而風大，今日風小而雨大，鮑軍勇夫萬餘人，縱能渡江，想初二尚未渡畢，初三則斷不能渡。凡辦大事，半由人力，半由天事。如此次安慶之守，濠深而牆堅，穩靜而不懈，此人力也。其是否不至以一蟻潰堤，以一蠅玷圭，則天事也。各路之赴援，以多鮑爲正援集賢之師，以成胡爲後路纏護之兵，以朱韋爲助守牆濠之軍，此人事也。其臨陣果否得手，能否不爲狗賊所算，能否不爲狗賊逃遁，此天事也。吾輩但當盡人力之所能爲，至天事則聽之彼蒼而無所容心。弟於人力頗能盡職，而每稱擒殺狗賊云云，則好代天作主張矣。

至催鮑進兵，亦不宜太急。鮑之隊伍，由景德鎭至下隅坂，僅行五日，冒雨遄征，亦可謂極速矣。其鍋帳至今尚未到齊，以泥太深，小車難動也。弟自撫州拔營至景德鎭，曾經數日遇雨，試一回思，能如鮑公此次之迅速乎？潤帥力勸鮑公進兵不必太急，待狗賊求戰，氣竭力疲，而後徐起應之云云。與弟之見正相反，余意不必催鮑急進，亦不必囑鮑緩戰，聽鮑公自行斟酌可也。

多公調度，遠勝於鮑，其馬隊亦數倍於鮑，待多擊退黃文金後，再與鮑軍會剿集賢關，更有把握。

至狗賊雖凶悍，然屢敗於多、李、鮑之手，未必此次忽較平日更狠。黃文金於洋塘小麥鋪兩敗，軍器丟棄已盡，多、鮑之足以制陳、黃二賊，理也，人力之可知者也。其臨陣果否得手，則數也，天事之不可知者也。

來書謂狗部有馬賊二千五、六百，似亦未確，係臨陣細數乎？抑係投誠賊供乎？聞賊探多假稱投誠者，弟

宜愼之！（咸豐十一年四月初三日）

致四弟（述安慶之得失）

澄侯四弟左右：余在休寧發一信，因皖南軍務棘手，信中預作不測之想。余自休寧回祁門，聞景德鎭克復，左季翁軍三次大獲勝仗，殺賊極多。僞侍王敗潰，鼠竄而去，景德鎭之賊退盡，所有鄱陽、浮梁，凡祁門之後路，一律肅清，余方欣欣有喜色，以爲可安枕而臥。忽聞四眼狗圍逼集賢關外，九弟季弟、又十分緊急，不得已抽朱雲巖帶五百人，赴安慶助守於濠內，又調鮑春霆帶八千人，赴安慶助攻於關外，此次安慶之得失，關係吾家之氣運，即關係天下之安危，不知沅、季、能堅守半月，以待援兵否？

余身體平安，皖南自去冬以來，危險異常，目下大有起色，若安慶能轉危爲安，則事尙可爲耳。（咸豐十一年三月廿四日）

致四弟（洋船濟賊油鹽）

澄侯弟左右：余自來東流，心緒略舒，安慶之賊，前紮九壘於中空之處，沅弟又紮六壘於賊之後，並九壘與城，皆以大圍包之，鮑軍亦紮於赤岡嶺，圍賊四壘，皆有可破之理。所慮者，洋船過安慶城，停泊一天，通送油鹽接濟，我雖辛苦圍攻，賊仍供應不斷耳。

四眼狗竄至桐城，恐日內又直竄上游，蹂躪完善之區。瑞州一股，盤踞如故，建德又新來一股，距東流僅四十里，自去年蘇、常失守，金陵師潰，目下賊數驟多至數十倍，聞各處敗兵潰勇，多半投賊，故兇悍亦倍於往年，天意茫茫，不知何日始有轉機也。

余身體平安，遍身生瘡，竟日作痒。自三月下旬至今，幾於無日不雨，自十五後，無日不大風，江水漲添一丈二尺有奇，重棉猶覺畏寒。洋船上下長江，幾於無日無之。紀澤兒信，亦不爲無見。紀鴻文筆大方，

可爲喜慰！（咸豐十一年四月廿四日）

致九弟季弟（須將外濠加挖）

沅弟季弟左右：鮑軍淮用民夫，即日當通行各縣，黟縣於初五日克復，左軍聞亦至景德鎭，或者天從人願，三縣竟可不棄乎？水大異常，於賊則處處不利，然江西、兩湖，農不能收種，官不能安居，商不能貿易，口糧更從何處取出，眞大憂也。

弟論兵貴精不貴多一段，實有至理。然弟處守外濠內濠，約計七十餘里，萬餘人尙嫌其少，如賊猛撲外內兩濠，地段太長，余深以爲慮，比之左公樂平野戰，逈乎不同。弟切不可存此心，謂人已太多，力已有餘也；若存此心，必致誤事。計外內幷守，僅數一班站防，並不能兩班輪替，若賊來輪換猛撲，而守者晝夜不換，豈不可危。弟從此着想，並須將外濠加挖，至囑至囑！

添募本不易易，余令鮑朱唐添募，係採弟與希庵及諸公之言，實則三公均不宜將多也。（咸豐十一年五月初九日）

致九弟（宜作堅守之計）

沅弟左右：劫數之大，良可歎悸。然使堯舜周孔，生今之世，亦不能謂此賊不應痛剿。援賊至呂停驛，日內想已開仗，弟總作一堅守不戰之計，幷預作一桐軍小挫之想，諒當足以禦之。

再狗酉此次援皖，利在速戰，方今盛暑酷熱，若出隊站立烈日之中，歷二、三個時辰之久，任是鐵漢子，亦將渴乏勞疲，若挂車河官軍作堅守之計，任賊誘戰挑戰，總不出隊與之交仗，待其曬過數日後，相機打之，亦一法也。多禮帥謀略最優，不知肯爲此堅忍之著否？弟試與商之。（咸豐十一年六月初六日）

致四弟（必須親往弔唁）

澄弟左右：舅母去世，紀澤往弔後，弟亦往弔唁否？此等處，兄弟中有親往者為妙。從前星岡公之於彭家，並無厚禮厚物，而意甚慇懃，親去之時甚多，我兄弟宜取以為法。大抵富貴人家氣習，禮物厚而情意薄，使人多而親到少，吾兄弟若能彼此常常互相規誡，必有裨益。（咸豐十一年六月十四日）

致九弟（暫緩奏祀望溪）

沅弟左右：望溪先生之事，公私均不甚愜。公牘中須有一事實冊，將生平履歷，某年中舉中進士，某年升官降官，某年得罪，某年昭雪，及生平所著書名，與列祖褒賚其學問品行之語，一一臚列，不作影響約略之詞，乃合定例。望溪兩次獲罪，一為戴名世南山集序，入刑部獄；一為其族人方某罣名逆案，將方氏闔族，編入旗籍，雍正間始准赦宥，免隸旗籍。望溪文中所云：「因臣而宥及合族者也。」今欲請從祀孔廟，須將兩案歷奉諭旨，一一查出，尤須將國史本傳查出，恐有嚴旨碍眼者，易干駁詰。從前入祀兩廡之案，數十年而不一見，近年層見迭出，幾於無歲無之。去年大學士九卿等議覆陸秀夫從祀之案，聲明以後外間不得率請從祀，玆甫及一年，若遽違新例而入奏，必駁無疑，右三者公事之不甚愜者也。望溪經學，勇於自信，而國朝鉅儒，多不甚推服。四庫書目中於望溪每有貶詞，最後皇清經解中，幷未收其一冊一句，姬傳先生最推崇方氏，亦不稱其經說，其古文號為一代正宗，國藩少年好之，近十餘年，亦別有宗尚矣。國藩於本朝大儒，學問則宗顧亭林、王懷祖兩先生；經濟則宗陳文恭公。若奏請從祀，須自三公始，李厚菴與望溪，不得不置之後圖，右私志之不甚愜者也。（咸豐十一年六月廿九日）

致九弟（述賊萬難持久）

沅弟左右：當此酷暑，賊以積勞之後，遠來攻撲，我軍若專守一靜字法，可期萬穩。多公亦宜用靜字法，此賊萬無持久之道，弟不必慮多軍之久困也。昔曹操八十萬人，自荊州東下，吳以五萬人禦之，而周瑜策其必敗者，一料曹兵不服水土，二料劉表水師新附，不樂爲用，三料暑熱久疲。其後赤壁之役，果不出周郎之所料。

德安克復，雪琴專函來報。又言成蔣軍病人太多，不能全進；又聞鮑軍中病者極多。以此而推，狗輔之部，病必更多，故料其不能持久。（咸豐十一年七月十七日）

致九弟（聞安慶克復）

沅弟左右：郭弁到，接喜信，知本日卯刻克復安慶，是時恰值日月合璧，五星聯珠，欽天監於五月具奏，似爲非常祥瑞，今皖城按時應驗，國家中興，庶有冀乎。

此間銀不滿六千，欲湊萬金犒賞將士，弟處可設法辦得四千金否？（咸豐十一年八月初一日）

致九弟（述輓胡潤帥聯）

沅弟左右：調巡湖營由劉家渡拖入白湖之札，今日辦好，即派人送去。吾所慮者，水師不能由大江入白湖，白湖不能通巢湖耳。今僅拖七、八丈寬堤，即入白湖，斯大幸矣。若白湖能通巢湖，則更幸矣。

余昨日作輓潤帥一聯云：「逋寇在吳中，是先帝與藎臣臨終憾事，薦賢滿天下，願後人補我公未竟勳名。」（咸豐十一年九月十四日）

致九弟（令專守廬江無爲）

沅弟左右：多公信來，日內嘔血甚多，此人勞苦太過，難於速愈。安慶克城，人人優獎，惟多公尙嫌其薄，弟當以信函慰之，或能親往看視亦好。

李王二鎭水師，究竟堅勁可恃否？望弟細察。

運漕可乘機取，巢縣亦未始不可乘機攻取。吾意取之易而守之難，目下且專守廬江無為二處。稍息兵勇之力，亦稍抑其躁氣矜情，待水師肅清巢湖後，運漕巢縣皆囊中物耳，吾於水師實不放心也。（咸豐十一年九月廿五日）

致四弟九弟（望來共商大計）

澄弟沅弟左右：得趙玉班寄季弟信，知沅弟十月廿八日自長沙還家，竟可趕上初三祭期，至慰至慰！此間軍事平安，三河之賊，無故自退，或與廬州賊目不和，或別有詭謀，均未可知。余令振字、開字、兩營移守三河僞城，而派竹莊之千三百人接守廬江，均札歸多都統就近調度，竹莊自安慶開差，可至廬邑，不知振、開兩營，果能守三河要隘否？如守得堅定，則廬郡巢縣亦或易於得手。

浙江自紹興失守後，別無確信，聞寧波繼陷，杭城被圍，可危之至。余奏請左宗棠由廣信、衢州援浙，又調鮑春霆進攻寧國；寧國距杭僅三百里，亦可掣浙賊之勢，堅杭人之心，第目下均尚未拔行，不知趕得及否？江蘇上海來此請兵之錢調甫，即前任湘撫錢伯瑜中丞之少君也。久住不去，每次泣涕哀求，大約不得大兵同行，即不還鄉，可感可敬！余前許令沅弟帶八千人往救，正月由湘至皖，二月由皖至滬，實屬萬不得已之舉，務望沅弟於年內將新兵六千招齊，正月交盛南帶來。沅則扁舟先來，共商大計。吾家一門，受國厚恩，不能不力保上海重地。上海為蘇、杭及外國財貨所聚，每月可得釐捐六十萬金，實為天下膏腴，吾今多派員去提二十萬金，當可得也。

陳舫仙丁內艱，家無兄弟，本應給假回籍治喪，吾因運漕喫緊之地，批令待沅弟來再行給假。玆將原批暨信抄閱，望沅弟正月到皖，則余不甚失信，至要至要！（咸豐十一年十月十四日）

致四弟九弟（但求保全上海）

澄弟沅弟左右：三河復後，余派振、開兩營往守，吳竹莊團防營替守廬江，開營全赴三河，另札將吳羅程歸多都護調度，運漕等處，日內如故，以理揆之，環巢湖四面，廬郡及舒、廬、無、巢五城，運漕、東關、三河三隘，八者官兵已佔其六，想賊并此二者，亦不能久守矣。推浙江危急，上海亦有唇齒之憂，務望沅弟迅速招勇來皖，替出現防之兵，帶赴江蘇下游，與少荃、昌岐同去，得八千陸兵，五千水師，必能保朝廷膏腴之區，慰吳民水火之望也。

京師十月以來，新政大有更張，皇太后垂簾聽政，中外悚肅。余連接廷寄諭旨十四件，倚畀太重，權位太尊，虛望太隆，可悚可畏！浙事想已無及，但求沅弟與少荃二人，能為我保全上海。人民如海，財貨如山，所裨多矣。廬巢一克，余與弟中無梗隔，事局倘可為也。（咸豐十一年十一月廿四日）

卷七

致九弟（注意訓練新軍及戒用人太濫）

沅弟左右：接弟臘月專丁一緘，具悉一切。

弟於十九日敬辦星岡公撥向事件，起行來營，月杪或可趕到。少荃准於二月杪赴鎮江，弟能早十日趕到，則諸事皆妥。除程學啓外，少荃欲再向弟處分撥千人，余亦欲許之，不知弟有何營可撥？渠赴鎮江，即日將有悍賊尋戰，新勇太多，實不放心！弟進攻巢縣和含一帶，不妨稍遲，待新軍訓練已成，再行進兵可也。

用人太濫，用財太侈，是余所切戒阿弟之大端。李黃金本屬擬於不倫，黃君心地寬厚，好處甚多，而此二者，弟亦當愛而知其惡也。「在安慶未虐使兵士，未得罪百姓。」此二語，兄可信之，「拚命報國，側身

修行。」此二語，弟亦當記之。余近日平安，幼丹撫江，季高撫浙，希庵撫皖，應不至大掣肘。（同治元年正月十四日）

致季弟（慰喪弟婦）

季弟左右：接家信，知季弟婦於二月初七日仙逝；何以一病不起，想係外感之症。弟向來襟懷不暢，適聞此噩耗，諒必哀傷不能自遣。惟弟體亦不十分強壯，尚當達觀節哀，保重身體，應否回籍一行，待沅弟至三山夾，與弟熟商，再行定奪。

長江數百里內，釐卡太多，若大通再抽船釐，恐商賈裹足，有礙大局，擬不批准。荻港釐局，分設爲數無多，擬批令改於華陽鎮分設，爲數較多，弟之所得較厚。又於外江水師，無交涉爭利之嫌，更爲妥善。諸囑保重，至要至要！（同治元年二月廿一日）

致九弟季弟（籌辦粵省釐金）

沅弟季弟左右：覆奏朱侍御一疏，定於五日內拜發，請欽派大員再抽廣東全省釐金；余奏派委員隨同籌辦，專濟蘇、浙、贛、皖、四省之餉，大約所得每月在二十萬上下，勝於江西釐務也。此外實無可生發，計今年春夏必極窮窘，秋冬當漸優裕。

馬隊營制，余往年所定，今閱之，覺太寬而近於濫，如公夫、長夫之類是也。然業已久行，且姑仍之。弟新立營頭，即照此辦理，將來裁減，當與華字、順字、兩營並裁，另行新章也

上海派洋船來接少荃一軍，帶銀至十八萬兩之多，可駭而亦可憐。不能不令少荃全軍舟行，以順輿情。三月之內，陸續拔行，其黃昌岐水軍，則俟三、四月之交，遇大順風，直衝下去。弟到運漕，可告昌岐來此一晤也。（同治元年三月初三日）

致九弟（咨鄂協解火藥）

沅弟左右：火藥即日咨請湖北協解五萬，不知見許否？凡與人交際，當求其誠信之素孚，求其協助，當諒其力量所能為。弟每求人好開大口，尚不脫官場陋習。余本不敢開大口，而人亦不能一一應付，但略諒我之誠實耳。四十萬鐵，究竟有著落否？此時子彈亦極少也。

韓正國、程學啟、初七日開行，少荃初八早開行，輪船不過三、四日，可抵上海。余令開字營號補皖勇改淮勇，程云：「必待沅帥緘諭，乃敢改換，」亦足見其不背本矣。廣東全省抽釐專供江浙軍餉一摺，本日拜發，大約秋冬以後，每月可添銀二十萬兩，春夏則苦不堪言耳。（同治元年三月初八日）

致九弟（辦事好手不多）

沅弟左右：接陳東友、蔡東祥、周惠堂稟，知雍家鎮於十九日克復，惜日內大雨，難以進兵，若跟蹤繼進，則裕溪口亦可得手矣。小泉赴粵，取其不開罪於人，內端方而外圓融。今聞幼丹有出省赴廣信之行，小泉萬不可赴粵矣。丁雨生筆下條暢，少荃求之幕府相助，雨生不甚願去，恐亦不能至弟處，碍難對少荃也。南坡才大之處，人皆樂為之用，惟年歲太大，且粵湘交涉事多，亦須留南翁在湘，通一切消息。擬派鶴汀前往，鶴與勞公素相得，待大江通行後，請南翁來此商辦鹽務，或更妥洽。

又接弟信，知巢縣含山，於一日之內克復，欣慰之至！米可以多解，子藥各解三萬，惟辦事之手，實不可多得，容覓得好手，請赴弟處。受山不樂在希帥處，即日當赴左帥大營，亦不便挽留也。（同治元年三月廿九日）

致九弟（抽本省之釐稅）

沅弟左右：接信知弟目下將操練新軍，甚善甚善。惟稱欲過江，斜上四華山紮營，則斷不可。四華山上逼蕪湖，下逼東梁，若一兩月不破此二處，則我軍無勢無趣，不得不退回北岸矣。弟軍欲渡，總宜在東梁山以下，釆石太平一帶。如嫌釆石下形勢太寬，即在太平以上渡江，總宜奪金柱關，佔內河江面爲主。余昨言妙處有四：一曰隔斷金陵、蕪湖之氣，二曰水師打通涇縣寧國之糧路，三曰蕪湖四面被圍，四曰釐船過東壩，可達蘇州，尤妙之小者耳。又有最大者，金柱關可設釐卡，每月進數五、六萬；東壩可設釐卡，每月亦五、六萬，二處皆係蘇、皖交界。弟以本省之藩司，抽本省之釐稅，尤爲名正言順，弟應從太平關南渡，毫無疑義。余可代作主張，其遲速則仍由弟作主耳。西梁上下兩岸，從三山起，至釆石止，望弟繪一圖寄來，至要至要！（同治元年四月初六日）

致九弟（宜多選好替）

沅弟左右：水師攻打金柱關時，若有陸兵三千在彼，當易得手。保彭杏南，係爲弟處分統一軍起見，弟軍萬八千人，總須另有二人堪爲統帶者，每人統五、六千，弟自統七、八千，然後可分可合。杏南而外，尙有何人可以分統，亦須早早提拔。辦大事者以多選替手爲第一義，滿意之選不可得，姑節取其次，以待徐徐教育可也。（同治元年四月十二日）

致四弟（紀鴻倖取縣首）

澄弟左右：紀鴻兒倖取縣首，詩文雖不甚穩愜，而其中多有精警之句，疏宕之氣，寅皆先生時雨之化，可敬可感！當略備微儀，以申鄙意。府院考皆當極熱之時，鴻兒體弱，不知能耐此酷暑否？今年鄉試，鴻兒即可不必入場，蓋工夫尙早，年紀太輕，本無望中之理，又恐鴻兒難熬此九日之辛苦也。

軍事平善，多將軍於十四夜攻克廬州府城。皖北數十州縣，爲粵匪所佔，今皆克復，一律肅清，只餘二、三城，爲捻匪苗逆所佔，想亦易於就緒。四眼狗未經擒戮，北竄河南，殊爲後患。沅弟由西梁山渡江南岸，進攻金柱關。季弟尙在魯港。鮑春霆進攻寧國府徽衢等處，賊皆退江西，今得保平安。余身體平安，家中不必罣念！（同治元年四月廿四日）

致九弟季弟（注意淸愼勤）

沅弟季弟左右：帳棚卽日趕辦，大約五月可解六營，六月再解六營，使新勇略得却暑也。小擡槍之藥，與大砲之藥，此間並無分別，亦未製造兩種藥，以後定每月解藥三萬斤至弟處，當不致更有缺乏。王可陞十四日回省，其老營十六可到，到卽派往蕪湖，免致南岸中段空虛。

雪琴與沅弟嫌隙已深，難遽期其水乳。沅弟所批雪信稿，有是處，亦有未當處，弟謂雪聲色俱厲，凡目能見千里而不能自見其睫。聲音笑貌之拒人，每苦於不自見，苦於不自知。雪之厲，雪不自知。沅之聲色，恐亦未始不厲，特不自知耳。

曾記咸豐七年冬，余咎駱文耆待我之薄，溫甫則曰：「兄之面色，每予人以難堪。」又記十一年春，樹堂深咎張伴山簡傲不敬，余則謂樹堂面色亦拒人於千里之外。觀此二者，則沅弟面色之厲，得毋似余與樹堂之不自覺乎。

余家目下鼎盛之際，余忝竊將相，沅所統近二萬人，季所統四、五千人，近世似此者，曾有幾家？沅弟半年以來，七拜君恩，近世似弟者曾有幾人？日中則昃，月盈則虧，吾家亦盈時矣。管子云：「斗斛滿則人概之，人滿則天概之。」余謂天概之無形，仍假手於人以概之。霍氏盈滿，魏相概之，宣帝概之。諸葛恪盈滿，孫峻概之，吳主概之。待他人之來概而後悔之，則已晚矣。吾家方豐盈之際，不待天之來概，人之來概，吾與諸弟當設法先自概之。自概之道云何，亦不外淸、愼、勤三字而已。吾近將淸字改爲廉字，愼字改爲謙字，勤字改爲勞字，尤爲明淺，確有可下手之處。

沅弟昔年於銀錢取與之際，不甚斟酌，朋輩之譏議菲薄，其根實在於此。去冬之買犂頭嘴、栗子山，余亦大不謂然。以後宜不妄取分毫；不寄銀回家，不多贈親族，此廉字工夫也。謙之存諸中者不可知，其著於外者，約有四端：曰面色，曰言語，曰書函，曰僕從屬員。沅弟一次添招六千人，季弟並未禀明，徑招三千人，此在他統領斷做不到者，在弟尚能集事，亦算順手，而弟等每次來信，索取帳棚子藥等件，常多譏諷之詞，不平之語，在兄處書函如此，則與別處書函更可知已。沅弟之僕從隨員，頗有氣燄，面色言語，與人酬接時，吾未及見。而申夫曾述及往年對渠之詞氣，至今餘憾。以後宜於此四端，痛加克治，此謙字工夫也。每日臨睡之時，默數本日勞心者幾件，勞力者幾件，則知宜勤王事之處無多，更竭誠以圖之，此勞字工夫也。余以名位太隆，常恐祖宗留貽之福自我一人享盡，故將勞謙廉三字，時時自惕，亦願兩賢弟之用以自惕，且即以自概耳。湖州於初三日失守，可憫可儆！（同治元年五月十五日）

致九弟季弟（剛柔互用）

沅弟季弟左右：沅於人概天概之說，不甚措意。而言及勢利之天下，强凌弱之天下，此豈自今日始哉，蓋從古已然矣。從古帝王將相，無人不由自强自立做出。即爲聖賢者，亦各有自立自强之道。故能獨立不懼，確乎不拔。余往年在京，好與有大名大位者爲仇，亦未始無挺然特立，不畏强禦之意。近來見得天地之道，剛柔互用，不用偏廢。太柔則靡，太剛則折。剛非暴虐之謂也，强矯而已。柔非卑弱之謂也，謙退而已。趨事赴公，則當强矯；爭名逐利，則當謙退；開創家業，則當强矯；守成安樂，則當謙退；出與人物應接，則當强矯；入與妻孥享受，則當謙退。若一面建功立業，外享大名；一面求田問舍，內圖厚實，二者皆有盈滿之象，全無謙退之意，則斷不能久，此余所深信，而弟宜默默體驗者也。（同

治元年五月廿八日）

致九弟季弟（述負李次青實甚）

沅弟季弟左右：湖南之米，昂貴異常，東征局無米解來，安慶又苦于碾碓無多，每日不能舂出三百石，不足以應諸路之求。

每月解子藥各三萬斤，不能再多，望弟量入為出，少操幾次，以省火藥為囑。

紮營圖閱悉，得幾場大雨，吟崑等營必日鬆矣。處處皆係兩層，前層拒城賊，後層防援賊，當可穩固無虞。

少泉代買之洋槍，今日交到一單，待物到即解弟處。洋物機括太靈，多不耐久，宜慎用之。

次青之事，弟所進箴規，極是，吾過矣！吾過矣！吾因鄭魁士享當世大名，去年袁、翁兩處，及京師臺諫，尚累疏保鄭為名將，以為不防與李並舉。又有「鄭罪重，李情輕，暨王銳意招之」等語，以為比前摺略輕，逮拜摺之後，通首讀來，實使次青難堪。今弟指出，余益覺大負次青，愧悔無地。余生平於朋友中，負人甚少，惟負次青實甚，兩弟為我設法，有可挽回之處，余不憚改過也。（同治元年六月初二日）

致九弟季弟（須惜士卒精力）

沅弟季弟左右：接少荃信，知偽忠王在上海受創而返，即日來援金陵，弟等濠牆已固，應足禦之。所慮者，夏月士卒多病，恐隊伍單弱，銀米子藥等事，吾必設法多解，竭平日之力辦之。援賊至金陵，大戰當在七月。

此外弟應需之物，速寫信來，七月初尚可趕到，此間能辦之件，亦必先儘弟營也。臨戰之際，預先愛惜士卒精力，以備屆時辛苦熬夜，猶考試者，場前靜養也。（同治元年六月初八日）

致九弟（望勿各逞己見注意外間指摘）

沅弟左右：此次洋槍合用，前次解去之百支，果合用否？如有不合之處，一一指出。蓋前次以大價買來，若過於喫虧，不能不一一與之申說也。吾因近日辦事名望，關係不淺，以鄂中疑季之言相告，弟則謂我不應述及外間指摘吾家昆弟過惡，吾有所聞，自當一一告弟，明責婉勸，有則改之，無則加勉，豈可秘而不宣。鄂之於季，自係有意與之爲難，名望所在，是非於是乎出，賞罰於是乎分，即餉之有無，亦於是乎判。去冬金眉生被數人參劾後，至抄沒其家，妻孥中夜露立，此豈有萬分之惡哉。亦因名望所在，賞罰隨之也。衆口悠悠，初不知其所自起，亦不知其所由止。有才者忿疑謗之無因，而悍然不顧，則謗且日騰。有德者畏疑謗之無因，而抑然自修，則謗亦日息。吾願弟等之抑然，不願弟等之悍然，弟等敬聽吾言，手足式好，同禦外侮。不願弟等各逞己見於門內，計較其雌雄，反忘外患。

至阿兄忝竊高位，又竊虛名，時時有顚墜之虞。吾通閱古今人物，似此名位權勢，能保善終者極少。深恐吾全盛之時，不克庇蔭弟等。吾顚墜之際，或致連累弟等。惟於無事時，常以危詞苦語，互相勸誡，庶幾免於大戾耳。（同治元年六月二十日）

致四弟（開用總督關防及鹽政之印信）

澄侯四弟左右：此間軍事，四眼狗糾同五僞王救援安慶，其打先鋒者，已至集賢關，九弟屢信皆言堅守後濠，可保無虞。但能堅守十日、半月之久，城中糧米必難再支，可期克復矣。

徽卅六屬俱平安，欠餉多者七個月，少者四、五、六月不等，幸軍心尚未渙散。江西省城戒嚴，附近二、三十里，處處皆賊，余派鮑軍往救。湖北之南岸，已無一賊，北岸德安隨州等處，有金劉與成大吉三軍，必可日有起色。余癬疾未痊，日來天氣亢燥，甚以爲苦。幸公事勉强能了，近日無積擱之弊。總督關防，鹽政印信，於初四日到營，余即於初六日開用。

家中雇長沙園丁已到否？菜蔬茂盛否？諸子姪無傲氣否？傲為凶德，惰為衰氣，二者皆敗家之道。戒惰莫如早起，戒傲莫如多走路，少坐轎，望弟留心儆戒。如聞我有傲惰之處，亦寫信來規勸。（同治元年七月十四日）

致九弟季弟（不服藥之利）

沅弟季弟左右：季弟病似瘧疾，近已全愈否？吾不以季弟病之易發為慮，而以季好輕下藥為慮。吾在外日久，閱事日多，每勸人以不服藥為上策。吳彤雲近病極重，水米不進，已十四日矣。十六夜四更，已將後事料理，手函託我，余一概應允，而始終勸其不服藥。自初十日起，至今不服藥十一天，昨日竟大有轉機，瘧疾減去十之四，呃逆各症，減去十之七、八，大約保無他變。

希庵五月之杪，病勢極重，余緘告之云：「治心以廣大二字為藥，治身以不藥二字為藥。」并言作梅醫道不可恃，希乃斷藥月餘，近日病已全愈，咳嗽亦止。是二人者，皆不服藥之明效大驗。季弟信藥太過，自信亦太深，故余所慮不在於病，而在於服藥。玆諄諄以不服藥為戒，望季曲從之，沅力勸之，至要至囑！

季弟信中所商六條，皆可允行。回家之期，不如待金陵克復乃去，庶幾一勞永逸。如營中難耐久勞，或來安慶閒散十日、八日，待火輪船之便，復還金陵本營，亦無不可。若能耐勞耐煩，則在營久熬更好，與弟之名曰貞，字曰恆者，尤相符合。其餘各條，皆辦得到，弟可放心。

上海四萬尚未到，到時當全解沅處。東征局於七月三萬之外，又月專解金陵五萬，到時亦當全解沅處。東局保案，自可照准。弟保案亦日內趕辦，雪琴今日來省，筱泉亦到。（同治元年七月二十日）

致九弟季弟（不可服藥）

沅弟季弟左右：久不接來信，不知季病全愈否？各營平安否？東征局專解沅餉五萬，上海許解四萬，至今尙未到皖。閱新聞紙，其中一條言：何根雲六月初七正法，讀之悚懼悵惘。

余去歲臘尾，買鹿茸一架，銀百九十兩，嫌其太貴。今年身體較好，未服補藥，亦未吃丸藥。玆將此茸送至金陵，沅弟配置後，與季弟分食之。中秋涼後，或可漸服。但偶有傷風微恙，則不宜服。余閱歷已久，覺有病時，斷不可吃藥，無病時，可偶服補劑條理，亦不可多。吳彤雲大病二十日，竟以不藥而愈。鄧寅皆終身多病，未嘗服藥一次。季弟病時好服藥，且好易方。沅弟服補劑，失之太多，故余切戒之，望弟牢記之。弟營起極早，飯後始天明，甚爲喜慰！吾輩仰法家訓，惟早起、務農、疏醫、遠巫四者，尤爲切要。（同治元年七月廿五日）

致九弟季弟（金陵似可克復）

沅弟季弟左右：接沅信，排遞一緘，大儺禮神，以驅厲氣，而鼓衆心，或亦足以却病，余寸心憂灼，未嘗少安。一則以弟營與鮑營病者太多，爲之心悸！二則各縣禾稼，前傷於旱，繼而蝗蟲陰雨，皆有所損，收成歉薄，各軍勇夫七萬人，難於辦米；三則以秦禍日烈，多公不能遽了，袁、李皆將去位，長淮南北，千里空虛，天意茫茫，竟不知果有厭亂之期否？

幸季弟瘧疾速愈，大爲欣慰！觀民心之思治，賊情之渙散，金陵似有可克之機。然古成大功大名者，除千載一郭汾陽外，恆有多少風波，多少災難，談何容易，願與吾弟兢兢業業，各懷臨深履薄之懼，以冀免於大戾。東征局五萬，因此風太大，尙未到省，此月竟止解去五萬，下月必補足也。（同治元年七月廿八日）

致九弟（述保舉人爲難）

沅弟左右：所保各員，均奉允准。惟金安淸明諭不准調營，寄諭恐弟爲人聳動，蓋因金君經余兩次糾參，朝廷恐余兄弟意見不合也。大抵清議所不容者，斷非一口一疏所能挽回，只好徐徐以待其自定。近世保人亦有多少爲難之處，有保之而旁人不以爲然，反累斯人者；有保之而本人不以爲德，反成仇隙者。余閱世已深，即薦賢亦多顧忌，非昔厚而今薄也。景河婺樂四卡，左帥業已歸還余處。上海四萬，余志在必得，恐不免大有爭論。霞仙升陝撫，先辦漢中軍務，聞李雨蒼係多帥所劾也。（同治元年八月初二日）

致九弟（述查參金眉生）

沅弟左右：小河西岸，盡爲我有，賊船萬不能過，且憑河爲守，又可當一道長濠，可慰之至。然城內有數十萬悍賊，上游黃胡古賴等，即日下援金陵，窮寇有致死於我之心，抑又可懼之至。河之東岸，暫不必謀，少息兵力，以打援賊可也。

金眉生參者極多，二、三年來，勝帥屢疏保之，升於九天。袁帥屢疏劾之，沉於九淵。余十一年冬，查參革職，勝帥又以一疏劾我，謂爲黨袁而不公。余偶與汪曜奎言之，汪以告勝，勝又寄函於我，自陳前疏之誤。即如下游諸公，李吳喬皆痛惡眉而不知其美，郭又酷好眉而不知其惡，此等處弟須詳詢密查，不可憑立談而遽信其人之生平耳。

餉銀今日解去三萬，湖南又另解四萬於弟，節下當可敷衍。生日在即，萬不可宴客稱慶，此間謀送禮者，余已力辭之，弟在營亦宜婉辭而嚴卻之。家門太盛，常存日愼一日，而恐其不終之念，或可自保。否則顚蹶之速，有非意計以能及者。（同治元年八月初五日）

致四弟（告軍中病疫）

澄弟左右：沅霆兩軍病疫，迄未稍愈，寧國各屬，軍民死亡相繼，道殣相望，河中積尸生蟲，往往緣船而上，河水及井水，皆不可食。其有力者，用舟載水於數百里之外，穢氣襲人，十病八、九，誠宇宙之大劫，軍行之奇苦也。

洪容海投誠後，其黨黃朱等目復叛。廣德州既得復失，金柱關常有賊窺伺，近聞增至三、四萬人，深可危慮，余心所懸念者，惟此二處。

余體氣平安，惟不能多說話，稍多則氣竭神乏，公事積擱，恐不免於貽誤。弟體亦不甚旺，總宜好好靜養，莫買田園，莫管公事。吾所囑者，二語而已；「盛時常作衰時想，上場當念下場時」。富貴人家，不可不牢記此二語也。（同治元年閏八月初四日）

致四弟（對本縣父母官之態度）

澄弟左右：沅弟金陵一軍，危險異常，僞忠王率悍賊十餘萬，晝夜猛撲，洋槍極多，又有西洋之落地開花砲，幸沅弟小心堅守，應可保全無慮。

鮑春霆至蕪湖養病，宋國永代統寧國一軍，分六營出剿，小挫一次；春霆力疾回營，凱章全軍亦趕至寧國守城，雖病者極多，而鮑張合力，此路或可保全。又聞賊於東壩抬船至寧郡諸湖之內，將圖衝出大江，不知楊彭能知之否？若水師安穩，則全局不至決裂耳。

來信言余於沅弟，既愛其才，宜略其小節，甚是甚是。沅弟之才，不特吾族所少，即當世亦不多見；然爲兄者，總宜獎其所長，而兼規其短，若明知其錯，而一概不說，則又非特沅一人之錯，而一家之錯也。

吾家於本縣父母官，不必力贊其賢，不可力詆其非，與之相處，宜在若遠若近，不親不疎之間。渠有慶弔，吾家必到；渠有公事，須紳士助力者，吾家不出頭，亦不躲避；渠於前後任之交代，上司衙門之請託，則吾家絲毫不可與聞，弟既如此，並告子姪輩常常如此。子姪若與官相見，總以謙謹二字爲主。（同治元

年九月初四日）

致九弟（兵貴機局靈活）

沅弟左右：賊之來援金陵，群酋大會二次，各路佈置周妥而後來，賊處心積慮，以求逞於我，我輕心深入，以僥倖於不可得之城，弟之驟進，余之調度，皆輕敵而不能精審。此次經一番大驚恐，長一分大閱歷。如忠侍等酋解圍而去，弟當趁勢退兵，以傷病羸弱者，循江濱退至金柱關，選精銳者整隊追賊，追至大官圩、小丹陽一帶，與鮑軍互爲聲援，待新募之卒到，認眞整練，再行進兵。弟由高郵、東壩、溧陽以進宜興；鮑由建平、廣德以進長興，兩路排進，相去常在百里之內。水師棋布於丹陽、石臼、南漪等湖，與陸軍相去常在數十里內，旌旗相望，弟以金柱爲後路根本，處處聯絡，庶無全局瓦裂之患。宜興、長興兩城，皆在太湖西岸，陸軍到此作息停頓，待李朝斌水師辦成，駛入太湖後，陸軍再行前進。此大局所關，一年二年之軍勢，不可不早爲定計。若長紮雨花臺，以二、三萬勁旅屯宿該處，援賊不來，則終歲清閒，全無一事；援賊再來，則歸路全斷，一蟻潰堤，此等最險之著，只可一試再試，豈可屢屢試之，以爲兵家要訣乎？望弟早早定計。賊不解圍，則忍心堅守；賊若解圍，則以追爲退，不蓋痕蹟。行兵最貴機局生活，弟在吉安、安慶，機局已不甚活，至金陵則更呆矣。久晴之後，必若陰雨，下弦之後，夜必晦暗，不知弟處仍能堅守否？縮濠恐長賊氣，即可定計不縮。營中米糧子藥，究竟尚可支若干日，我自能打算也。（同治元年九月廿一日）

致九弟（述器重杜小舫）

沅弟左右：接十五日、十七日信，有長慎而無拂鬱，極慰極慰！老弟之意量遠矣，先世之氣脈長矣。杜小舫文瀾，往年經郭雨三專函力保，去年又經晏彤甫函保，故余一見即器重之，許以駐漢口辦督銷局務。近日與南坡亦極水乳，南亦請以漢口督銷局委之，其品望雖未必果翕輿論，然亦當稍優於金許也。許之條陳，多有可采，候與南坡商之。

楊守砲船一事，弟之公牘，甚爲緩遜，即照弟所擬辦理。末世好以不肖之心待人，欲媒孽老弟之短者，必先說與阿兄不睦，吾之常常欲弟檢點者，即所以杜小人之讒口也。何銑罪款，斷不放鬆，幸毋聽謠言而生疑。（同治元年九月廿二日）

致九弟（切忌全作呆兵）

沅弟左右：來信欣悉季弟之病，已愈六、七分，能進飲食，爲之大慰。李世忠雖十分危迫，然渠始終親出九洑洲行營，當非遽不能支之象。惟浦口官營，被賊攻撲，頗不可解？豈新開河業已乾涸，賊已偏行北岸耶？否則賊能渡大江而至九洑洲，不能遽渡新開河而至北岸，若賊已遍行北岸，則和含巢廬上至舒桐潛太，處處可慮。余擬將希庵部下之駐壽州、霍邱、三河尖等處者，陸續抽出，移至六安、廬州、巢含等處，免致已復之城，盡隳前功。

苗霈霖前後所上僧邸之禀，痛詆楚師，令人閱之髮指。僧邸所與苗黨之札，亦袒護苗練而疏斥楚師，世事變化反覆，往往出乎意想之外。所謂道高一尺，魔高一丈，不飽歷世故，烏知局中之艱難哉。

弟信均接到，添募新營，儘可允許，不變換局面，則斷不能允許，前此向和，以重兵株守金陵，不早思變計，以圖滅賊，吾嘗譏其全無智略，今豈肯以向和爲師，而蹈其覆轍乎？再添十營，從弟之請可也。金陵老營，永不拔動，從弟之計可也。

至以數萬人全作呆兵，圖合長圍，則余斷斷不從。余之拙見，總宜有呆兵，有活兵，有重兵，有輕兵，缺一不可。以萬人爲呆兵、重兵，屯宿金陵；以萬人爲活兵、輕兵，進攻東壩、句容、二溧等處；以八、九

千人保後路蕪湖、金柱，隨時策應。望弟熟審，以此次回信定局。（同治元年十月廿七日）

致九弟（擬接季弟靈柩）

沅弟左右：接得十八日辰刻信，知季弟溘逝，哀痛曷極，應商之事，條列如左：

一、余准於三日起行赴金陵，本月內准到，一則與弟商季弟後事，一則親接季弟靈柩由金陵護送至安慶，載靈柩之船不必大，取其輕便易行者，余坐一長龍船，季櫬載一民船，各用數號杉板拖帶，庶上水穩而且快，至安慶後，應否另換大船，俟與弟面商。

一、季弟請卹事，應請少荃出奏。上海現在有威林密輪船在此，廿六、七日可過金陵，余信弟信，均可由該船帶滬。

一、季弟部下五千人，自當歸併弟處統領，若另有可分統之人，俟余與弟相見後，再行下札。弟久勞之後，繼以憂傷，務當強自寬解。余於兄弟骨肉之際，夙有慚德，愧憾甚多。弟則仁至義盡，毫無遺憾，千萬莫太悲傷。

一、弟信須洋藥等物，余當帶洋藥萬斤，洋帽二十萬，洋槍四百桿，親交弟處。白齊文在上海大鬧，玆將鶴仙信付閱，該軍斷不來矣。只要春霆站得住，軍務尙可支持也。（同治元年十一月廿二日）

致九弟（述季柩已到此）

沅弟左右：兩日未接弟信，不知金陵各營平安否？季弟櫬到此已一日，外間幛聯頗多，無十分稱意者。余因書一聯云：「英名百戰總成空，淚眼看河山，憐余季保此人民，拓此疆土；慧業多生磨不盡，癡心說因果，來世再爲哲弟，並爲勳臣。」亦不稱意也。今日已漆一次，擬在此漆五次，二十日發引登舟。

少荃信來，欲爲季請謚請祠，請加銜立傳，恐已在官奏之後，玆將少荃信鈔閱。朱雲巖因前調青陽之檄，

已棄旌德城而回徽。寧郡四面皆賊，深恐難支。（同治元年十二月初十日）

致九弟（作季弟輓聯一副）

沅弟左右：昨寄緘後，犟山恰到，道弟雖憂勞過甚，而精神完足，為之少慰。

余在季公館三宿，今日仍回本署，至鹽河一看，新城已修十分之八，十五、六可竣工矣。

九洑洲圖，迄無善本，余倩人畫一幅，以應恭邸之求。茲將副本寄弟一閱，果不甚差謬否？

春霆久無來信，懸系之至！

昨夕擬為季弟作墓志，竟夜未成一字，卻又得輓聯一副云：「大地干戈十二年，舉室效愚忠，自稱家國報恩子；諸兄離散三千里，音書寄涕淚，同哭天涯急難人。」或用弟名寫之，或不用寫，尚未定也。（同治元年十二月十二日）

致九弟（派送季柩歸里）

沅弟左右：季弟墓志作就，不甚稱意。唐鶴九所寄輓聯極佳，云：「秀才肩半壁東南，方期一戰成功，挽回劫運；當世號滿門忠義，豈料三河灑淚，又隕臺星」。余欲改成功二字為功成，改灑淚二字為痛定，似更妥叶。

余僅派戈什哈一人送季櫬，蓋以弟所派諸人，凡事皆有條理，不必更派文武委員，反致紛亂也。（同治元年十二月十八日）

致四弟（述為季弟治喪並家中來接柩事）

澄弟左右：接弟來信，知已得季弟淪逝之信，將在荷葉宅內為季治喪發引；季弟此次身後之事，沅在金陵，辦得十分整齊，余於初九日接進安慶，二十發引登舟，一切未敢稍忽，大致與七年先大夫之喪，禮儀規櫬，一一相似，亦係新製六十四人輿，新製高脚牌，輓聯稍少，祭幛則較七年更多，身後之虛榮，在季弟可稱全備。前沅弟意，季櫬到湘鄉後，不必更進紫田荷葉等屋，余意亦以為然，望弟即照此辦理，將季櫬從北港徑至馬公塘山內，千妥萬妥。

古人云：「祭不欲數，數則煩，煩則不敬」。祭尚不可煩瀆，況喪禮而可煩瀆乎？余係一家之主，安慶係省會之地，又係季弟克復之城，一切禮儀，在此行之，即在此發引登山，想季弟之英靈，亦必默鑒，深以為然。

再季弟靈柩，自金陵至安慶，七百里而走十六日，甚為遲滯。此次二十日，自安慶開船，計程至湘潭二千里，應須四十餘日乃可到，當在二月十五後矣。然風信無定，或遇順風早到，亦未可知。自湘潭至北港，又須七、八日，家中辦接柩事，總在二月初十以後。葬馬公塘則不進荷葉，不葬馬公塘則必進荷葉，二者聽弟一言決斷。余與沅相隔太遠，往返商酌，恐致誤事，不敢遙斷也。

季弟升知府，贈按察使，兩次諭旨寄回。李中丞又奏請照二品例議卹，請謚、請祠，恐更有後命，二十日業經題主，須改題耳。（同治元年十二月廿二日）

致九弟（述為季弟請謚）

沅弟左右：少荃為季弟請謚、請祠，摺稿昨日寄到，茲鈔寄弟一閱，是否俞允，殊不敢必。但吾與弟將來若再立功績，克復金陵，則請謚亦終可望允准。兩宮太后及恭邸，力求激濁揚清，賞罰嚴明，但患無可賞之實，不患無不次之賞。而罰罪亦毫不假借，如去年之誅二王一相，今年之戮林米與何，近日拿問勝帥，又拿問前任蘇藩司蔡映斗進京，諭旨嚴切異常，吾輩忝當重任，不特無意外之罰，而特無可罰之實。

少荃解銀四萬，吾暫不解弟處，且解鮑、張兩軍各二萬，為度歲之資。弟處昨日解銀四萬，年內必到，其解錢二萬串，今日用民船解去，年內之能到與否，未可知也。澄弟昨有信來，言季櫆不宜附葬馬公塘，其言亦頗近理。余因相隔太遠，不敢遙決，請澄自行決斷。（同治元年十二月廿三日）

致九弟（整頓陳棟之勇）

沅弟左右：陳棟之勇，除已至金陵三營外，尚有九營，吾昨令營務處點名，共四千六百餘人。聞精壯者不甚多，可汰者佔三分之一。余札撥二營與鮑春霆，撥一營與朱雲巖，以六營歸弟處。若果汰去三分之一，則可挑存四營，其餘或令全坐原船遣歸，或酌留數百，作爲餘勇，聽弟裁度。

昨奉年終頒賞福字荷包食物之類，聞弟有一分，春霆亦有一分，此係特恩。吾兄弟報國之道，總求實浮於名，勞浮於賞，才浮於事，從此三句切切實實做去，或者免於大戾。（同治二年正月十三日）

致九弟（申請辭退一席）

沅弟左右：疏辭兩席一節，弟所說甚有道理，然處大位大權，而兼享大名，自古曾有幾人，能善其末路者，總須設法將權位二字，推讓少許，減去幾成，則晚節漸漸可以收場耳。今因弟之所陳，不復專疏奏請，遇便仍附片申請，但能於兩席中辭退一席，亦是一妙。

李世忠處，余擬予以一函，一則四壩卡請歸余派員經收，其銀錢仍歸渠用；一則渠派人在西壩，封捆淮北之鹽，與搶奪無異，請其迅速停止，看渠如何回復。

本月接兩次家信，交來人帶寄弟閱。鼎三姪善讀書，大慰大慰！其眉宇本軒昂出群。又溫弟鬱抑過甚，必有稍伸之一日也。弟軍士氣甚旺，可喜。然軍中消息甚微，見以爲旺，即遇驕機。老子云：「兩軍相對，哀者勝矣。」其義最宜體驗。（同治二年正月十七日）

致九弟（述彼此意趣之不同）

沅弟左右：左臂疼痛，不能伸縮，實深懸系！玆耑人送膏藥三個與弟，卽余去年貼手臂而立愈者，可試貼之，有益無損也。

拂意之事，接於耳目，不知果指何事？若與阿兄間有不合，則儘可不必拂鬱。弟有大功於家，有大功於國，余豈有不感激不愛護之理。

余待希厚、雲霆諸君，頗自覺仁讓兼至，豈有待弟反薄之理？惟有時與弟意趣不合。弟之志事，頗近春夏發舒之氣。余之志事，頗近秋冬收嗇之氣。弟意以發舒而生機乃旺，余意以收嗇而生機乃厚。平日最好昔人「花未全開月未圓」七字，以爲惜福之道，保泰之法，莫精於此。曾屢次以此七字教誡春霆，不知與弟道及否？

星岡公昔年待人，無論貴賤老小，純是一團和氣，獨對子孫諸姪，則嚴肅異常。遇佳時令節，尤爲凛凛不可犯，蓋亦具一種收嗇之氣，不使家中歡樂過節，流於放肆也。余於弟營保擧銀錢軍械等事，每每稍示節制，亦猶本「花未全開月未圓」之義。至危迫之際，則救焚拯溺，不復稍有所吝矣。弟意有不滿處，皆在此等關頭，故將余之襟懷揭出，俾弟釋其疑而豁其鬱，此關一破，則余兄弟絲毫皆合矣。

再余此次應得一品廕生，已於去年八月咨部，以紀瑞姪承廕，因恐弟辭讓，故當時僅告澄而未告弟也。將來瑞姪滿二十歲時，紀澤已三十矣，同去考廕，同當部曹，若能考取御史，亦不失世家氣象，以弟於祖父兄弟宗族之間，竭力竭誠，將來後輩必有可觀。目下小恙，斷不爲害，但今年切不宜親自督隊耳。（同治二年正月十八日）

致九弟（述紀梁宜承廕）

沅弟左右：臂疼尚未大愈，至爲懸念；然治之之法，只宜貼膏藥，不宜服水藥，余日內當赴金陵看視，正月當成行也。

嘗奉寄論，知少荃爲季弟請二品郵典立傳，予謚建祠，一一允准，但未接閱諭旨耳。陳棟之勇旣好，甚慰甚慰！紀梁宜𨻶一節，予亦思之再四，以其目未全愈，讀書作字，均難加功。弟且有功於家庭根本之地，不特爲同氣之冠，亦爲各族所罕，質諸祖父在天之靈，亦應如此。

九洑洲北渡之賊，果有若干？吾意尙以南岸爲重。劉南雲、王峯臣兩軍，幸勿遽調北渡，蓋北岸守定安合無廬舒五城，此外均可挽救，南岸若失寧國，則不可救矣。（同治二年正月廿七日）

致九弟（論恬淡冲融之襟懷）

沅弟左右：弟讀邵子詩，領得恬淡冲融之趣，此是襟懷長進處。自古聖賢豪傑文人才士，其志事不同，而其豁達光明之胸，大略相同。以詩言之，必先有豁達光明之識，而後有恬淡冲融之趣，自李白、韓退之、杜牧之則豁達處多，陶淵明、孟浩然、白香山則冲淡處多。杜、蘇二公，無美不備，而杜之五律最冲淡，蘇之七古最豁達，邵堯夫雖非詩之正宗，而豁達冲淡，二者兼全。吾好讀莊子，以其豁達足益人胸襟也。去年所講「生而美者，若知之，若不知之，若聞之，若不聞之」一段。最爲豁達，推之卽舜禹之有天下而不與，亦同此襟懷也。

吾輩現辦軍務，係處功利塲中，宜刻刻勤勞，如農之力穡，如賈之趨利，如篙工之上灘，早作夜思，以求有濟。而治事之外，此中却須有一段豁達冲融氣象，二者並進，則勤勞而以恬淡出之，最有意味，余所以令刻「勞謙君子」印章與弟者此也。

少荃已克復太倉州，若再克崑山，則蘇州可圖矣。吾但能保沿江最要之城隘，則大局必日振也。（同治二年三月廿四日）

致九弟(儘可隨時陳奏)

沅弟左右：弟之謝恩摺，尙可由安慶代作代寫代遞，初膺開府重任，心中如有欲說之話，思自獻於君父之前者，儘可隨時陳奏。奏議是人臣最要之事，弟須加一番工夫。弟文筆不患不詳明，但患不簡潔，以後從簡當二字上著力。(同治二年四月初一日)

致九弟(不必再行辭謝)

沅弟左右：辭謝一事，本可渾渾言之，但求收回成命，已請筱泉子密代弟與余各擬一摺矣。昨接弟咨，已換署新銜，則不必再行辭謝。吾輩所最宜畏懼敬愼者，第一則以方寸爲嚴師；其次則左右近習之人，如巡捕戈什幕府文案，及部下營哨官之屬；又其次乃畏淸議。今業已換稱新銜，一切公文體制，爲之一變。而又具疏辭官，已知其不出於至誠矣。弟應奏之事，暫不必忙，左季帥奉專銜奏事之旨，厥後三個月始行拜疏。雪琴巡撫及侍郎後，除疏辭復奏二次後，至今未另奏事。弟非有要緊事件，不必專銜另奏，尋常報仗，仍由余辦可也。(同治二年四月十六日)

致九弟(當大事宜明強)

沅弟左右：來信亂世功名之際，頗爲難處十字，實獲我心。本日余有一片，亦請將欽篆、督篆，二者分出一席，另簡大員。吾兄弟常存兢兢業業之心，將來遇有機緣，即便抽身引退，庶幾善始善終，免蹈大戾乎。

至於擔當大事，全在明強二字。中庸學問思辨行五者，其要歸於思必明，柔必強。弟向來倔強之氣，却不可因位高而頓改。凡事非氣不舉，非剛不濟，即修身齊家，亦須以明強爲本。巢縣旣克，和含必可得手，

以後進攻二浦，望弟主持，余相隔太遠，不遙制也。(同治二年四月廿七日)

致九弟(欣悉家庭和睦)

沅弟左右：苦攻無益，又以皖北空虛之故，心急如焚，我弟憂勞如此，何可再因上游之事，添出一番焦灼！上游之事，千妥萬妥，兩岸之事，皆易收拾，弟積勞太久，用心太苦，不可再慮及他事。

弟以博文約禮獎澤兒，語太重大，然此兒純是弟獎借而日進。記咸豐七年冬，胡帥寄余信，極贊三庵一琴之賢，時溫弟在座，告余曰：「沅弟實勝迪希厚雪」，余比尚不深信，近見弟之圍攻百數十里，而毫無罅隙，欠餉數百萬而毫無怨言，乃信溫弟之譽有所試，然則弟之譽澤兒者，或亦有所試乎。

余於家庭，有一欣慰之端，聞妯娌及子姪輩，和睦異常，有姜被同眠之風，愛敬兼至，此足卜家道之興；然亦全賴老弟分家時，佈置妥善，乃克臻此。余俟江西案辦妥，乃赴金陵。弟千萬莫過憂灼，至囑至囑。

(同治二年六月初一日)

致九弟(戰事宜自具奏)

沅弟左右：專丁送信，具悉一切，所應復者，仍條列如左：

一、摺稿皆軒爽條暢，儘可去得，余平日好讀東坡上神宗皇帝書，亦取其軒爽也。弟可常常取閱，多閱數十遍，自然益我神智。譬如飲食，但得一穀適口充腸，正不必求多品也。金陵戰事，弟自行具奏亦可，然弟總以不常奏事為妥，凡督撫以多奏新事，不藉故常為露面。吾兄弟在此鼎盛之際，弟於此等處，可略退縮一步。

一、鮑軍仍須有大勝關進孝陵衛，決不可由下面繞來，待過中秋後，弟信一到，余別咨鮑由南頭進兵。

一、弟驟添兵營，與余平日規模不符，故賊勢窮蹙之際，求合圍亦是正辦，余亦不敢以弟策為非。惲中丞余曾保過，凡大臣密保人員，終身不宜提及一字，否則近於挾長，近於市恩。此後余與湘中函牘，不敢多索餉項，以避挾長市恩之嫌。弟不宜求之過厚，以避盡歡竭忠之嫌。

一、江西釐務，下半年當可略旺。然余統兵已近十萬，即半餉亦須三十萬，思之膽寒。弟處米除每月三千石外，本日又解四千石矣。（同治二年七月廿三日）

致九弟（在積勞二字上著力）

沅弟左右：接初五夜地道轟陷賊城十餘丈，被該逆搶堵，我軍傷亡三百餘人，此蓋意中之事。城內多百戰之寇，閱歷極多，豈有不能搶堵缺口之理。蘇州先復，金陵尚遙遙無期，弟切不必焦急。

古來大戰爭，大事業，人謀僅佔十分之三，天意恆居十分之七。往往積勞之人，非即成名之人，成名之人，非即享福之人。此次軍務，如克復武漢、九江、安慶，積勞者即是成名之人，在天意已算十分公道，然而不可恃也。吾兄弟但在積勞二字上着力，成名二字，則不必問及，享福二字，則更不必問矣。

厚菴堅請回籍養親侍疾，只得允准，已於今日代奏。苗逆於二十六夜擒斬，其黨悉行投誠，凡壽州正陽潁上下蔡等城，一律收復，長淮指日肅清，眞堪慶幸。弟近日身體健否？吾所囑者二端：一曰天懷淡定，莫求速效；二曰謹防援賊，城賊內外猛撲，穩愼禦之。（同治二年十一月十二日）

致四弟（注意儉字）

澄弟左右：圍山嘴橋稍嫌用錢太多，南塘竟希公祠宇，亦儘可不起。沅弟有功於國，有功於家，千好萬好，但規模太大，手筆太廓，將來難乎爲繼，吾與弟當隨時斟酌，設法裁減。此時竟希公祠宇，業將告竣，成事不說，其星岡公祠及溫甫事恆兩弟之祠，皆可不修，且待過十年之後再看，至囑至囑！

余往年選聯贈弟，有「儉以養廉，直而能忍」二語。弟之直，人人知之，其能忍，則爲阿兄所獨知；弟之廉，人人料之，其不儉，則阿兄所不及料也。以後望弟於儉字加一番工夫，用一番苦心，不特家常用度宜儉，即修造公費，周濟人情，亦有一儉字意思。總之愛惜物力，不失寒士之家風而已，吾弟以為然否？（同治二年十一月十四日）

致四弟（勤儉首要）

澄弟左右：吾不欲多寄銀物至家，總恐老輩失之奢，後輩失之驕，未有錢多而子弟不驕者也。吾兄弟欲為先人留遺澤，為後人惜餘福，除却勤儉二字，別無做法。弟與沅弟皆能勤而不能儉，余微儉而不甚儉，子姪看大眼，吃大口，後來恐難挽，弟須時時留心！（同治三年正月十四日）

致四弟（宜勸諸姪勤讀）

澄弟左右：沅弟營中久無戰事，金陵之賊，亦無糧盡確耗，杭州之賊目陳炳文，聞有投誠之信，克復當在目前。天氣陰雨作寒，景象亦不甚佳，吾在兵間日久，實願早滅此寇，俾斯民稍留孑遺，而覩此消息，竟未知何日息兵也。紀澤兄弟及王甥羅壻讀書，均屬有恆。家中諸姪，近日勤奮否？弟之勤，為諸兄弟之最，儉字工夫，日來稍有長進否？諸姪不知儉約者，弟常常訓責之否？（同治三年三月初四日）

致九弟（毋惱毋怒以養肝疾）

沅弟左右：適聞常州克復，丹陽克復之信，正深欣慰，而弟信中有云：「肝病已深，痛疾已成，逢人輒怒，遇事輒憂等語，」讀之不勝焦慮！今年以來，蘇、浙克城甚多，獨金陵遲遲尚無把握。又餉項奇絀，不如意之事機，不入耳之言語，紛紛迭乘，余尚惱鬱成疾。況弟之勞苦過甚，百倍阿兄，心血久虧，數倍於阿兄乎。

余自春來，常恐弟發肝病，而弟信每含糊言之，此四句乃露實情，此病非藥餌所能為力，必須將萬事看空，毋惱毋怒，乃可漸漸減輕。蝮蛇螫手，則壯士斷其手，所以全生也。吾兄弟欲全其生，亦當視惱怒如蝮蛇，去之不可不勇，至囑至囑！

余年來愧對老弟之事，惟調撥程學啓一名，將有損於阿弟。然有損於家，有益於國，弟不必過鬱，兄亦不必過悔。頃見少荃爲程學啓請邮一疏，立言公允，玆特寄弟一閱。

李世忠事，十二日奏結，又餉紬情形一片，即爲將來兄弟引退之張本，余病假於四月廿五日滿期，余意再請續假，幕友皆勸銷假，弟意以爲何如？

淮北票鹽課釐兩項，每歲共得八十萬串，擬概供弟一軍，此亦鉅款，而弟猶嫌其無幾。余於咸豐四、五、六、七、八、九等年，從無一年收過八十萬者，再籌此等鉅款，萬不可得矣。（同治三年四月十三日）

致九弟（心肝之病以自養自醫爲主）

沅弟左右：厚庵到皖，堅辭督辦一席，渠之赴江西與否，余不能代爲主持，至於具摺，則必須渠親自陳奏，余斷不能代辭。厚帥現擬在此辦摺，拜疏後仍回金陵水營，春霆、昌岐聞亦日內可到，春霆回籍之事，却不能不代爲奏懇也。

弟病今日少愈否？肝病余所深知，腹疼則不知何症？屢觀朗山脈案，以扶脾爲主，不求速效，余深以爲然。然心肝兩家之病，究以自養自醫爲主，非藥物所能爲力。今日偶過裱畫店，見弟所寫對聯，光彩煥發，精力似甚完足，若能認眞調養，不過焦灼，必可漸漸復元。（同治三年五月初十日）

致九弟（鬱怒最易傷人）

沅弟左右：內疾外症，果愈幾分，凡鬱怒最易傷人，余有錯處，弟儘可一一直說。人之忌我者，惟願弟做錯事，惟願弟之不恭。人之忌弟者，惟願兄做錯事，惟願兄之不友。弟看破此等物情，則知世路之艱險，

而心愈抑畏，氣反和平矣。（同治三年五月廿三日）

致四弟（教家中以勤儉爲主）

澄弟左右：余在金陵，二十日起行至安慶，內外大小平安。門第太甚，余教兒女輩，惟以勤儉謙三字爲主。自安慶以至金陵，沿江六百里，大小城隘，皆沅弟之所攻取。余之幸得大名，皆沅弟之贈送也，皆高曾祖父之所留遺也。

余欲上不愧先人，下不愧子弟，惟以力教家中勤儉爲主。余於儉字做到六、七分，勤字則尚無五分工夫。弟與沅弟，於勤字做到六、七分，儉字則尚欠工夫。以後勉其所長，各戒其所短。弟每用一錢，均須三思，至囑！（同治三年八月初四日）

致四弟九弟（述浚秦淮河及書信往來論文事）

澄沅兩弟左右：臘月初六接沅弟來信，知已平安到家，慰幸無已。少荃於初六日起行，已抵蘇州，余於十四日入闈寫榜，是夜二更發榜，正榜二百七十三，副榜四十八，闈墨極好，爲三十年來所未有。

韞齋先生與副主考亦極得意，士子歡欣傳誦。韞師定於二十六日起程，平景孫編修奏請便道回浙，此間公私送程儀約各三千有奇。各營挑浚秦淮河，已浚十分之六，約年內可以竣事。澄弟所勸大臣大儒致身之道，敬悉敬悉，惟目下精神，實不如從前耳。

鳴原堂論文鈔，東坡萬言書，弟閱之如尚有不能解者，宜寫信來問。弟每次問幾條，余每次批幾條。兄弟論文於三千里外，亦不減對床風雨之樂。弟以不能文爲此身缺憾，宜趁此家居時，苦學二、三年，不可拋荒片刻也。（同治三年十二月十六日）

致九弟（講求奏議不遲）

沅弟左右：弟信言寄文每月以六篇爲率，余意每月三次，每次未滿千字者則二篇，千字以上者則止一篇。選文之法，古人選三之二，本朝人選三之一，不知果當弟意否？弟此時講求奏議，尚不爲遲，不必過懊惱。天下督撫二十餘人，其奏疏有過弟者，有魯衛者，有不及者。弟此時用功，不求太猛，但求有恆，以吾弟攻金陵之苦力，用之他事，又何事不可爲乎。（同治四年正月廿四日）

致四弟九弟（述軍情）

澄、沅兩弟左右：紀瑞姪得取縣案首，喜慰無已。吾不望代代得富貴，但願代代有秀才；秀才者，讀書之種子也，世家之招牌也，禮義之旌幟也。諄囑瑞姪，從此奮勉加功，爲人與爲學並進。切戒驕奢二字，則家中風氣日厚，而諸子姪爭相濯磨矣。

吾自受督辦山東軍務之命，初九、十三日兩摺，皆已寄弟閱看，玆將兩次批諭鈔閱。吾於廿五日起行登舟，在河下停泊三日，待遣回之十五營，一概開行，帶去之六營，一概拔隊，然後解纜長行。茂堂不願久在北路，擬至徐州度暑，九月間准茂堂還湘，勇丁有不願留徐者，亦聽隨茂堂歸。總使吉中全軍，人人榮歸，可去可來，無半句閒話，惹人談論，沅弟千萬放心。

余舌尖蹇澀，不能多說話，諸事不甚耐煩，幸飲食如常耳。沅弟濕毒未減，懸系之至！藥物斷難收效，總以能養能睡爲妙。（同治四年五月廿五日）

致四弟九弟（寄銀親族三黨）

澄、沅兩弟左右：余經手事件，只有長江水師，應撤者尚未撤，應改爲額兵者尚未改，暨報銷二者，未了而已。今冬必將水師章程出奏，幷在安慶設局，辦理報銷。諸事清妥，則余兄弟或出或處，或進或退，綽有餘裕。

近四年每年寄銀少許與親屬三黨，今年仍循此例。惟徐州距家太遠，勇丁不能攜帶，因寫信與南坡，請其在鹽局匯兌，余將來在揚州歸款。請兩弟照單封好，用紅紙簽寫「菲儀」等字，年內分送，千里寄出毫毛，禮文不可不敬也。(同治四年十一月十六日)

致四弟(述養身五事)

澄弟左右：鄉間穀價日賤，禾豆暢茂，猶是昇平景象，極慰極慰！賊自三月下旬，退出曹鄆之境，幸保山東運河以東各屬，而仍蹂躪及曹宋徐泗鳳淮諸府，彼勦此竄，倏忽來往，直至五月下旬，張牛各股，始竄至周家口以西，任賴各股，始竄至太和以西，大約夏秋數月，山東、江蘇，可以高枕無憂，河南、皖、鄂又必手忙脚亂。

余擬於數日內至宿遷、桃源一帶，察看隄牆，即於水路上臨淮而至周家口。盛暑而坐小船，是一極苦之事，因陸路多被水淹，雇車又甚不易，不得不改由水程。余老境日逼，勉強支持一年半載，實不能久當大任矣。因思吾兄弟體氣皆不甚健，後輩子姪，尤多虛弱，宜於平日講求養身之法，不可於臨時亂投藥劑。養身之法，約有五事：一曰眠食有恆，二曰懲忿，三曰節慾，四曰每夜臨睡洗脚，五曰每日兩飯後，各行三千步。懲忿即余篇中所謂養生以少惱怒爲本也。眠食有恆，及洗脚二事，星岡公行之四十年，余亦學行七年矣。飯後三千步，近日試行，自矢永不間斷。弟從前勞苦太久，年近五十，願將此五事立志行之，並勸沅弟與諸子姪行之。

余與沅弟同時封爵開府，門庭可謂極盛，然非可常恃之道。記得已亥正月，星岡公訓竹亭公曰：「寬一雖點翰林，我家仍靠作田爲業，不可靠他吃飯。」此語最有道理，今亦當守此二語爲命脈，望吾弟專在作田上用工，輔之以「書蔬魚猪，早掃考寶」八字，任憑家中如何貴盛，切莫全改道光初年之規模。凡家道所以可久者，不恃一時之官爵，而恃長遠之家規；不恃一、二人之驟發，而恃大衆之維持，我若有福，罷官回家，當與弟竭力維持。老親舊眷，貧賤族黨，不可怠慢，待貧者亦與富者一般，當盛時預作衰時之想，自有深固之基矣。（同治五年六月初五日）

致九弟（宜在自修處求強）

沅弟左右：接弟信，具悉一切。弟謂命運作主，余所深信。謂自強者，每勝一籌，則余不甚深信。凡國之強，必須多得賢臣，凡家之強，必須多出賢子弟，此亦關乎天命，不盡由於人謀。至一身之強，則不外乎北宮黝、孟施舍、曾子三種。孟子之集義而慊，即曾子之自反而縮也。惟曾、孟與孔子告仲由之強，略為可久可常。此外鬬智鬬力之強，則有因強而大興，亦有因強而大敗。古來如李斯、曹操、董卓、楊素，其智力皆橫絕一世，而其禍敗亦迥異尋常。近世如陸、何、蕭、陳皆予知自雄，而俱不保其終。故吾輩在自修處求強則可，在勝人處求強則不可。若專在勝人處求強，其能強到底與否，尚未可知？即使終身強橫安穩，亦君子所不屑道也。賊匪此次東竄，東軍小勝二次，大勝一次，劉潘大勝一次，小勝數次，似已大受懲創，不似上半年之猖獗。但求不竄陝洛，即竄鄂境，或可收夾擊之效。

余定於明日請續假一月，十月請開各缺，仍留軍營刻一木戳，會辦中路勦匪事宜而已。（同治五年九月十二日）

致四弟（送銀共患難者及述星剛公之家規）

澄弟左右：余於十月廿五日，接入覲之旨，次日寫信召紀澤來營，厥後又有三次信，止其勿來，不知均接到否？

自十一月初六接奉回江督任之旨，十七日已具疏恭辭，廿八日又奉旨令回本任，初三日又具疏懇辭，如果不獲命，尚當再四疏辭。但受恩深重，不敢遽求回籍，留營調理而已，余從此不復作官。同鄉京官，今冬炭敬，猶須照常餽送。昨令李翥漢回湘，送羅家二百金，李家二百金，劉家百金，昔年曾共患難者也。前致弟處千金，爲數極少，自有兩江總督以來，無待胞弟如此之薄者。然處玆亂世，錢愈多則患愈大，兄家與弟家，總不宜多存現銀現錢，每年足敷一年之用，便是天下之大富，人間之大福矣。家中要得興旺，全靠出賢子弟，若子弟不賢不才，雖多積銀、積錢、積穀、積產、積書、積衣，總是枉然。子弟之賢否，六分本於天生，四分由於家教。吾家世代皆有明德明訓，惟星岡公之教，尤應謹守牢記。吾近將星岡公之家規，編成八句云：「書蔬猪魚，考早掃寶，常設常行，八者都好，地命醫理，僧巫祈禱，留客久住，六者俱惱。」蓋星岡公於地、命、醫、僧、巫五項人進門便惱，即親友遠客久住亦惱，此八好六惱者，我家世世守之，永爲家訓，子孫雖愚，亦必使就範圍也。（同治五年十二月初六日）

致九弟（一悔字訣）

沅弟左右：鄂督五福堂有回祿之災，幸人口無恙，上房無恙，受驚已不小矣。其屋係板壁紙糊，本易招火，凡遇此等事，只可說打雜人役失火，固不可疑會匪之毒謀，尤不可怪仇家之奸細。若大驚小怪，胡想亂猜，生出多少枝葉，仇家轉得傳播以爲快。惟有處處泰然，行所無事，申甫所謂「好漢打脫牙和血吞」，星岡公所謂「有福之人善退財」，眞處逆境者之良法也。

弟求兄隨時訓示申儆，兄自問近年得力，惟有一悔字訣。兄昔年自負本領甚大，可屈可伸，可行可藏，又每見得人家不是，自從丁巳、戊午大悔大悟之後，乃知自己全無本領，凡事都見得人家有幾分是處。故自戊午至今九載，與四十歲以前迥不相同。大約以能立能達爲體，以不怨不尤爲用。立者，發奮自强，站得住也，辦事圓融，行得通也。

吾九年以來，痛戒無恆之弊。看書寫字，從未間斷，選將練兵，亦常留心，此皆自強能立工夫。奏疏公牘，再三斟酌，無一過當之語，自誇之辭，此皆圓融能達工夫。至於怨天本有所不敢，尤人則尚不能免，亦皆隨時強制而克去之。

弟若欲自儆惕，似可學阿兄丁戊二年之悔，然後痛下鍼砭，必有大進。立達二字，吾於己未年，曾寫於弟之手卷中，弟亦刻刻思自立自強。但於能達處尚欠體驗；於不怨尤處，尚難強制，吾信中言皆隨時指點，勸弟強制也。趙廣漢本漢之賢臣，因星變而劾魏相，後乃身當其災，可為殷鑒！默存一悔字，無事不可挽回也。（同治六年正月初三日）

致九弟（必須逆來順受）

沅弟左右：接李少帥信，知春霆因弟覆奏之片，言省三係與任逆接仗，霆軍係與賴逆交鋒，大為不平。自奏傷疾舉發，請開缺調理；又以書告少帥，謂弟自佔地步。弟當此百端拂逆之時，又添此至交齟齬之事，想心緒益覺難堪。然事已如此，亦只有逆來順受之法，仍不外悔字訣，硬字訣而已。

朱子嘗言：「悔字如春，萬物蘊蓄初發；吉字如夏，萬物茂盛已極；吝字如秋，萬物始落；凶字如冬，萬物初凋。」又嘗以元字配春，亨字配夏，利字配秋，貞字配冬，兄意貞字即硬字訣也。弟當此艱危之際，若能以硬字法冬藏之德，以悔字啓春生之機，庶幾可挽回一、二乎。

聞左帥近日亦極謙慎，在漢口氣象何如？弟曾聞其大略否？申甫閱歷極深，若遇危難之際，與之深談，渠尚能於惡風駭浪之中，默識把柁之道，在司道中，不可多得也。（同治六年三月初二日）

致四弟九弟（諭旨飭沅陛見）

澄、沅兩弟左右：初二日接奉寄諭，飭沅弟迅速進京陛見，玆用排單恭錄諭旨，咨至弟處。上年十二月，韞齋先生力言京師士大夫於沅弟毫無間言，余卽知不久必有諭旨徵召，特不料有如是之速。余擬於日內覆奏一次，言弟所患夜不成寐之病，尙未痊愈，趕緊調理，一俟稍痊，卽行進京；一面函商臣弟國荃，今將病狀詳細陳明云云。沅弟奉旨後，望作一摺，寄至金陵，附余發摺之便覆奏。

余意不寐屢醒之症，總由元、二兩年用心太過，肝家亦暗暗受傷，必須在家靜養一年，或可奏效。明春再行出山，方爲妥善。若此再後有諭旨來催，亦須稍能成寐，乃可應詔急出，不審兩弟之意，以爲何如？筱荃來撫吾湘，諸事尙不至大有更張；惟次山微罪去官，令人悵悵！沅弟前函有長沙之行，想正値移宮換羽之際，難爲情也。（同治六年三月初四日）

致四弟（念及丁口繁盛）

澄弟左右：吾鄉雨水霑足，甲五、科三、科九、三姪婦，皆有夢熊之祥，而爲歡慰。吾自五十以後，百無所求，惟望星岡公之後，丁口繁盛，此念刻刻不忘。吾德不及祖父遠甚，惟此心則與祖父無殊。弟與沅弟望後輩添丁之念，又與阿兄無殊。或者天從人願，鑒我三兄弟之誠心，從此丁口日盛，亦未可知。且卽此一念，見我兄弟之同心，無論何房添丁，皆有至樂，和氣致祥，自有可卜昌明之理。沅弟自去冬以來，憂鬱無極，家眷擬不再接來署。

吾精力日衰，斷不能久作此官。內人率兒婦輩久居鄉間，將一切規模立定，以耕讀二字爲本，乃是長久之計。（同治六年五月初五日）

致四弟九弟（述爲學四要）

澄、沅兩弟左右：屢接弟信，並閱弟給紀澤等諭帖，具悉一切。兄以八月十三出省，十月、十五日歸署，在外匆匆，未得常寄函與弟，深以爲歉！小澄生子，岳松入學，是家中近日可慶之事。沅弟夫婦病而速痊，亦屬可慰！

吾見家中後輩，體皆虛弱，讀書不甚長進，曾以爲學四事勗兒輩：一曰看生書宜求速，不多讀則太陋；一曰溫舊書宜求熟，不背誦則易忘；一曰習字宜有恆，不善寫則如身之無衣，山之無木；一曰作文宜苦思，不善作則如人之啞不能言，馬之跛不能行。四者缺一不可。蓋閱歷一生而深知之，深悔之者，今亦望家中諸姪力行之。兩弟如以爲然，望常以此教誡子姪爲要。

兄在外兩月有餘，應酬極繁，眩暈疝氣等症，幸未復發，脚腫亦愈，惟目蒙日甚，小便太多，衰老相逼，時勢當然，無足怪也。（同治六年十月廿三日）

致四弟（兄弟同蒙封爵）

澄弟左右：初十日接奉恩旨，余蒙封侯爵，太子太保；沅蒙封伯爵，太子少保，均賞雙眼花翎；沅部李臣典子爵；蕭孚泗男爵。殊恩異數，萃於一門，祖宗積累陰德，吾輩食此重祿，感激之餘，彌增歉悚！

沅弟至六月甚辛苦，近日濕毒，十愈其七。初十、十一、十二等日，戲酒宴客，每日百餘席，沅應酬周到，不以爲苦，諺稱人逢喜事精神爽，其信然歟。余擬於七月下旬回皖，九月再來金陵，十一月舉行江南鄉試。沅弟擬九、十月回籍，各營應撤二萬人，遣資尙無著也。（同治七年五月十四日）

致諸弟（四弟已經出京）

溫甫、沅浦、季洪三弟左右：三月初二日接到二信，一係正月二十發，一係二月十二發，具悉一切。日內極挂念沅弟，得沅弟一紅紙片，甚欣慰也。

澄弟已於二月念六出京，誥軸須四月用寶，澄弟不能待，將來另託人帶歸。澄弟與安化張星垣、衡山陳穀堂二大令，同行至保定，又約楊鏡楠之弟同行。鵝毛管眼藥，貼毒膏藥，澄弟未帶，將來託魏亞農帶歸，黃生駒姪也。梁同年獻廷託請誥封之事，將來必要辦妥，渠之銀，弟儘可收用。

京寓大小平安，癬疾微發，尚不爲害，陳岱雲之如夫人，歿於安徽，頃接其信，甚爲悽惋！同鄉周轉亭得御史，常世兄、勞世兄兩蔭生皆內用，將來爲光祿寺署正，可分印結，亦善地也。蘭姊多病，予頗憂慮，下次書來，倘乞詳示。父大人命予家中不必太瑣瑣，故不多及，國藩草。（咸豐元年三月初四日）

國家圖書館出版品預行編目資料

曾文正公家書／曾國藩著. -- 初版. -- 新北市：
華夏出版有限公司, 2021.08
面； 公分. -- (Sunny 文庫；150)
ISBN 978-986-0799-10-1(平裝)
1.(清)曾國藩 2.傳記

782.877 110009342

Sunny 文庫 150
曾文正公家書

著 作 曾國藩
印 刷 百通科技股份有限公司
電話：02-86926066 傳真：02-86926016
出 版 華夏出版有限公司
220 新北市板橋區縣民大道 3 段 93 巷 30 弄 25 號 1 樓
電話：02-32343788 傳真：02-22234544
E-mail： pftwsdom@ms7.hinet.net
劃撥帳號 19508658 水星文化事業出版社
總 經 銷 貿騰發賣股份有限公司
新北市 235 中和區立德街 136 號 6 樓
電話：02-82275988 傳真：02-82275989
網址：www.namode.com
版 次 2021 年 8 月初版一刷
特 價 新台幣 420 元 (缺頁或破損的書，請寄回更換)

ISBN-13：978-986-0799-10-1